JN048882

岩波講座　世界歴史　5

中華世界の盛衰

～四世紀

岩波講座

世界歴史

05

中華世界の盛衰

〜四世紀

岩波書店

第5巻【責任編集】冨谷　至

目次

展　望　*Perspective*

展望 *Perspective*

中華世界の重層環節 その第一幕

冨谷 至

はじめに

全二四巻からなるこの度の『岩波講座 世界歴史』のなかで、前近代東アジアとりわけ中国、中華に重点をおくものは、第五巻「中華世界の盛衰」、第六巻「中華世界の再編とユーラシア東部」、第七巻「東アジアの展開」の連続する三つの巻である。

三巻がもつそれぞれのタイトルをご覧になった読者の中には、いったいそこにどのような意味があるのか、なぜ「中華世界」との名称を与えるのか、「再編」とはなにか、さらには、「中華世界」「ユーラシア東部」と「東アジア」は、それぞれどう異なり、何故そういったタイトルにしたのか、疑問を抱かれる方もおられるであろう。

確かに一見したところ、統一性をもたず、適当に命名したとの印象を与えるかもしれない。しかしかかる疑問、戸惑い、そして批判が投げかけられることは、十分に承知し、むしろ疑問が興味を喚起し、そこから我々がこめた「微言大義」を読み取っていただきたいと願ってのことである。

今回の東アジア関係の五、六、七の三巻は、先秦から四世紀初めの西晋滅亡まで、東晋・五胡十六国から八世紀半ばの安禄山の乱まで、そして唐後半から元末・明初までの分期をもって構成される。何もここで「時代区分」というほど大上段にかまえるつもりはないが、そのような分期は、以下の事由による。

東アジアに誕生した漢民族の文明と統一帝国、これを「漢人統一帝国」と呼ぶならば、先秦から統一秦にいたる、いわば統一帝国成立を招来した前史をふまえて、秦漢帝国という皇帝のもとでの中央集権国家が成立する。それは漢民族の中華帝国であったが、その漢民族の中華が異民族（匈奴、鮮卑やトルコ系遊牧民族国家）との接触、融合、昇華により西晋王朝をもって終焉し、新しい「中華」「中華世界」が再編される。

南北朝の分裂の先に現出した隋唐統一王朝は、もはやそれまでの「漢人中華」ではなく、周辺の非漢民族が漢人中華社会のなかで孵化して形成された「天可汗」的世界であった。第六巻での「ユーラシア東部」という表現は、単に地理空間、地域を指すのみならず、拡大変化した政治的・文化的「中華世界」をも意味するとしたい。

その後、唐中期安禄山の乱以後、唐王朝の初期体制が崩壊するとともに、遼・金・元という周辺異民族国家がいわば第二の「中華」をさらに解体、改変していく。しかしながら、第一および第二段階を経過してもなお「中華」は、そこに浸潤していた「生来の強さ」そして「潜在する老獪さ」を有しており、その重層の上に第三段階の「中華世界」が生まれる。かのチンギス・ハンのモンゴルがフビライの王朝で「中統」という元号、「大元」という『易』を典故とした国号を制定し、大都という都城を建設したのは、華北・華南の中国内地支配の懐柔政策の一環であったにしろ、別の目で見れば、かかる礼的制度と漢字文化を意識させ、巧まずして憧憬を抱かせる中華文化の伝統的強靭さであるともいえる。そこで展開される「中華世界」は、第二期のように「ユーラシア東部」と表現するには、いささか不適当であり、むしろ新出の「東アジア世界」といったほうが、より本質に迫るのではないだろうか。

かかる異なる民族と文化を併呑して換骨奪胎を繰り返す「中華世界」の拡大と変質の歴史的展開をここで、「中華世界の重層環節」と表現することにし、各巻はその「重層環節」を解説したものである。

明清以降は、より世界的な視点からの解説が必要であり、第一二巻、第一七巻がそれを担うが、いずれにしろこの「中華世界の重層環節」は、じつは現在の中華人民共和国のあり方にも繋がると考えられ、それは「拡大する中華国家」に他ならない。

「中華」という二字の名称は、経書などに見える「中夏」「中国」「華夏」の語彙から「中」と「華」を取り出して、東晋以後になって作られた名称である（渡邉 二〇一〇：序章「〈中華〉とは何か」）。唐代では法制、行政の用語ともなり、「外藩」の対語として『唐律疏議（とうりつそぎ）』（名例律）で確認される。東アジア世界の歴史的展開から第二段階に至って登場したということで、いま「中国世界」ではなく「中華世界」とここで表現するのは、「重層環節」という概念を表す最も相応しい用語であると考えたからに他ならない。

本書第五巻は、前述の如く先秦時代から四世紀初頭の西晋までをとりあつかう。

「中華世界」、その「中華」はどういう概念なのか。一般的に「中華」の対語は「夷狄（いてき）」であるが、統一秦以後になって、中国大陸に統一国家が成立し、「秦人」「漢人」という語が登場し、秦帝国、漢帝国の構成員と、その周辺、長城の外に居住する異なる集団を夷狄とし、そこに中華と夷狄の概念が配当されていった。それは、秦漢統一帝国の誕生と密接に関係するといってもよい。しかしながらそれ以前においては、「中華」と「夷狄」は、異なった概念を有していたのであり、秦漢帝国以後も「中華」の意味は変化していく。つまり「中華」の内容は一定不変ではなく、流動性の中で変化し続けたのである。その流動性をもたらしたのは、そもそも「中華」「中国」の概念が意識的に作為され、それゆえ可変的であるからに他ならない。

本巻「中華世界の盛衰」は、「統一帝国以前」「漢人統一帝国」「漢人統一帝国の衰退と復興」「魏晋王朝の政治改革とその挫折」「胡漢融合の新たな中華の誕生」という流れを縦軸とし、対象とする時代における思想、社会（家族、男女の性差）、文学、地方行政と地方官、周辺諸国などの課題を横軸とし、その座標面のうえで中華世界の成立、変遷そして終焉を「連続と変化」という動的視座でもって描き出すことを目指したい。

まず、本章では、「中華」「中華世界」の概念の変遷と確立を考えることからはじめ、「儒教」「礼」「法」といった中華世界を象徴することがらを鍵詞において、第一期「中華世界」の誕生と終焉を述べよう。

一、中国、諸夏、夷狄、四海、天下

殷周時代、中原一帯には、「邑」「国邑」と呼ばれる万単位の数の聚落が存在したとされる。国邑の規模は、大小一定しないが、一キロから四キロ四方の城壁に囲まれた都城をもち、周辺に三、四十キロ四方の耕作地、狩猟地が広がり、その土地も「邑」もしくは「国邑」の領域に含まれていたことは、近年の考古発掘などから明らかになってきた（江村 二〇〇〇：「戦国都市遺跡表」四一三―四五七頁）。文献史料からも『荀子』王覇に、「湯王は亳の地にあって、武王は鄗の地におり、ともに百里四方の領地であったのだが、天下は統一され、諸侯は臣下となり、足跡の及ぶ限りの所にいる輩は、すべて服従する」とみえ、百里（四〇キロ）四方が国邑の一般であったことが分かる。

殷や周の都も「大邑商」「大邑成周」などとの呼称をもっており、中原統治、四方統治の中心的存在である「国邑」として「中国」と呼ばれた。それは、西周時代の青銅器に鋳込まれた銘文の中にすでに確認される（松井 二〇〇二：第一部第二章）。


佳れ武王は既に大邑商に克ち、すなわち天に廷告して曰く、余は茲、中或（国）に宅りて、之れ自り民を辥めんと。

何尊銘

「中国」と方向を同じくする語としては、「中夏」「華夏」という表現がある。現存する文献史料の内、最も古いと考えられる『尚書』『詩経』の中に西周時代の言説としてそれらが引用されているが、「中国」という語がどちらかと言えば、中心的国邑といった地域的表現に傾斜するのに対して、「中夏」「華夏」は、周王朝の政治、文化の中心、もしくはその影響下にある空間といった、より観念的な意味合いを有する語と解釈される(渡邉 二〇一〇：三八頁)。

国邑の外には、山林、原野などが存在しているのだが、定住の如何を問わず、そこに何らかの形で居をおく集団が「夷」「狄」「蛮」などという呼称をもつ夷狄であった。『春秋左氏伝』などでは、それぞれの夷狄は、○夷(淮夷、東夷など)、○戎(犬戎、陸渾戎)、○狄(白狄、赤狄など)と個別の名称をもって記されているが、狩猟、牧畜を営む集団もあれば、半農半牧の集団も存在していた。すくなくとも彼らの居住形態は、城壁を備えてその外側に農耕地が展開するというものではなく、それゆえ、居住形態、生活習俗も国邑の構成員(国人)とは異なっていた。

ただ、ここで確認しておかねばならないことは、いうところの夷狄は、後の時代の夷狄、つまり長城の外に存在する遊牧異民族ではなく、中原一帯において多くの国邑と隣接しあって居住していたこと、さらには、かかる夷狄は周王に「四方の積」を貢ぐことで周の統治に組み込まれていたこと(松井 二〇〇二：四七―四八頁)、そしてそのはじめ、「中華」と「夷狄」という語は、後に優劣の評価がそこに付与される対立概念ではなかったということである。

「中華」という語は、冒頭で述べたように、東晋以後の成語であり、先秦秦漢の出土文字資料、文献史料のなかでは確認できない。しかし、本章では、以後の説明において、「諸夏」「中国」などを代表する表現として使用していくことにし、また「戎」「夷」「蛮」「狄」の総称として「夷狄」を使用する。

中華(中国・諸夏)と夷狄(戎・蛮)は、はじめは単なる居住地域・存在形態の区分を示す独立した語であった。時代を経るにつれて、両者の区別が平面的な相違にとどまらず、縦系列におかれる等差、上下関係をもつ価値づけへと推移していったことは、区別が差別へと転化する普遍的現象からして、自然の成り行きであったといってよいかもしれない。さらにそれは、西周から春秋時代、戦国時代と時代の移行にともなって顕在となっていく。西周時代には、中原一帯には大小を合わせると万単位で存在していたとされる国邑が、強大な国邑、つまり有力な諸侯国が複数の国邑を傘下におき、中原における中華世界が拡大していくなかで中華に属するものとそうでないものが明確化していったのである。城壁をもつ都城と、その周辺の耕作地および牧畜地からなりたつ国邑の基本的構造は変わらなかったものの、有力諸侯国が周辺の国邑を衛星として従えるという図式を想定してもよい。

「天子の制、地は方千里、公侯は皆な方百里、伯は七十里、子、男は五十里」は、『孟子』万章下の文であるが、「その昔は、万を数える国が存在していたが、今では十数国が残っているだけだ」(『荀子』王覇)、「湯王は亳の地にあって、武王は鄗の地におり、ともに百里四方の領地であったのだが、天下は統一され、諸侯は臣下となり、足跡の及ぶ所の輩は、すべて服従する」(同上)といった言説からは、殷周期には、百里四方の国邑が一般であったのが、戦国期にはもはや、小さな国となっていたことがうかがえるのである。

孟子と荀子の主張は、彼らの思想の展開がものした修辞であることは言うまでもない。しかし、国邑の拡大と序列化をその行間に読み取ることは、あながち誤っているわけではなかろう。

かく、春秋の覇者、戦国の七雄国と中華衛星圏が拡大していく波間で、華北に雑居していた夷狄は、一部は中華の中に吸収されていき、一部は中華と一層鮮明に対立関係をもつようになり、また一部は、中原から離れて北に移っていったと考えられる。

華北における中華領域の拡大がもたらした夷狄の弱小化は、中華の側からすれば、自己の優位性を確立することと同時に、あるべき中華と否定すべき非中華=夷狄を一層明確にし、華夷の実体的相違から観念的価値評価への深化を促すことになる。社会の混乱と無秩序が進行するなかで、あるべき社会、政治、そして人間としてとるべき行動への理想化が、その反対概念として夷狄を設定していったのである。

その過程をいますこし詳細にたどっていこう。

『詩経』『尚書』『論語』などが、部分的にしろ、いつ頃編纂され成立したのか、はっきりしたことは不明である。ただ、前五世紀春秋末期から前三世紀半ばの戦国時代、つまり孟子や荀子の時代には形をなしていたと考えてよい。確実にいえることは、これらの書は、現在目にすることができる最も古い、整った文献史料ということである。

「中国」という語は、『詩経』生民之什・民労「此の中国を恵て、以て四方を綏んず（中国に恵みをほどこし、四方を安定させる）」、蕩之什・蕩「内、中国に奰りて、覃きて鬼方に及ぶ（怒りは中国からおこりて、遠方に及ぶ）」などが文献に見える古い用例だが、ここでの「中国」は、華北の中心、京師という場所を意味し、それはすでに挙げた青銅器の銘文の「中或」に通底する。やがて、より意味が広がり、かつ夷狄と対になった「中国」が登場する。

『論語』には、「中国」の二字は見えず、「諸夏」とあるが、「子曰く。夷狄の君あるは、諸夏の亡きに如かざるなり」（八佾）と、はっきりと諸夏と夷狄は対になって登場し、かつ諸夏が夷狄より上位に位置づけられている。そこには、「あるべき中華」という理念があり、その対立概念に「夷狄」が想定されている。「あるべき」「あるべからざる」は、とりもなおさず現実的空間ではなく観念的概念が形成されていたからに他ならない。

『孟子』にいたっては、それが一層すすむ。理想主義にことのほか傾斜する孟子の思想からか、『孟子』のなかで説かれる「中国」「夷狄」は、それまでの「華北の中心」「京師」といった意味で使われてはいない。そこでは洗練された文化をもつ「中国」と、非文明の固陋で野卑な夷狄との対立関係を鮮明にし、夷狄は中華によって懐柔され、教化される対象として位置づけられるのである。

中国に莅みて、四夷を撫んず（中国に君臨して、夷狄を懐柔する）。　『孟子』梁恵王上

吾、夏を用って夷を変ずることを聞くも、未だ夷に変ぜらるることを聞かざるなり（私は、中国が夷狄を改変させたことは聞いているが、夷狄に改変させられた、そのようなことを聞いたことがない）。　『孟子』滕文公上

さらに孟子にあっては、舜や文王がもともと夷狄から出てきて、中国を統一したともいう。

孟子曰く。舜は諸馮に生まれ、負夏に移り、鳴条で亡くなった。東夷の人間である。文王は岐周に生まれ、畢郢で亡くなった。西夷の人間である。土地を隔てること、千里あまり、世代の前後は、千有余年であるが、志をもって中国に尽くしたこと、符節を合わせるかのごときである。

『孟子』離婁下

右の条文が記す「夷」「狄」は、未開の土地、野卑な片田舎、文明の果つるところ、という意味であり、「異民族」＝「異なった民族」という意味は希薄である。つまり相違は、実体的相違ではなく相対的価値観であり、それゆえ、非文明の野蛮から、文明の中華への移行は教化によって成し遂げられるという図式が生まれるのである。

夷狄から中華の上昇が可能であれば、逆に中華から夷狄への転落も論理の必然といってよい。中華と夷狄の価値づけがここに流動性を有することになろう。

それを明確に主張するのが、戦国末から漢にかけて、口授されてきた伝義が次第に形を整えていき、最終的に漢景帝のとき書物となった『春秋公羊伝』である（日原 一九七六：「春秋学の成立」）。

夷狄を許すは、一にして足らざるなり。

『春秋公羊伝』文公九年

夷狄の中国に主たるを与さざるなり。然らば則ち曷為れぞ、中国をして之に主たらざらしむるや。中国も亦た新たな夷狄なればなり。

『春秋公羊伝』昭公二十三年

「中国も亦た新たな夷狄なり」。『公羊伝』にあっては、夷狄はもはや実体的存在ではなく、「あるべき中華の資格をもたない存在」という、蔑むべき貶辞に変化したものといってよい。

夷狄と中国は、文化の習熟の相違だという相対的位置づけ、その獲得と喪失が、夷狄と中華の流動的相互転換を召喚したということは、本章の冒頭で言及した中華世界における重層環節の水脈の源といえるのではないだろうか。

そこで次に、「あるべき中華」「あるべからざる非中華＝夷狄」とは、なにによって決められ、誰が定義づけたのかを問わねばならない。

その前に、四夷、九夷、さらには四海、天下という語の由来に関して、補足しておきたい。

四夷、九夷

「中国」「諸夏」が実態的領域を示す語から観念的価値観をともなった語へと変化するに順い、対置する「夷」「夷狄」も非文明の社会、野蛮な集団という意味で用いられるようになったことはすでに述べた。

「夷狄」に関して、『論語』では、夷狄の他に「九夷」という語が、また『孟子』では「四夷」という語が使われ、「九」「四」といった数詞を冠することから、この語は全く観念的用語とはいえないといわれるかもしれない。事実、そういう解釈もある。

　子、九夷に居らんと欲す。或ひと曰く。陋たること、之を如何せん。　『論語』子罕

後の注釈家、たとえば東漢の馬融は、この『論語』の条文を「九夷は、東方の夷」と解釈し、南朝梁・皇侃は、東方の九種の夷狄といい、玄菟、楽浪、倭などその具体的名をあげる。しかし、孔子が倭国の存在を知っていたとは考えられず、「九」を実数とみる解釈は明らかに間違っている。「九夷」という語は、「九州」「九穀」に同じく「複数の」「多くの」という意味をもつ「九」が「夷」に接頭した二字で、「多くの異民族」「周辺の複数の異民族」といったものでしかない。

周辺の異民族ということでは、また「四夷」という称謂も使われた。「四夷」という語の比較的早い典拠は、先に引用した『孟子』梁恵王上の「中国に莅みて、四夷を撫んず」だが、『孟子』には、東夷、西夷という表現も見える。この語も東と西の対語を冠しただけの「東や西」という意味で、一定の方向を強く意識した用語ではない。四夷にしろ、東夷・西夷にしろ、周辺の夷狄、四方の夷狄という漠然とした内容を有する語であり、東西南北といった定まった限定的方位をともなうものではないのである。

「東西南北」については、『礼記』檀弓に「今、丘は、東西南北の人なるも、以て識らざるべからざるなり」という有名な言葉がある。この「東西南北」は、「あちこち」「常処のない」という意味である。また『詩経』大雅・文王有声の「西より東より、南より北より、服せざるを思わざるなし」との表現も、はっきりとした方位を示すのではなく、「あちこち」「四方から」という意味でしかない。

やがて、それが四方の異民族の名称に夷、狄、戎、蛮といった区別が付けられ、夷・狄・戎・蛮が「東夷・北狄・西戎・南蛮」という方位によって区分けされる表現となっていく。漠然とした四夷が、明確な方位を意識した東西南北の異民族という意味に限定されていったのである。「多くの夷狄」から「九種の異民族」へといった「九夷」の意味の変化もこれに沿ったものといえよう(冨谷 二〇一八：一五―一八頁)。

東西南北の四方向に居住する異民族「四夷」が並んで挙げられているのは、経書では『礼記』曲礼に見られる。

九州の長の天子の国に入れば、牧と曰う。天子、姓を同じくすれば、これを叔父と謂う。(中略)其の東夷、北狄、西戎、南蛮に在れば、大なると雖も、子と曰う。

『礼記』四九編の編纂は、もとより段階的であり、漢初の戴聖による「小戴礼」四九編から馬融にいたるまでの編纂過程をもっている(武内 一九七九：二二八頁)。曲礼は比較的早い段階で整っていたと考えられるが、それでも統一秦以前にまで遡ることは、ないであろう。私は、東夷、北狄、西戎、南蛮という四方位を冠した夷狄の名称は、漢代になって定着していったのではないかと考えている。

『爾雅』釈地の「九夷、八狄、七戎、六蛮、之を四海と謂う」もこれと呼応する。また、『尚書』には、大禹謨、旅獒、畢命など、偽書に属する各篇に限って「四夷」の二字が確認され、『詩経』にも小雅・南有嘉魚之什の序に「小雅、尽く廃せられて、則ち四夷、交侵し、中国は微えり」とあるが、それらの成立過程がすべて漢以後であることも、その傍証におきたい。

そもそも四夷つまり東西南北に配当された夷・狄・戎・蛮は、帝国の版図の四方に異民族が位置するという地理的構図ができて始めて成り立つ。それは、春秋戦国期の「中国」と「夷狄」という観念的なそれではなく、また殷周時代の居住空間を別にした国邑と戎狄の関係とも異なる、秦漢統一帝国と四方の非漢民族国家の対立が惹起した新たな地理的かつ対外的概念であったといってよい。

四海の内、天下

実在と観念の両者が交錯する語としては、「四海」「天下」も同じい。

「四海」とは、いうまでもなく四つの海、「四海の内」とは、その海に囲まれた空間、領域であるが、これは世界、世界中、天下という意味で多くの文献に登場する。『論語』顔淵(がんえん)に「四海の内、皆な兄弟」とあるのは、そういった方向にある。

四方に海をもっているわけではない中国にあって、どうして「四海」という語がでてくるのか。それは、中国古代世界において「海(かい)」は「晦(かい)」「暗黒」に通じ、海の暗黒さは、そこから未知の世界、不可知の世界、神秘的な世界といった想像を招来し、中国の外側には、未知の世界が存在していると認識されていたことが背景にある(吉川 一九六九:「森と海」)。未知の世界は、つまり理解できない世界でもあり、それはとりもなおさず、文明の中華の外、未知の野蛮な領域へと認識が拡大していく。

「どこか遠い、未知の世界に行ってみようかな」――道 行われず、桴(いかだ)に乗りて海に浮ばん――。孔子がふと漏らしたこの言葉は、かかる未知の世界への志向を記したに過ぎなかった。それがやがて、孔子は東方・東夷に興味があったというまことしやかな、しかし的外れな解釈が後世の注釈の中に少なからず見られるようになる。

はじめは中国の外、暗い未知の世界という概念をもっていたこの「四海」が、東海、西海、北海、南海と実際の海や湖を想定した地理的概念を有する語に変わっていく、その変化は、「四夷」も同様だと指摘したい。

「四海」と同じ方向の意味で使われる「天下」という語がある。この語がどういう意味を有したかについては、これまで多くの説が出され、また日本史の分野においても、取り挙げられてきた（渡邊 二〇〇三：「天下をめぐる学説史」）。学説は大略、天下＝中国か、天下＝世界・世界帝国とみるのかの二つに分かれるが、いま、四海とも結びつけて言及しておくと、「四海」と「天下」は、たとえば、『荀子』正論に、「聖王没し、埶籍を有する者、罷にして以て天下を県くるに足らず。天下、君なきとき、諸侯に能く徳の明らかにして威の積むものあり。海内の民は、得て以て君師と為さざるなし」、また『荀子』王覇に「是をもって天下を県け、四海を一つにするは、何の故に必ず自らこれを為さんや」と使い分けがなされている。

「天下」は、おおくの典籍に引用される「溥天の下、王土に非ざるなし。率土の浜、王臣に非ざるなし」（『詩経』小雅・谷風之什・北山）の「溥（普）天之下」の四字を二字に省略した表現であり、それは、「天覆地載」というように、天下は地上と対となる語句でもある。さらにいえば、「天下」は、つねに「昊天上帝の天」、「天帝の下」として超越的人格を有する「天」と切り離して解釈することはできない。換言すれば、「天帝の下、統治するべき領域」としての「天下」は、「治天下」（『礼記』明堂位「周公践天子之位。以治天下」）という意味を内包していると解釈すべきであろう。「天下」を含む表現が、「有天下」「取天下」「天下有道」「天下治」「赦天下」「王土」と政治、統治の対象となり、天下の統治者が天子（天帝の子）と称されるのも、これと無関係ではない。

賈誼『新書』威不信にみえる次の条文は、それを如実に語っている。

「古の正義、東西南北、苟も舟車の達するところ、人跡の至るところ、率服せざることなくして、而して後に天子という。（中略）今、称号、甚だ美なるも、実は長城を出でず、彼、特に服せざるにあらずして、又た大いに不敬なればなり。昔、高帝は布衣より起こりて九州を服せり、今、陛下は九州に杖るも、匈奴に行らず。（中略）天子たるものは、天下の首なるは、何ぞや。上なればなり。蛮夷なるもの、天下の足なるは、何ぞや。下なればなり」。

一方の「四海」は、地理的、空間的広がりをもつ意味に傾斜する。「四海之内」は散見するが、「四海有道」「有四海」「赦四海」といった統治と関連づけられた表現を私は寡聞にして知らない。

「天下」の語義について、まず指摘したいことは、それが政治、統治を意識した広がりを意味しており、そこから各典籍、時代一によって対象とする空間が異なってくるということである。

そのはじめ、周時代には地理的、実在的用語であった「夷」「狄」「戎」など夷狄を示す語は、春秋戦国期には「中国」「諸夏」に対峙する観念的な評価を内包する語に変わり、その後、再び地理的概念語としての意味を有し、実在的概念と価値概念が合体していったのである。かかる概念の変化、実在と観念の合一には、いかなる過程があり、それが明確になったのはいつ頃からなのかを次に考えてみよう。

二、礼的世界——中華の内実

「中華」という語に、観念的価値観が付与されていくことは、明らかになった。ならば、中華を価値づけするのは何か。「あるべき中華」とは、どういう世界もしくは社会であるのか。

いったい、「あるべき」という価値観は、主観的価値を付与する立場からの相対的人倫道徳なのだが、中華と夷狄を対峙させて、そこから中華のあるべき様態を強調する論理を展開したのは、儒家である。儒家以外の諸子百家は、地理的、観念的いずれにおいても中華と夷狄に関して言及すること、まことに少ない。

人倫道徳が具現化したもの、すなわち善なる心情が形となって現れたものを、孔子は「礼」といった。「礼」とは、「履(り)なり——踏み行う、実践する」(『説文解字(せつもんかいじ)』一編上)ということであり、実践は、祭儀における心情の具現を原義としても、ことがらは祭儀にとどまらず、社会生活における善性の具象、実践へと、その意味が展開していったのである。それだけではない。孔子は具現化された礼の様態が逆に心情の善性を涵養するという心の善性と外面の形式の相互補完を唱え、ここに儒教の礼の意義を措定したということは、指摘しておかねばならない(冨谷 二〇一六a:一八—

二六頁)。
戦国時代、秩序の混乱と人心の荒廃は、思想家たちをして、世の摂理、天の存在、理想の政治を議論させ、議論は人間の生まれつきの心性と、それに基づく善への教導へと収斂していく。
孟子は、礼を生来の善なる心情から形成される人倫道徳の一要素とし、仁・義・礼・智の四つの徳目を設定したが、孟子の観念的理想主義と一線を画し、否、孟子に批判的立場をとって、礼をより体系的、客観的に位置づけたのが荀子であった。

礼はどこから出てくるのか。人間は生まれながらにして、欲がある。欲求が達成されなければ、欲を無くすことはできず、欲求に制限・限度がなければ、争いは避けることができない。争えば混乱をきたし、混乱は手が付けられなくなる。したがって、先王は、混乱を悪(にく)み、礼義を制定してそれを分別づけ、それでもって人間の欲望を養成し、人の求めに応じたのだ。

『荀子』礼論

聖王が作為した人間の情を規制し善導する外的行動規範、これが荀子の言う礼であり、礼が心の善性を涵養するという考えを一層理論化し、礼を規範と定義づけたのである。
外的行動規範は、人性として存在するふたつの要素、心(判断、認識)と情(感情、喜怒哀楽)のうちで、前者つまり「心」に作用して、善なる方向に導くと荀子は自己の主張を展開する。しかし人の心が道徳規範を受容するのは、心がそれに共鳴することであり、とりもなおさず人性が善の要素を内に含んでいるのではないか、つまり、荀子の論理からすれば、人性は善性がなければ悪性を制御できないことになり、彼の言う性悪説との矛盾を指摘できるが、これ以上の議論はやめておこう。

――

本章は随処に荀子の思想を引用し、論を展開する。それは、荀子の思想が秦漢帝国の形成に与ること極めて大きかったと考えるからに他ならない。「この人が巷にうもれたまま生涯を終え、功業は世に認められなかったことは、なんとも残念だ」と劉向(りゅうきょう)は

『序録』で嘆いているが、『史記』礼書には、さきに本章で紹介した『荀子』礼論の冒頭の条文「礼は何より起こるや。人は生まれながらにして欲あり。欲して得ざれば、則ち求むるなきこと能わず。求めて度量分界なければ、則ち争わざる能わず。争えば則ち乱る。乱るれば則ち究まる。先王は其の乱るるを悪み、ゆえに礼義を制して以てこれを分かち、以て人の欲を養う……」を引用して、荀子の唱える性悪説と礼との関係に司馬遷も同意することからはじめ、随処に『荀子』を引用しつつ、最後の「太史公曰」もまた『荀子』礼論でもって結んでいる。司馬遷は荀子の礼に関する理論に全面的に依拠したといって過言ではない。また『漢書』刑法志には、『荀子』議兵篇、正論篇から長文を引用して、荀子が説く王道、刑罰論を班固(はんこ)自身の考えと合致させ、荀子の言説を高く評価している。荀子の説いた礼と法が秦漢の法治主義、中央集権体制、身分的秩序などの政治原理の基盤を形成したことを如実に物語っているといえるが、以後の行論でもそれは、明らかになろう。

政治制度、家族秩序、君臣関係、祖先祭祀、婚姻、葬送、さらには、言語、文字等々、世のすべての事象は形をもって具現化されるかぎり、そこにそれぞれのあるべき様態と規範がともなう。すなわち、すべての事象は礼の規定の対象となるのだが、荀子はそこに「分」という概念を持ち込んだ。

禽獣にも父と子があるが、父子の親愛はない。雄と雌があっても、男女の分はない。つまり、人としての道は、弁（識別、相違の認識）ということを外しては考えられないのだ。弁に関しては、分（差等・分際）をおいて他になく、分際は礼をおいて他になく、礼について言えば聖王をおいて他にない。　非相

礼というものは、貴賤に等差があり、長幼に差別があり、貧富軽重、皆な相応をもつということである。人は生まれて、群を形成せざるを得ない。群において分がなければ争いが起こり、争いが起これば、混乱をきたし、混乱をきたせば手の打ちようがなくなる。したがって、分がないのは、人間における大きな害なのであり、分があるのは世の中において基本的な利点である。つまり、君主というのは、分を統轄する立場の要(かなめ)といえる。　富国

いうところの「群」とは、集団生活、共同社会、「分」とは、分際・区分であるが、そこには縦の分と横の分とがある。前者は、君臣、父子、職階などの上下、血縁の差等であり、後者のそれは、生業、性別、職種などの種別である。その分は、禽獣にない人間だけが有する認識という機能のうえに創成され、群＝人間社会は、この縦と横の分を座標軸とする座標平面のうえに成り立つ。かかる座標面が君主の下の「天下」であり、そこにすべての事象が形をもって整然として秩序づけられる、それがあるべき「礼的社会」に他ならない。

先に私は、「規範」という語をつかった。つまり拠るべき準則であるが、孔子の時代には、まだそれは文章化するほどには明確になってはいなかったが、戦国期になり、礼的規範が条文となって著されるようになるにともない、礼書は、度量衡の計器のように行為の矯正を目した準則と位置づけられる。

> 国は、礼がなければ正しい方向に向かない。礼がどうして国を正しくするのかといえば、それはちょうど秤と軽重の関係、縄墨と曲直の関係、コンパスと円・方形の関係にあたる。　　王覇

『論語』には、礼に言及した条文が数多く見られるが、そこに礼典の存在を暗示するものは、皆無といってよい。下って、『孟子』告子下には、「六礼」のひとつの「親迎の礼」が引用されており、『儀礼』士昏礼にその規定があがる。『孟子』の時代に、『儀礼』が完成していたのかどうかは、いささか疑問であるが、ここに「親迎」という語が見えるのは、注目してよい。孟子の時代に、行為、態度としての礼が、次第に文章として記録され、それを人は参考にするようになっていったと考えられる。そして戦国末、荀子の時代には、礼典は、はっきりとその姿を現す。

> 学はいずくにか始まり、いずくにか終わるや。曰く、その数は誦経より始まり、読礼に終わる。　　『荀子』勧学
>
> 礼は以て人心に順うを本となす。故に礼経になけれども、人心に順うものは、皆な礼なり。　　『荀子』大略

荀子の時代に存在した「礼経」が今に伝わる三礼にどう関係づけられるのか、三種類の礼典の名称の由来、それがいつ頃成立したのかに関しては、漢代から今日まで二〇〇〇年にわたる議論の蓄積があるものの、はっきりとした結論は、残念ながら得られていない。ただ、あらまし左のような説明が妥当ではないかと思われる（武内 一九七九）。

前漢時代に存在していた書籍を目録にした『漢書』芸文志には、「礼古経五十六巻、経十七篇。后氏、戴氏」とあり、この「経十七篇」が、今日の『儀礼』の原型であり、『漢書』の儒林伝に、魯高堂生が漢初に「士礼十七篇」を伝えたという記事が見える。『儀礼』という名称は、漢代には見えず、『隋書』経籍志・経部には、『儀礼』十七巻があがっている。おそらく魏晋時代に『儀礼』という書名が登場したのではないかと推測され、漢代では、それは、『士礼』という書名で通用していたのである。

「士礼」の「士」とは、狭義では卿・大夫・士の身分を指す「士」ではあるが、広義においては、庶民に対する士人つまり士大夫、さらにいえば、文字の読める知識人階級の総称という意味が背景にあったと考えてよかろう。

典籍としての礼の書である『士礼』、つまり現行の『儀礼』のほかに、『礼記』という書がある。「記」とは、記録、ノートという意味で、礼に関する雑多な解説、補足説明、関連の記述がその内容である。かかる「記」は、経典としての「礼典」を前提にしては成立しないことから、礼経に関して複数の後学が、いろいろ注記や覚え書き、もしくは関連した記述を時をおって記録に残し、まとまった典籍に仕上がったと考えるのが自然である。『礼記』『大戴礼』は、荀子の時代よりも遅れて、やはり漢代になって一冊の典籍になったと考えて間違いない。

繰り返し言おう。荀子の時代は、統一秦前夜である。彼の唱える礼とは、行動の倫理道徳にとどまらず、あるべき政治、社会秩序における行動と様態の準則であり、それは、縦系列の等級と横系列の類別にうえに成り立つ構造となっており、それを統轄するのが君主であった。

いま、君主を皇帝に、縦の分際を官僚制度、士大夫と人民、横の類別を官職、農民、商人などの職業に基づく社会種別、さらには、行動準則を罰則規程をもつ刑法と、行政制度という二種の法律規範に置き換えるならば、そこに秦漢統一帝国が姿を現すことになる。そしてこの礼的秩序と法的秩序の座標面が漢人帝国であり、中華世界に他ならない。漢人統一帝国＝中華世界への階梯としてのかかる観念的礼秩序は、漢人中華が孔子から荀子にいたる思想の潮流の中で醸成していったことは、以上の考察から明らかになったが、ここにそれを凝固させる外的要因があった。

三、統一帝国と周辺民族

『春秋公羊伝』の世界

その始め、漢人中華と夷狄は、中原において混在していたが、漢人社会が領土国家へと展開していくなかで、夷狄は漢人社会に吸収され、また一部は中原から遠い周辺へと移動していった。そして、戦国時代になると北辺に強大な異民族が姿を現す。匈奴であり、北に位置する諸侯国の匈奴に対する交戦と防衛が史書に記されるようになる。

よく知られている趙武霊王(在位前三二〇―前二九九頃)の胡服騎射つまり異民族の服を身につけ、馬上から弓を射るのは、中山国、燕、胡族など東北の敵対国や種族に対抗するための戦闘様式の変更であるが、東北の夷狄が脅威となっていたという当時の状況を示すとともに、胡服を採用することへの周囲の抵抗、および武霊王自身の「儂は胡服に対する躊躇いはないが、世の笑いものとなることが心配だ」(『史記』趙世家)との言葉は、いわゆる中華の礼的習俗の浸透を巧まずして語っている。ところが、その一世紀あまりの後、匈奴と漢との習俗の相違をめぐる口論、「匈奴には冠帯の正式な服飾、朝廷での儀礼などない」、「匈奴の人口は漢の一郡と同じぐらいであるにもかかわらず、漢より強大なのは、胡服を着て畜肉を食べているからだ」という応酬からみれば、漢文帝の時には、漢が胡服を採用するなどということは、およそ考えられないことだったといってよかろう。漢人中華における礼の認識が一層強くなり、武霊王の躊躇は、もはや考慮の余地なき完全否定となっていたのである。漢帝国におけるかかる妥協のない絶対的な中華意識にいたる推移をいま少し詳しくみていこう。

秦は六国を滅ぼし、始皇帝は蒙恬に十万の衆を将いさせて、北のかた胡を撃ち、悉く黄河の南の地を収め。黄河にそって塞をなす。

『史記』匈奴列伝

統一後、築いた長城、それは、北辺の諸侯国がすでに存在していた城壁をつなぎ合わせただけだということは、周知のことではあるが、何よりも指摘しておきたいのは、秦始皇帝の全国統一によって、匈奴(夷狄)と中華(中国)が長城の内と外に分かれ、その地理的区分が明確になったということである。先に言及した地理的区分と観念的差別がここに合わさったのである。

あえて、次のことを述べておきたい。それは前近代中国の「国境」ということがらである。近代国家間における領土は、国家を定義づける要素の一つであり、領土は厳密な境界を前提とする。しかし、これはあくまで近代的な、もしくは西洋的な考えであり、皇帝治政の下の中華帝国にあっては、明確に線引きされた国境の内と外という考えは存在しなかったといえる。国家間の条約に基づく近代的国境観に中華帝国が接したのは、一七世紀の清とロシアとの領土めぐる条約に始まるといってよかろう。それまで、近代国家の国境は想定の外であった、これは中国が近代国家ではなかったというよりも、中華思想が根底にあるからと考えられる。

「溥天の下、王土に非ざるなし」、この理念にあって、また「天帝の命を受けた天子(皇帝)」という唯一絶対的存在である皇帝の立場からして、限られた領域の支配者ということは、論理的には受け入れることはできない。したがって、国境といった概念がそこに入る余地はなかったのである。

もっとも、それはあくまで理念のうえのこと、現実には、異民族の支配領域が存在し、漢人国家もその支配には限定があることはいうまでもない。「畺(疆)」「竟」「疆界」「徼」などの語が存在していることは確かであるが、その「疆」「竟」が物理的に線引きされた国と国との支配領域を区別する「国境線」なのかといえば、私はそうは考えない。

河水が自ずと支配領域を分ける役割をもったことは、そうであろう。ただ、西北辺において、そのような自然の境はない。匈奴との関係で、漢律などの規定、簡牘の行政文書には、「徼外」「越塞」「塞外」という語が頻見する。「徼、塞なり」と注釈があるように、塞と徼は同じ意味とみてよいが、それは防衛壁(塞)の内と外をいうものであり、いうところの塞が長城であったとしても、いわゆる「国境」を意味するものではない。塞の一歩外が匈奴の支配地域だとの認識は、なかったといってよかろう。

秦漢帝国が四方周辺に拡大していくとき、王朝は、民事行政組織として郡、県、里を、軍事・行政組織として部都尉、候官、燧を設置するが、それらは、設定された物理的な疆界をもっていたわけではなく、あくまで軍事・行政管轄地域であり、その支配権

――が及ぶ外的範囲が、実際の「疆域」に他ならない。それゆえ、夷狄と中華のあいだには、国境という概念は存在しなかったのである。

わずか二〇年ほどしか存続しなかった秦のあと、漢帝国が誕生する。その時、北方の匈奴は漢が想像した以上の強国となっており、建国直後の前二〇〇年に起こった平城白登山での惨敗以来、漢は匈奴との屈辱的外交を余儀なくされる。雪辱は七〇年後の武帝まで待たねばならなかったが、夷狄匈奴に対するこの屈辱の七〇年が中華思想を一層涵養し強固たらしめたのである。

> 匈奴は、夏后氏の苗裔であり、淳維といった。唐虞以前は、山戎、獫狁、葷粥などが、北の野蛮な地域に居住しており、牧畜をして移動していた。……文書はなく、言語を取り交わして約束とし、子供の時は羊にまたがり、弓で鳥や鼠を射て、生長するにしたがって、狐や兎を捉えて、食用とした。その俗、平和な時には、牧畜をし、禽獣を捕まえることを生業とし、危急にあっては人民全て戦闘侵略をおこなう、それが天性であった。……礼義を知らず、君王以下は、みな畜肉を食らい、皮革を着て、毛織りものをまとい、若者は美味しいものを腹一杯たべ、老人はその残りを食べた。壮健を尊び、老弱を賤しみ。父が亡くなると、その後母を妻とし、兄弟が死ねば、皆なその妻をめとった。名があって、それで呼ぶことを諱むことなく、姓や字はない、それが習俗である。
>
> 『史記』匈奴列伝

司馬遷は、かく匈奴を紹介するが、文字をもたず、礼義に無知、長幼の序はなく、男女、夫婦における節義がないこと、つまり礼的中華世界の圏外にある非文化的、野卑な異民族との認識は、ひとり司馬遷だけでなく、漢人中華世界の共通認識であることはいうまでもない。否、司馬遷のこの筆致はむしろ穏便なものといってよいかもしれない。夷狄はことがらを識別する能力をもたず、それゆえ社会における分、つまり君臣、家族、老若の関係という縦の分際、職業、制度、性別の横の分際は存在せず禽獣と同じだ。「夷狄は禽獣なり」、この言葉を中国古代の文献史料の中から探し出すことは、容易である。

ただここで、注目したいことがらがある。『史記』『漢書』の四夷に関する伝は、それぞれの夷狄の祖先から書き起こすのが体例であるが、共通していえるのが、夷狄は、中華世界が祖とし、また称える伝説上の聖王の苗裔、もしくは何らかの関係をもつ民族であるということである。匈奴が夏后氏、楚が黄帝の孫高陽氏顓頊（せんぎょく）、越が禹、朝鮮が箕子（きし）等々。もとより、それは作られた伝説であり、偽説であることは明らかとして、では何故に、何時、かかる説が出来してきたのだろうか。

それを残された史料から実証することは、残念ながら極めて困難であるが、あえて憶測するならば、私はやはり観念的華夷思想と関連があるのではないかと考えている。秦から漢初にかけて、夷狄が四方に配置され、礼的秩序をもつ中華と無礼野蛮の夷狄の区別が形づくられていく。ただ、夷狄もその祖をたどれば、中国の創成者である聖王の末裔であり、その行動の粗悪さゆえに放擲された存在であるが、中華が教化を施すことで服従が期待されるといった、夷狄から諸夏への上昇進化という思想が形成される。

夷狄から中華への進化は、確かに『論語』や『孟子』に「君子が九夷に居れば、野卑ではなくなる」（『論語』子罕）、「私は中華による夷狄の改変は耳にしている」（『孟子』滕文公上）に水脈がある。しかし一つには、中原ではなく西方の卑陋の地の出身である秦――秦も顓頊の苗裔との伝説をもつ――が漢人中華を統一したこと、今一つは、華夷の別は倫理道徳・礼制度の有無という概念への傾斜、この二つが漢初において、夷狄匈奴が漢人中華を圧倒していく中で、中華の夷狄に対する強烈な差別意識が一層助長された。そこから匈奴も礼的社会の中に順化させることができるのだという逆説的優越意識からの期待と願望を生み、それが、聖王の苗裔という伝説を作っていったと考えることはできないだろうか。

中華と根を一つにする夷狄は、教化されて中華の一員となる可能性を有する。このことは、本章でもう一度取り挙げることになるゆえ、留意することにしたい。

話をもどそう。中華の夷狄に対する妥協なき差別観、それを最も強く主張するのが、『春秋公羊伝』であった。「夷狄の中国に主たるを与さず」(哀公十三年)、「夷狄の中国を執えるを与さず」(隠公七年)、「夷狄の中国を獲えるを与さず」(荘公十年)と、随処で夷狄への敵対を露わにしてはばからない。なるほど、公羊学・春秋の義では、内の諸夏から外の夷狄に向かって教化が段階的にすすみ、夷狄も中華に包摂された一統の天下の実現という発展思想を唱える。しかしそれは究極の理想であり、それゆえ「夷狄を許すは、一にして足らざるなり」(文公九年、襄公二十九年)と、高いハードルを設けて、実現を遠くに設定する。やはり『公羊伝』の強烈な攘夷思想のゆえであろう。

『春秋公羊伝』の特異ともいえる夷狄観は、春秋時代の中原の擾乱、あるべき礼的世界の復興のために、礼的秩序をもつ世界の対極に夷狄を設定し、夷狄に対する過激な否定と反価値を強調することで、無秩序となった中華世界の覚醒を目指したのである。『公羊伝』の夷狄は、いわば観念の夷狄であったといってもよかろう(日原 一九七六:「特異な夷狄論」)。

『公羊伝』が竹帛に著わされたのは、漢初景帝のとき(在位前一五七―前一四一)であった。当時、夷狄といえば匈奴であり、匈奴の圧倒的な武力を前にして、漢帝国は土下座外交を強いられた。その劣等意識、匈奴に対する憎悪が武(=軍事力)ではない文(=礼)における優越意識を殊更に増長させたことは想像に難くない。漢帝国の攘夷観念が『公羊伝』の編纂を促進したのか、否、編纂された『公羊伝』が漢帝国の匈奴に対する軍事的劣等を文化的優位に置き換える慰藉として作用したのか、書物の編纂と外交の因果関係を明確にはできないが、ただ次のことは明言してよかろう。

漢帝国創成期における漢と匈奴の外交は、『公羊伝』に示された春秋の観念的華夷思想を、匈奴と漢という現実的華夷思想に変化させ、秦帝国の誕生で生まれた地理的区分と観念的差別の合流を一層強固たらしめ、また理論化した、と。

そしてその完成が建元元年（前一四〇）からはじまる漢武帝の時代であった。しばし、漢人中華帝国の内政に目を向けよう。

漢人統一帝国の完成——漢武帝の時代

漢と匈奴の一〇年に及ぶ全面戦争は元光六年（前一二九）、漢の圧倒的勝利に帰結する。河西回廊には、元鼎（げんてい）二年（前一一五）から張掖（ちょうえき）、酒泉（しゅせん）、敦煌（とんこう）の郡が設置されていき、匈奴は長城の外、ゴビの北辺に駆逐される。「漢南に王庭なき」のみならず、南は南越を滅ぼし、南海九郡を設置（前一一一）、東は朝鮮半島に楽浪四郡を設置（前一〇八）、漢武帝紀元前一〇〇年前後、漢帝国の四方に夷狄が位置するという構図がここに成立するのである。

華夷のかかる地理的区分の確定は、武帝期における中央集権国家体制の名実共の完成が招来したこと、言うまでもないが、漢初から醸成されていった華夷の観念的区分も、やはり武帝のこの時代、元朔年間（前一二八—前一二三）であったといえよう。それは、儒学の地位の確立であり、春秋公羊学の学官への制度的採用に他ならない。

儒学の官学化

「漢武帝は董仲舒（とうちゅうじょ）の進言によって、儒学を官学化した」、これは、高校の教科書にも記されている説明なのだが、「儒学の官学化」を巡って、我が国では従来、甲論乙駁、論争はいまだ決着をみない。もっとも、中国の学界で、この問題をめぐる論争を私はあまり耳にしないのだが。

「儒学の官学化」（「儒教の国教化」ともいう）なるものは、歴史研究者による近年になってからの用語であり、漢代の史書にそのような表現が存在していたのではない。しかも、共通した定義が初めから確定しており、それにしたがって論争が行われたわけではない。各論者が異なった定義にしたがって自説を展開したのであり、畢竟、論点が嚙み合わず、「儒学の官学化」が成立した時期などは、結論にかなりの差が出ているのである（福井 二〇〇五：五―一六頁）。加之（しかのみならず）、「儒学の官学化」に董仲舒がいかほどの役割を果たしたのか、『漢書』董仲舒伝にみえる董仲舒の対策が直接的な影響を政策に与えたのか、さらに武帝の策問に応える形の対策文は実際に上奏された文書を『漢書』が採用したものか、なども問題にされて、「董仲舒の進言による儒学の官学化」の論争をいっそう複雑にさせていった（福井 二〇〇五：「董仲舒の研究」）。

論議が初めから「儒学の官学化」の共通した定義に従って展開されてきたのではない以上、これは不毛の論争といわねばならない。しかし、ここで私は、「官学化」もしくは「国教化」という用語は横におき、以下の事実を指摘することで、武帝期において、儒学が他の諸子と比べて、一段高い特別な立場におかれたことは確かだといいたい。

その一つは、『漢書』武帝紀、『史記』儒林伝、『漢書』公孫弘伝にみえる武帝元朔五年（前一二四）の「功令」の立法措置である。博士弟子員の設置とそこで儒学を学んだ者を試験して高級官吏候補（郎官）として任用するというこの詔は、「請著功令、他如律令」「制曰可」という詔書の形式を忠実に伝えている。詔書が令となるという当時の立法過程にそって、この場合は「功令」と通称される官吏任用・考課規定が法制化されたこと、同時代の司馬遷が功令引用の前文に「私は、功令を読み、学官の道を拡大・奨励する政策に接し、書を廃（や）め嘆息を禁じ得なかった」（『史記』儒林伝）と吐露していることからして、儒学を引き立てる法令の制定を否定することはできない。

さらに私は、いまひとつ武帝期に儒学が他の諸子に比べて格別な立場におかれたことを次のことがらでもって証明したい。

当時、書写材料は簡牘であったが、文書、書籍は、簡牘の長さにしたがって、格付けがなされていた。一般使用の簡牘は一尺（約二三センチ）で、皇帝が下す文書は一尺一寸（約二五センチ）と、一寸長い簡を使わねばならない。この規定は、漢になって文帝前一八〇年前後に確立したと考えられる（冨谷 二〇一〇：「視覚簡牘の誕生――簡の長さについての一考察」、冨谷 二〇一六b：六四―六八頁）。

皇帝の権威を示すために、一字の台頭をそこに含め、通常より長い一尺一寸の簡牘を用いる、私はそれを簡牘の視覚機能と呼んでいるが、かかる視覚簡牘は、やがて儒学の経典と律にも適用され、それらをともに二尺四寸（約五五センチ）の簡に書写するという規定ができる。古の聖人によってものされた不磨の大典としての経書、則るべき不変の規範としての律を皇帝の命令（詔）より一段高いレベルに置いて権威づけたことになるが、それがいつ成立したのか。順序としては、まず経書の長さが決まり、律の長さがそれに倣った、と見なすのが至当である。三尺律（漢尺二尺四寸）の簡牘は、『史記』酷吏伝などの史料から、武帝天漢年間（前一〇〇―前九七）には存在していたことは明らかであるが（冨谷 二〇一〇：三九―四九頁）、経書簡がそれに先だって規定されていたとすれば、その時期ときっかけは、やはり武帝期の儒教政策をおいて他に考えられない。博士弟子員の設立に関する功令の発布、二尺四寸経書簡の成立、これらがほぼ同じ時期に符牒を合わせるごとく行われ、儒学を権威づける政策がここにはっきりと打ち出されたのであった。

他の諸子の学、道家、墨家などの学派は、その説が儒家からは非難されたことはあっても、王朝は「異学の禁」さながら諸子の学を廃黜（はいちゅつ）・禁止したのかといえば、そのようなことは検証できない。そこに、董仲舒がいかほどの影響を与えたのか、それも定かではない。「儒学の官学化」「儒教国家」「儒教の正統化」は、かかる概念語を創成した後世の歴史家の独自の定義にかかる。以上のことを勘案したとしても、しかし次のことは、確かである。武帝期、経書が皇帝の詔より高い地位におかれ、儒学の学習が官吏になるために必要とされる制度が設けられたことは。

儒学の立場

では、なぜ儒学がかく格別に重要視されたのか。すでに指摘されてきたいくつかの事由がある。

第一は、法術主義にたつ秦の苛法を否定し、相反する支配原理の標榜である。

第二は、家族秩序、その拡大擬制としての村落社会、それを国家権威と秩序への転化・すり替えを目指したこと。

第三は、春秋とくに公羊学に依拠する劉漢王朝の存在理由の正当性（漢予定説）と政治原理（春秋の義。日原 一九八六：三―一二頁）。

私はこれらの指摘を認めつつ、以下の三つの観点を加えることで補おう。

（1）法律（律・令）を漢王朝が徳治に対置させて、否定すべき対象としたのかといえば、決してそうではない。なるほど、折りにふれ出される皇帝の詔や臣下の上書において唱道する徳治主義は、秦の法治主義を対極におくことで、人民の懐柔と秦放伐を正当化する表面的喧伝としてきた。しかし、実質的内政において、漢が秦の法制度をそのまま引き継ぎ、かつ法整備に力を注いできたことは、近年出土の秦律と漢律をみれば、贅言を要しない。

先に論じたように、荀子にいたって、心情の具現としての礼は、社会のあらゆる制度、習慣、人間関係を対象に、聖王が作為した外的行動規範と位置づけられる。行動の規範としての礼を、荀子は計測器としての縄墨・規矩・権衡におきかえて説いていることは先に示したが、荀子を師とし、法による政治を説いた韓非子も同じ喩えをもって、法の有効性を説く。

> 墨縄が真っ直ぐであれば、曲木も真っ直ぐに伐られ、水準器が水平であれば、凸凹も均され、権衡に懸けられると軽重の釣り合いがとれ、斗石で量られると多少が調整される。だから、法を以て統治すれば、ものの上げ下ろしの如くに簡単である。　『韓非子』有度
>
> 普通の君主であっても法術に則り、下手な工人でも規矩を使えば、万に一つの失敗もないのだ。

『韓非子』用人

まず礼と法、それは行動の規範として通底する。そこから礼が、人性として存在するふたつの要素、心(判断、認識)と情(感情、喜怒哀楽)の前者、つまり「心」に作用して、善なる方向に教導する行為規範であるのに対して、法は、後者の情に作用して、本能的忌避によって悪なる行為を抑制するための行為規範であり度量衡といってもよい。

つまり、儒教において、法と礼は対峙するものではなく、統治の両輪であるのだ。「秦の苛法」を否定しつつも法による政治を踏襲せざるを得ない漢王朝は、儒教に依存することで、法を「漢の礼法」として位置づけ、法治の正当性を確立したのである。

(2)家族秩序を国家秩序へと転化することは、儒教道徳を中心におく同心円的拡大である。いったい、家族、郷里、そして国家は、荀子がいう「群」なのだが、先に述べたように、群=人間社会は、縦(君臣、父子、職階)の分と、横の分(生業、性別、職種)を座標軸とする座標平面――君主が統制する天下――のうえにすべての事象が形をもって整然として秩序づけられる。中央集権国家、官僚制、士大夫による支配を目指す漢人統一国家が中央集権を指向し、確立するにあたり、儒教の礼的秩序は王朝の理念そのものに他ならない。

(3)武帝が儒学に格別の地位を与えたのは、元朔から天漢にかけて、つまり前一二五年から前一〇〇年であった。この時期、漢は匈奴との全面戦争へと舵をきったのである。匈奴との戦争は、半世紀におよぶ漢の屈辱外交の清算であり、天命を受け天下に君臨する漢皇帝として「天所立匈奴大単于(ぜんう)」(『史記』匈奴列伝)と嘯(うそぶ)く匈奴の存在は許すわけにはいかない。ただ、そこには夷狄を服従させ漢人中華帝国を確立する理論的裏づけが必要であり、それによって戦争の使命と正当性が担保される。文明の中華と野蛮の夷狄の絶対的区分を唱え、その区別は礼的秩序の有無によることを強く主張し、夷狄の礼的中華世界への服従を説く学派は、儒家をおいてほかになく、儒学のなかでも春秋公羊学が強烈ともいえる夷狄観を有していたことは、先に示した。「夷狄の中国に主たるを与さず」、これは、対匈奴戦争における錦の御旗なのであった。

漢人中華世界、それは礼(礼的秩序)と法(法的秩序)のうえに立脚する中央集権的帝国であった。武帝期に確立したこの礼法国家は、以後両漢、曹魏、西晋とほぼ五〇〇年の命運を保つが、そこには誕生の段階から、すでにいくつかの二元論的様態を孕んでいた。むしろそれが漢人中華帝国の特徴であったといってよい。この二元論的様態、それは以後の行論で明らかになるであろう。

四、礼法国家　その実態

天の否定と天人相関

董仲舒が武帝期にいかほどの政治的影響を与えたのか、それを低く評価する説もある。しかし、彼によって体系化されたと考えられている天人相関思想、つまり天の意志として起こる災異と君主の政事とは有機的連関をもつという説は、陰陽・五行の思想とも繫がり、董仲舒の弟子眭弘(すいこう)、易学者京房(けいぼう)、さらに劉向・劉歆(りゅうきん)へと引き継がれる。はじめは人事に対する天の応答としてとらえていた災異は、やがて未来の予言へと変化していき、前漢後半期から讖緯(しんい)思想が登場し、歴史は王莽(おうもう)の簒奪、光武帝による劉漢王朝の復興、さらには後漢から曹魏への禅譲に深く関わりをもって展開していくのである。

礼法国家の創設が秦の法治主義の延長線上にあり、礼的規範と法的規範による統治が荀子思想に基づくことは、すでに述べてきた。かかる外的規範による人性の教導を主張する荀子が性悪説を唱えるには、前提となる観点があった。それは、天と人との関係の遮断であり、天を自然(nature)と見なすことで人格的存在の天を否定せねばならなかった。人性を性悪——荀子の性悪は、人間は生まれながら邪悪な存在だというのではなく、欲望を人性としてそこから生じる無秩序、混乱の可能性を説くものであるが——とみるためには、天との関係を遮断せねば、天が性悪を人に賦与したことになり、天の悪性、悪なる天を認めざるを得なくなるので(冨谷 二〇一六a:五六—六四頁)。

この段階までできた思想の流れが、武帝の儒学の重用にあって、董仲舒が天人相関説を説き、予言説、讖緯思想へと逆流していった理由はどこにあるのだろうか。

漢代儒教が君主権抑制の理論として、災異説を構築したことは、すでに指摘されている解釈である(日原 一九七六:二六三頁、日原 一九八六:六六頁)。また荀子思想それ自体に、災異説を将来する間隙があったとも指摘されている。つまり人間と自然を分離はするが、思想の視点は常に人間の自律的活動におかれ、自然としての天の分析、自然世界の成り立ちを正面から追求することをしなかった。不可知な存在として考慮しないという孔子の思想を継承し、天と人との関係も考慮の外におくことで、人格的天の存在の完全否定を回避し、そこに天人相関が再構築される余地を残したという(金谷 一九九七:「荀子の「天人の分」」)。「人を錯きて天を思えば、万物の情をうしなう」(『荀子』天論)、「其の天地万物におけるや、その然る所以を説くを務めずして、善くその材を用いることを致す」(『荀子』君道)などと人事に重点をおくというこれらの条は、天そのものの分析を棚上げしていることを巧まずして表しているといってもよかろう。

荀子およびその後継者たちが天を自然(nature)と見なす理論的説明の不徹底により、人格神的天を完全否定できなかったことが主要な原因であることは間違いない。そこに付け加えるべき複合要因として、私は「天」および「天下」——天の下」という語そのものに注目したい。「天下」は、「昊天上帝の下」、「天帝の下」という意味であったことから、「天」と超人格神としての「上帝」「天帝」は密接不離であり、「天下」は「天帝の下、統治すべき領域」という極めて政治的意味を有する語であった。

それは、天帝の子としての「天子」とて同じい。つまり、天下、天子の「天」には、すでに意志をもった存在とする原義が根源にあり、そこから無意志の自然(nature)を「天」という語に含意させることは、論理的に無理があったといえる。そして、「天下」「天子」の語は、漢人中華帝国が成立し、中華と夷狄の地理的区分と観念的差別が合流し、かつ匈奴に対する強烈な夷狄観念が形成されるにしたがって、一層重みをもつことになる。

文帝と老上単于との書簡において、匈奴は単于を修辞する語として「天地所生、日月所置、匈奴大単于、敬問漢皇帝、無恙〔天地の生むところ、日月の置くところの匈奴大単于、敬しんで漢皇帝に問う。恙なきか〕」と記した。それは、当時匈奴に寝返った中行説がわざと「天子」という二字を書簡に暗示することで、漢を刺激する知恵をつけたのであろう。また単于の正式名称「撐犁孤塗単于」については、「匈奴語では天を「撐犁」と、「孤塗」とは「子」を意味した」〔『史記』匈奴列伝、および「索隠」〕との注釈がある。果たして、単于の原義がそうなのか、いわゆる漢でいう「天子」のことだとみる漢側の解釈かもしれないが〔「索隠」所引、皇甫謐『玄晏春秋』〕、たとえそうであったとしても漢は匈奴の首長が「天子」と名乗っていることに殊の外、敏感であった、このことは間違いない。

どちらが世界=天下の支配者なのかを匈奴と競うなかで、漢皇帝は天子という称号を棄てるわけにいかない。否、天からの保証をえたと権威づけるためにも、一層それを強調せざるを得なかったのである。

理論形成のうえで脆弱性を内包する荀子が唱えた「天」=自然(nature)とする革新的思想は、夷狄に対する漢人中華の正当性の主張の前には、無力であったといわねばならない。かくして、自然現象は、意志を有する天の何らかの告示ということになり、ここに災異説・天人相関説が理論的に形成されていったのである。

「天誅」という語は先秦の文献にみえるが、注目したいのが、『国語』晋語の記事である。
「宋人が昭公を殺害した。趙宣子は宋を征伐することを霊公に進言した。……今、宋人は君主を殺めました。天地に逆らい民のおきてに背いたのです。天は必ず誅を下します。晋は盟主でありながら、天罰をいい加減にみれば、我々もただでは済まないのではないかと案じます」。

この部分は漢初の『韓詩外伝』二二章にも引用されているのだが、そこでは、天誅が「災」となっている。

「今、その君を殺さざるは、天地に反し、人道に逆らう所以なり、天は必ず災いを加えん」。

つまり、天が下す誅罰＝災異という考えが『国語』の時代より一層すすんだということをそれは示しているのではないだろうか。

文帝二年(前一七八)に下された詔には、災異が天子の失政に対する天の戒告であることが明記されている(『史記』孝文本紀)。

「一一月癸卯晦、日食がおこった。詔して、朕はこのことを聞いている。天が民を生み、彼らのために君主をおいて民を養い治めさせた。人主に徳がなく、片寄った政治をおこなえば、天は災いを啓示して政治がしかるべく行われていないことを戒めるのだ」。

災異が天の意であるという考えは、董仲舒以前からすでに形をなしていたのだが、それを董仲舒は陰陽説でもって一層理論化したといえよう。

いまひとつ、補っておきたいことは、「天子」の称号が夷狄との関係のもとで、一層重みを増したということである。現存する史料に記述の相違が見られるものの、『漢旧儀』『唐六典』などによれば、皇帝には六種類の印璽があり、その一つ「天子之璽」は、外国に対する皇帝の文書に使用するという解説は共通する。

この六種類の皇帝(天子)の印が果たしていつできたのか、さらにいえば、実際に機能していたのか、検討せねばならない問題なのだが、少なくとも、文帝の時にはまだ「天子之璽」はなかったのではないかと私は考えている。それは、すでにここで取り挙げた文帝のときの往復書簡において、夷狄に対する「天子」であるとするならば、匈奴単于がことさら「天地の生むところの」と「天子」を暗に表明し、かつ匈奴によって劣勢を強いられている状況下で、漢皇帝が、夷狄を従える印璽「天子之璽」を匈奴への書簡の封検に使用したとは考えがたいからである。四夷に対する「天子之璽」の成立は、華夷秩序が確定する武帝以後に属するとみるのが妥当であろう。

さて、災異説はそのはじめ、已然の政事にたいする応験であり、未然のことがらに対する予言は董仲舒の是認するところではなかった。しかるに武帝以後、昭帝の時代になって、災異説が未来の予言、さらには讖緯説へと傾斜していく。

その理由として、春秋公羊学がもつ心情重視の観念が、過去と未来の時制を流動化させる働きを有し、災異説の予言化を誘導したとする考えが提示されている(日原 一九八六：一三一―二三頁)。納得できるこの解説に私はさらに次の要因をあげたい。

災異は天の譴戒または天誅とも呼ばれたこと、先に示した。換言すれば、災異は天による地上の為政者に対する制裁、天の下す刑罰でもあった。刑罰一般に関しては、「礼は未然の前に禁じ、法は已然の後に施す」(『史記』太史公自序)と説明されてはいるが、前近代中国の法と刑罰は、応報的要素が極めて希薄で、その目的と法理は、将来の行為に対する予防、威嚇に比重が偏重する。とすれば、天の下す制裁も、それが一種の刑罰とすれば、将来おこる秩序の混乱に対する予防、威嚇という意味をもつことになろう。確かに、未然に対する戒めは、未来におこる是認できない行為を前提としているのであるが、未来に向けての天の意志表示ということが通底となり否定ということが後退し、肯定的予言、すなわち瑞祥が前面に出て、それを利用して政権の簒奪、新しい王朝誕生の天の啓示とすることは、おこるべき自然の流れであったといってよかろう。ここに、已然を念頭とする災異説・天人相関説が未然の予言へと転化する要因を求めることができるのではないだろうか。

法理と法執行

漢人中華帝国は礼と法に立脚した礼法国家であったのだが、その法に関して、立法手続き、刑罰の意味、法の対象、そして法の改正ということがらに焦点をあてて、以下詳しく論述しよう。漢人中華思想の根幹でもあり、夷狄との明確な相違がそこに表れているので。

【立法手続き】

これまで「法」という一字でもって述べてきたが、秦漢帝国の司法、行政の法規は、具体的には「律」と「令」である。令は、始皇帝が皇帝という称号を決めたとき、「命」を「制」、「令」を「詔」という制度語を設定し、「制」「制曰可」の王言が加わって立法化されたものであった。つまり令は、皇帝という主権者の誕生をもって法形式として生まれたといってよい。また、皇帝の詔(制詔)が法規として秦令、漢令になるということは、立法権は皇帝が有し、皇帝が遂行する統治のため定められた規則であり、主権者の命令である成文法規に絶対的権威を付与する法実証主義、これが漢人中華帝国の法であった。そこには、支配者と被支配者、君主と人民間の契約といった双務的関係の成立する余地はない。

皇帝の命令には、もとより、恒常性を有するものと、一過性のものとがある。また罰則規定をともなう禁止令と、行政規範がある。つまり、令=制詔は、恒常的法規にかぎらず、また刑法、非刑法の区別もそこには存在しなかったのである(冨谷 二〇一六b:「第一章 晋泰始律令への道」)。

折りにふれ発布される制詔は極めて数が多く、制詔が令となることから、令の条文も膨大な数にのぼる。令が発布されると、各官署、郡県、特定地域は、関連した必要性の高い法令を選択してそれに整理番号をうち保管する、これを「挈令(けいれい)」と称する。ただ、そこで指摘しておかねばならないことは、後世、唐令などの法典にあがる「戸令」「選挙令」など、事項別の名称をもついわゆる「事項別令」は、秦漢の令においては、いまだ確立していなかったということである。なるほど、〇〇令という名称が秦漢の資料のなかには確認される。しかし一方で「〇〇之令」とも記されており、これは法令名称ではなく便宜的に呼ばれた名称にすぎない。皇帝の詔に、「〇〇之詔」という場合はあっても、「〇〇詔」という個別名称はないのとそれは同じい。否むしろ、皇帝の詔が令となるがゆえに、法令としての個別名称は存在しなかったと考えるべきであろう(冨谷 二〇一六b:二六―三八頁)。

「令」と並ぶ「律」という語は、法律だけではなく、音律、六律といった基準にすべき音階の意味もあり、別に

「自律」との語もあるが、そこに共通するのは、「律とは、常なり」(『爾雅』釈詁)、「法る」(『春秋左氏伝』哀公十六年「無自律(杜預注、律、法なり)」)などと説かれるように、「のっとるべき常法」が基本的語義であり、是非を判断するうえでの準則が、法律における「律」の意味に他ならない。

秦律、漢律と呼ばれる法律としての律は、盗律、賊律など個別の篇名をもった法規であり、令とはちがった法形式をもっていることは、近年出土した簡牘から明らかになった。それは、

i 皇帝の命令としての詔に見られる書式はない。

ii 一時的、一過性をもつ令とは異なり、律の内容は恒常性をもつ。廃止もしくは改正の法的措置が取られない限り、有効性をもつと考えられる。

iii 律の条文には、罰則規定がない行政法規も含まれる。

といったものである。ただ、秦および漢初にあっては、律はいまだ法典といえる法形式を有していなかったと考えたほうがよかろう。個別篇名のもとに関連条文が順番に整理されていたことは確かであるが、各篇がさらに固定した順番をそなえた法令集、つまり法典がすでに成立していたかは、極めて疑わしい。律典の成立は、いま少し時間を要したのである。

令から律への編纂・更定は、法形式のうえで、「臣下の上奏＋制曰可」といった詔がもつ公文書の形式から、規定のみを書き出したいわゆる一般的な法の条文としたことであるが、そこにおいて、令に付与されていた重要な機能が削げ落ちてしまうことになった。

いったい、令に使用する簡牘は通常の一尺よりも長い一尺一寸の簡を使用し、皇帝の命令を意味する「制」の一字を台頭させることで、皇帝の威厳と令の権威を視覚的に示し、守るべき規範としての有効性と担保を得ることができたのである。令から律に変わることは、「皇帝の命令」から「則るべき常法」になったことであるが、それによって

「皇帝」の姿は消えてしまった。台頭する「制曰可」の文言をもたない律文は、一尺一寸の札には書くことができない。そこで、律を記す簡牘の長さを経書と同じ二尺四寸を使用することで、経書とおなじ「不磨の大典」という権威を与えたのである。その時期が武帝天漢年間であったことは、すでに儒教の国教化に関連して言及した(二七頁)。律はそこから、経典に倣って法典化の道を加速していくことになる(冨谷 二〇一六b:「漢律の諸問題」)。

国家の行政理念としての儒教の地位の確立と、法による統治の具である律典の成立、それはともに漢武帝期、つまり、夷狄を制圧し、漢人中華世界が成立した時代のことだったのである。

【律令発布の対象】

平帝元始二年(後二)の戸口統計を基にする『漢書』地理志は、漢帝国の人口五九五九万四九七八人、戸口数一二二三万三〇六二と記載し、また百官公卿表は、年俸一万石の丞相から月八斛の佐史までの前漢の官員を一二万二八五人としている。時代の差もあり、また戸籍に登録されていない者も当然存在したであろうが、大雑把に比率をだせば、役人は全人口の〇・二%、全戸口の一%にあたる。

一九九三年、江蘇省連雲港市の漢墓から出土した尹湾漢簡の中に、「集簿」という表題をもった漢成帝期末年(前八)の東海郡における行政統計を記す木牘があり、人口一三九万七三四三(役人の比率〇・二%=二七九四)、戸数二六万六二九〇(同一%=二六六三)、吏員二二〇三人と記されている。記された数値は、『漢書』地理志があげる東海郡の人口(一五五万九三六七)と戸口数(三五万八四一四)と大きな差はなく、出土文字資料も役人は人口の約〇・一六%、戸口についていえば一〇〇戸に一人弱という比率となり、文献と出土漢簡の間には、齟齬は生じない。

秦漢帝国の中央集権体制とは、皇帝が扇の要に位置し、皇帝の命令が扇状に中央、地方の末端の官署に行きわたり、末端から報告が上申されるという構造なのだが、それはすべて文書によって行われ、簡牘という書写材料が有する機能がそれを有効たらしめたのであった。漢人中華帝国を支えたのは、簡牘を使った徹底した文書行政であり（冨谷 二〇一〇）、書写材料の変化は畢竟、文書行政の変化を意味し、その時期が、漢人中華帝国が終焉をむかえた四世紀初頭であったことは注目に値する。

ところで、文書行政はいうまでもなく、文字つまり漢字が使われるが、その漢字を読みかつ書ける者はいったいどれくらいの比率で存在したのであろうか。

識字能力には、

（Ａ）自分の名前を含めて日常生活で使う文字は習得している

（Ｂ）役所からの通知（公文書）の内容が理解でき、また書式に従って公文書を作成できる

（Ｃ）書籍の読解に問題なく、また知識人として典拠をふまえた文章を書くことができる

といった段階が想定され、文書行政において要求される識字能力は、（Ｂ）である。行政文書、帳簿で使用される文字、表現は、定型化した画一表現がおおく、習得にさほどの困難はないかもしれない。しかし、それなりの文字の学習は必要で、それを物語る識字書『急就編』が辺境の官署遺址から出現しており、文書を扱う書記官・令史になるための試験に関する規定「史律」の存在も出土の漢簡から確認されている（冨谷 二〇一〇：一〇六―一一六頁）。

漢代人口のわずか五〇〇分の一の数の役人すべてが、初めから文書を扱える識字能力を有していたのかといえば、決してそうではない。郡・県・郷・里の序列にある最末端機関である里の役人――それは一〇〇石以下の有秩、斗食であり、辺境では燧長であるが――は識字能力を要求されず、それゆえ、里や燧までは文書は伝達されなかった。かつその上部機関でも、「史」との官名をもつ文官書記官が文書を扱い、武官は必ずしも十全な識字能力を具有していたのではない。なるほど在野にも、識字能力の高い者がいたであろう。ただ、そういったことをすべて考慮に入れたとしても、やはり行政文書を解読する程度の能力をもっていた者の人数は極めて少なかったといわねばならないので

ある。

「長吏」という呼称が漢の文献に散見する。文献によって六〇〇石以上とするか二〇〇石以上とするか、その定義が分かれるが、六〇〇石の官吏は中央官庁であれば、「〇〇令」の職名をもつ各部局の長、地方では県令であり、「公・卿・大夫・士」の「大夫」に相当する。二〇〇石の官は、その属官で「士」にあたり、この官に就くためには選挙を経なければならず、二〇〇石とその下の一〇〇石とのあいだには、超えがたい一線が存在した。「士」と「大夫」を合わせた二〇〇石以上は、「士大夫」と総称され、それは後に「読書人」とも呼ばれ、主として儒教道徳を身につけた知識人という意味で用いられる。

士大夫の社会的立場は、時代によって異なり、あるときには豪族・貴族であり、またある時代には官僚であった。しかし貴族・官僚が読書人、士大夫と呼ばれるに値したのかといえば、そうではない。士大夫である条件は、経・史・子・集の書が読め、経書を典拠とし、対句をちりばめた雅文を作文する能力が具わっていることである。つまり行政文書に関する識字能力の程度をはるかに超えた学識が必要とされたのであった。右にのべた、二〇〇石と一〇〇石の官のあいだの超えがたい一線は、さきに挙げた識字能力の段階における(B)と(C)の差に他ならない。政治はこういった士大夫階級、知識人階級によって担当されるものと考えられ、文章を読み書きできない庶民は彼らに従うものとされた。

「民は之に由(よ)らしむべし、之を知らしむべからず」、『論語』泰伯(たいはく)のこの表現は、その一端を物語るとともに、読書人と庶民の区別が、はや孔子の時代から存在していたことを示しており、以後、文献史料にしばしば登場する「礼は庶人に下らず」という言葉は、礼を実践する者は、しかるべき識字能力を備えた士大夫であったのだ。したがって、識字という以前、文字すらもたない夷狄は、礼的世界の外に存在する禽獣に等しい。

読解力、作文力は社会の限られた階層が享受するものである以上、万人がその能力をもつことは、士大夫階級が期待するものではあり得ない。むしろそれは排他的に作用し、漢文を読めない輩はともに語るに足らず、読書人の仲間としては認められない、という特権意識が生まれる。読解できるのが前提であり、読解できない者のために解りやすくする必要などないのだ。私は、漢文が句読点を打たずいわゆる白文であるのは、そういった意識が背景にあると考えている。

句読点についていえば、かかる読解上の措置が古代中国人の念頭になかったわけではない。今日数多く発見されている木簡、竹簡の中には、語句の右端に小さく「レ」という記号が付けられ、それは、続けて読むと誤読となることを避ける目印であった。漢人が句読点というものを知っていたことは確実である。

にもかかわらず、漢文は句読点をつけない白文が一般であるということは、右にのべた排他性、つまり白文を理解できない者は相手にはしない、読書人である限り、句読点の助けなしに理解して当たり前、という前提にたっていることを如実に物語っている。

書物の注釈が中国古典は他の世界と比べて異常に多く、また「注釈学（訓詁学）」という学問領域があることも、右の風潮に起因するであろう。注釈は難解な文章、語句の解釈の提示であることは、間違いはないのだが、訓詁の学といわれるかかる注釈の学がなぜ近代まで絶えることなく続き、数多くの注釈がなされてきたのか、そこには、読書人世界の選良意識と排他性が背景に横たわっているのではないだろうか。注釈はそのはじめは今日のように、本文の中に小さく両行でもって付されていたのではなく、独立した編纂物であり、誰が注釈をものしたのか、注釈者の名は当然わかっていた。つまり注釈は独立した一つの学問であったのだ。注釈の種類には、語義を解説するもの、語句の典拠を明らかにするもの、さらには書かれた内容の詳説などがあるが、いずれの注釈も、その文章をいかに自分が正確に解釈できたのか、つまり自己の読書人としての資格を顕示する目的がそこにあったのではないだろうか。

士大夫は、己の学識を競うかの如くに、古典を典拠とする熟語を使って文章を書き、読み手はそれを読解できたことを誇示する。別の方向からいえば、読書人・士大夫階級の差別化を維持するには、そこに入る資格、つまり読解力のレベルを時代をおって高くしていかねばならない。四六駢儷文、そして平仄・対句、字数、典拠に縛られた詩文、それらは士大夫の証明であり、支配者たらしめる要素、支配の武器であったのだ。

話は、律令にもどる。いったい、律、令の条文は誰が理解し、誰に対して下されたものであろうか。識字能力が右のような状況にあって、律令の条文を一般庶民が理解したとはおよそ思えない。また立法者である皇帝も庶民がそれを読んで理解し遵守すると想定していたとも思えない。やはり律令は二〇〇石以上の士大夫に向けて下された命令、士大夫階級にたいして彼らが政事を遂行するための職務準則として出されたと考えられるのである（中田 一九七一：一六一―一六三頁）。

ことがらは、識字能力という観点から証明できるだけでなく、法令の発布形式とその目的、各官署での法令の処理からも実証できる。

律・令の法源となる皇帝の制詔には、立法権をもつ皇帝が自らの意思で詔を下すものと、臣下に立法の原案を検討させ、臣下からの答申を踏まえて皇帝が認可するもの、および臣下から提案された立法原案を皇帝が認可するもの、の三つの立法過程がある（大庭 一九八二：二〇一―二三二頁）。臣下の上奏を前提とする令の条文は、「上奏文」＋「皇帝の認可（制曰可）」の文言をもって構成され、いわば立法の過程を生のまま残す。始皇帝の焚書令、漢武帝の博士弟子員設置の制詔がその書式を残し、近年出土した江陵張家山（ちょうかざん）二四七号墓出土漢令の「津関令」もそれを裏づけている。

令の条文からは、臣下から皇帝に、そして皇帝から丞相・御史に、さらにその属官のあいだの往還がうかがえる。しかし、そこには、一般庶民の統治は含んでいても、法令の運用に関わる一般庶民の姿は見えない。令のなかで恒常性をもつ法規が整理され、また制詔の公文書形式を払拭して、法典となったのが律であるが、それは令の整理・編纂である以上、取り扱う者が官吏であることは変わらない。

法令が行為規範、度量衡だと見なされていたことは、すでに述べた。その度量衡は、誰が誰の行為を測定すると想定されていたのか。識字能力がなく、また条文を正しく理解することができない一般人民が、己の行為の臧否をその「計器」を使って判断したとは、到底考えられない。また、律の中には、官職、職務といった一般人民とは直接関係のない行政上の規定も多い。つまり、「度量衡」を使用するのは一般庶民ではなく、令と同じように士大夫・官吏であるとせねばならないのである。

さらに一点、制詔をふくむすべての行政・法制の文書が送達される最終地点はどこなのかという問題がある。中央から出される文書は、郡→県→郷→里、もしくは郡→県→亭→郵と送達される。その送達文言には、次のような締めの常套句が記される。

書到、明白大扁書郷亭市里門外、謁舍顕見処、令百姓尽知之。如詔書、書到言。

〔文書を受け取ったら、郷・亭・市・里の門外、謁舍のよく見える場所にはっきりと大きく書いて、民衆に周知させよ。以上しかととりおこない、文書を受け取ったら報告せよ。〕

確かに、そこには末端の行政組織である里が明記されてはいる。しかし、郷からその下の里へ文書が送られ、里で役人（里正）が何らかの文書を受理して、それを書き留めて保存し、また報告文書を作成した検証は得られない。「明白大扁書郷亭市里門外」というように、文書の内容は里の人目に付くところに告示したとしても、文書行政として文書の受理・作成官署の最末端はどこかということとは別である。行政文書が送られる最下級の官署は、文書取扱責任者（郷嗇夫（きょうしょくふ））がいる郷であり（髙村 二〇〇八：二八二―三〇二頁、冨谷 二〇一〇：一二七―一三〇頁）、また上行文書が出される最も下の機関も郷であったと考えられる――「民衆に周知する」といっても、民衆の識字能力からして、彼らが高札に記された文書の内容を十分に読解できたわけではなく、掲示する側も民衆が読解できるとは考えていなかったであろう。高札の下で、里の役人が口頭で民衆に内容を伝えたとしても、あくまでそれは、行政執行上の形式的行為でしかなかったと言わねばならない――。

以上は、行政上の文書についてのことだが、司法における律と令にしても例外ではなく、せいぜい郷まで送達され、そこからは、必要に応じて口頭伝達されると考えてよかろう。令および律の全条文が郷以上のすべての官署に完備されていたのかといえば、私は懐疑的である。「絜令」とは、各官署、郡県、特定地域がそれぞれに関連した必要性の高い法令を整理して保管したものであるが（冨谷 二〇一六b：三八―四五頁）、令の全文を保管していたとするならば、かかる絜令の存在意味はなかろう。また律が裁判にかかわる刑事法規とすれば、獄（裁判機関）が設置された県には、法典としての律が具わっていたであろうが、それ以下の機関が具備していたのか、また具備する必要があったのか、はなはだ疑問である。

識字能力の実態、法令発布の過程と目的、成文法規の送達官署と処理、そういった事由から考えて、律・令は官吏——具体的には長吏(士大夫)——に向けて、彼らが政事を遂行するための準則として出されたもので、皇帝の臣下に向けての命令に他ならないのである。

以上が、文字をもたない夷狄とは異なる漢人礼法国家の根幹である。皇帝と士大夫がおこなう礼と法による統治であるが、実は、そこに存在した礼法思想がもつ二元論的原理は、中華社会を考えるうえで、もつべき重要な視点であると、私は強調したい。その二元論的均衡が傾いたとき、漢人中華帝国が衰退、滅亡へとすすむことになる。

五、落日へと向かう漢人中華帝国

実与文不与

ここで、もういちど、先にのべた「群」「分」を要約して、本節の導入としたい。

人間社会は集団生活、共同社会といった「群」を形成し、君臣、父子、職階などの上下、血縁の差等という縦の分際と、生業、性別、職種などの横の分際がある。この縦と横の分を座標軸とする座標平面のうえに群＝人間社会が成り立つ。座標面は、それを統制する君主のもとの「天下」に他ならず、そこにすべての事象が形をもって整然として秩序づけられる、それがあるべき「礼的社会」に他ならない。かかる社会は禽獣にはなく、禽獣さながらの夷狄にも存在しない中華が有する高度な文化社会といってよい。そういった分を規定し、人間の行動の準則としたものが、礼典なのである。

経書では、吉(祭祀)・凶(葬儀)・賓(接客)・軍(軍事)・嘉(婚姻)に関する「五礼」という礼の項目を設けているが、その内容は、実に詳細にわたっての行動準則である。それをいくら自律性をもつ知識人士大夫とはいえ、現実生活のなかで実行することは、無理があり不可能といってよい。加えて、礼の規定はその属性としていや増しに詳細になり、また要求すべき礼遵守の基準は高くなっていく。孔子の時代には、確かに礼を心の善性が具現化したものと見なしていたことから、実際の行動様式に近かったかもしれない。しかし、礼の規定が心の善性を涵養するという逆方向の主張は、基準を高くすることで、善性をより完全なものにするという方向を目指すようになるのが必然といってもよい。かくして、礼の規定が非現実的、実行不可能な理念、理想へと傾斜していくことになる。

ではその理想と現実の径庭を、漢人中華社会はどのように処理したのか。

「実は与(ゆる)すも、文は与さず」とは、『春秋公羊伝』(僖公元年、二年、十四年、文公十四年、宣公十一年、定公元年)が主張する論理、「文」とは理念、「実」とは現実である。現実と理念の二律背反を、原則と例外という主と従の関係ではなく、同じ比重をもったものとして、背反する二つの命題を是認するという強かなこれは論理である。

また「経」と「権」という理論がある。

> 権とは、何か。権とは経に反してはいるが、結果的には善を維持している行為。
> 『公羊伝』桓公十一年

不磨の常道である「経」と、臨機応変の行為である「権」、『公羊伝』は、これにおいても同じ比重で併存を認める。それは、『公羊伝』の時代、つまり春秋戦国期において、周王の封建を理想としつつも、覇者による秩序の安定を肯定せざるを得ないという理想と現実の狭間で成立した苦肉の理論であった(日原 一九七六:「経と権」「文と実」)。

かかる二律背反を肯定したのは、ひとり『公羊伝』だけではない。

現実的かつ応変的な措置としての覇道を、理想主義に殉教した孟子は決して認めなかったが、荀子は、覇道を王道の下に位置づけるものの、覇道には一定の意味と価値があること、王覇篇をはじめ随処で彼の主張を展開する。

董仲舒『春秋繁露(しゅんじゅうはんろ)』、この書は董仲舒がものしたかどうかは議論があるものの、少なくとも漢代儒教の思想を伝えるとみて差し支えないと考えるが、そこでは、経と権をかく位置づけている。

事宜を得ておれば、是であり、事宜を失しておれば、非である、春秋には不変の義があるが、同時に応変も備えている。

『春秋繁露』精華

さらに後漢の荀悦『申鑒』時事の次の条文を付け加えよう。

「権」には一定の制（標準）はない。「制」とは「義」（しかるべき理）であり、「不制」は、「事」である。巽（事宜にしたがって）権をおこなう。義は原理、権は経に反するもの、事には一定の基準はないのだ。

理念（文）に具わる不変性（経）、現実（実）に従った応変（権）、両者を背反する二律として措定せず、またそれを止揚することなく、ともに同一面におき、価値あるものとして認めるこの思想は、春秋戦国に源を発し、漢およびそれ以後の礼法中華に連綿たる水流を形成していった。

それに加えて、いま以下の展開を示しておきたい。

「理念のうえでは認められないが、現実は是認せねばならない」「事宜を得ておれば、是である」「事宜にしたがって権をおこなう、そこには一定の基準はない」、これらは、換言すれば、目的合理主義に他ならず、目的が行為者にとって利をもたらすことである以上、効果的利益を得ることを目指す功利主義へとつながっていくことは、容易に理解できる。すなわち、礼法主義に基づく漢人中華社会は、功利的目的合理主義に立つものでもあったのだ。

以上のことから、もう一度礼を取り挙げよう。『礼記』の曲礼（上、下）には、天子以下、卿・大夫・士がおこなう儀礼、社会生活、家庭内の行動、男女関係などのこと細かな規則が記されている。「経礼三百、曲礼三千」（『礼記』礼器）とある「曲礼」が現行本『礼記』の曲礼篇とどう関係があるのか、はやく鄭玄の時代から問題となり、現在に至るまで定説がないが、「曲礼」という語が「子細にわたる礼規定」という意味だとすれば、「曲礼三千」は、三〇〇〇条からなる礼の詳細な規定ということになり、現行「曲礼」篇はその一部とも考えられよう。

三〇〇〇というのが実数かはおき、千の単位にもおよぶ諸規定を忠実に守って行動、もしくは社会生活をおくること、あまりにも現実離れしており、不可能といってよい。数が増え、内容が子細を極めるにいたって、ますます現実と離れていく。しかし、礼がそもそも、とるべき理想的行為であり、理念（文）とは別に現実（実）の肯定と、常道（経）と応変（権）を許容する思想が準備されている限り、そこにはいささかの問題も生じない。そればかりか、士大夫が理想として目指さねばならない行為規範の存在は、達成が困難であっても、否、困難ゆえに一層価値あるものとなる。

　そしてそれは、礼と表裏する法にあってもしかりである。

法（律）は、刑法、禁止規定であり、それを効果たらしめるため刑罰が設けられ、刑罰と犯罪の関係も律によって規定され、論断がおこなわれる。期待される理想的行為の基準である礼にたいして、法は已然の現実的行為を裁断する準則であり、それゆえ現実に即したものであることは言うまでもない。近年出土した秦律、漢律の条文は、極めて詳細な規定をもっており、またその法解釈、処断の手引き（「奏讞（讞）書」）、律の書（「法律答問」）も存在している。たとえば、盗律の規定では、贓物は価格に従って、六六〇銭を最高額として、以下数段階（六六〇銭以上、六六〇未満―二二〇銭、二二〇未満―一一〇銭、一一〇未満―二二銭、二二未満―一銭）に区分され、顔面に入れ墨をして労働に従事させる黥城旦刑から罰金一両までの刑罰がこと細かく設定されている。また贓物の額の算定方法、評価方法などに関しても周到な規定がある。それは、ひとり窃盗だけではなく、賄賂罪などの金銭、物品の不正収得も「坐贓為盗」として、窃盗罪に準じて刑が量定されるのである。

　ここで、改めて考えてみなければならないこと、それは、秦また漢において、すべての犯罪行為は律の条文に記されている要件に依拠し、それを充足するかどうか検討して裁定されていたのかということである。たとえば、張家山漢墓出土の裁判案例（奏讞書）は、確かに律の条文に基づき処断がおこなわれたことを記している。奏讞書なるものが、実際に県から郡、さらにはそれより上の司法担当部署に対しての疑讞とそれに対する応答なのか、それとも雲夢秦律「法律答問」のような論断の参考書の類いなのか、断定が難しいが、少なくとも言えることは、律令が制定された漢帝国初期の段階では、せいぜい律文に即して論断を下すことが前提となり、それを志向していたといえよう。律の内容があるべき行為の理想をつらねた単なる規範書から出発したとは考えられないからである。

しかし、やがて法においても、秦漢律から魏律へ、そして泰始四年(二六八)の晋泰始(たいし)律令へと、律と令が改定をともなって変化するにしたがって、現実と理想、不変と応変の共存が芽生え、それが是認されるようになっていく。そこには、いくつかの要因があった。

一つには、先に指摘した武帝期において律を経書と同等の不磨の大典と位置づけたことである。律の権威づけのかかる措置は、結果として現実的法規である律を理念的経書に近づけることになり、そこに経と権の二元論的思考を受容することになる。

さらに一つの動きがそれに加わる。律の正文の内容に、経とりわけ礼的規定が入り、刑罰規定と倫理規定の距離が縮まっていったことである。つまり、「作られた悪」ともいえる善悪の基準が、変化する社会の良識によって、礼規範が律の条文に影響をあたえ、礼典と刑典が交差するようになっていく。交差は、漢律から魏律へと時をおって濃厚となり、晋泰始律・令の立法化で、刑事法規(律)と行政法規(令)の二つの正文法典が成立した段階では、礼典の条文が法源となり、新律令に採用された。それは以後、唐律令へ展開するなかで、一層顕著となったのである(冨谷 二〇一六b:「漢律から唐律へ」)。

第三は、法運営がもたらす「権」である。犯罪に対処しそれを最初に論断するのは、県廷であるが、あまりにも詳細で整備された法を規定にしたがって忠実に取り扱うことは、至難である。加之、条文の解釈には幅があり、また条文がすべての犯罪行為を網羅しているわけではない。それゆえ、県からの請讞(せいげつ)(論断の打診)を上部機関は要求するのだが、基本的には県の司法担当官の裁断に委ねられることは、明らかである。

「大夫、遂事なし」の「経」は、現実に即した目的合理主義によって、司法における「権」を容認することになり、また結果として法秩序の維持につながる以上、為政者にとっての功利性がそこに生まれる。

さらに第四の要因として、書写材料が簡牘から紙に変化したことを挙げたい。簡牘の時代、法令はいわばファイルのようなもので、そこから絜令といった抜粋した規定が実用に供すべく析出された。しかし、書写材料が紙に移行し、法令も紙に記され、第一編から最終編までが順序づけられ、それが固定したいわゆる法典の形式になると――法典としてはっきり確認されるのは、晋泰始律二〇編であると考えられる――それは典籍であり、一方の典籍（礼典）と限りなく接近する、それはとりもなおさず現実と理念の接近に他ならない。

私は、かかる律の性格の変化を「裁判規範（norms of adjudication）」から「行為規範（norms of conduct）」へと解釈しているが（冨谷 二〇一六b：一八一―一九五頁）、視点をかえれば、漢人中華国家の文と実、経と権の二元論的思考に基づく礼法主義の必然的結果であり、それは法（律）のもつ現実的効力を失わせるものであった。

律と令は皇帝に立法権がある以上、いくら臣下の力が皇帝を凌いでいても、律・令を発布することはできない。曹操（そうそう）が魏国公であったとき、所領の地域に発布した命令は、「科」と呼ばれたが、それは律令と同等におかれる法形式ではない（冨谷 二〇一六b：八二―八三頁）。権力を事実上掌握していた曹操とて、律・令という名称の法を発布することは、制度上できなかったのである。

王朝が改まると、新しい法律が公布されることになる、皇帝が立法権を有することを宣言し、新たな法律のもとで官僚を統制することを示したのである。たとえば、泰始四年（二六八）に発布された晋泰始律令についていえば、新法の準備として、すでに文帝（司馬昭）は咸熙（かんき）元年（二六四）、賈充（かじゅう）に法律の改定を命じていた。時に司馬昭の亡兄司馬師に子がないことから後嗣とした、司馬炎（武帝）の同母弟攸（ゆう）が、才能・人格のうえから高い評価を得ていた。ただ、司馬昭の真意は嫡子炎にあり、巧妙で周到な画策の結果、司馬炎が策立され、魏から禅譲されて、皇帝の位に即く（安田 二〇〇三：五―四一頁）。新法の公布はその三年後のことであるが、それは臣下に新皇帝の権威と正当性を示すことがその背景にあり、新法公布は、皇帝権確立のいわば政治的儀式にすぎず、また病死を覚っていた父文帝が炎のために敷いた周到ともいえる路線でもあった。

華夷秩序における文実二元論

以上のべた文実二元論、経と権の両者併存そして功利的目的合理主義、これはまた中華と夷狄の関係においても機能する。

夷狄に対する漢人中華が求めるものは、非文明の野蛮が文明中華の徳と礼に帰順することであり、帝政中国二千年の歴史において、中華が圧倒的劣勢に立たされたときも、これは変わらない。そこから、対等の交易、国家間同士の条約という事象はおこり得なかった。夷狄が中華に対して、奉献・朝献、また朝貢という名のもとで、恭順の象徴としての貢ぎ物を献上する、これが中華がもつ理念であり、不変の原則であった。しかし、現実はといえば、そうではない。

一九九〇年から九二年にかけて、河西回廊、現在の敦煌市の東から漢代の文書伝達施設の遺跡が発見された。漢晋時代に「懸泉置（けんせんち）」と呼ばれた場所であるが、そこから二万点以上の漢簡が出土し、その中に、永光五年（前三九）の紀年をもつ、「康居（こうきょ）王使者冊」と仮称される木簡が見つかった。

内容を略述すれば、康居から駱駝（らくだ）などを漢に運んできて、敦煌で値段、品質などを評価したが、そのやり方に虚偽不正があり正当な価格算定をうけていない、という訴状が康居側から漢の外務担当官に出され、漢の担当官が敦煌太守に調査を命じたというものである。

康居とは、西アジア・シルダリア下流のトルコ系遊牧民族国家であるが、この康居の使者の訴状は、いささかの違和感を与えるといわざるを得ない。かりにこれが奉献に当たるなら、恭順の意の礼物を奉納する側が価格査定の不正を訴えるなどあり得ないし、漢側も、「関係者を再調査せよ」などと返答するのも解せない。

ただ、書状には、「奉献橐佗（たくだ）入敦煌（橐佗（らくだ）を奉献せんとして敦煌に入る）」と確（し）かと「奉献」という語が使われている。とすれば、「奉献」という二字を「恭順の意をもって貢ぎ物を献上する」という語義通りにとることは、ことがらの背景を誤解し、ひいては漢と周辺諸国の外交関係の分析を間違った方向に誘導することになるのではないか。康居からの使者は、商業交易が目的であり、漢もそれを知っていて、交易を善しとしていたのだ。奉献という名のもとに周辺異民族が商業活動をすることは、文献史料にも確認される。

> だいたい奉献とは、商売人が商いをしようとし、「献」という名目をかかげているだけです。こちらからわざわざ使者を煩わせて送迎するのは、実態からかけ離れており、だまされているのです。　『漢書』西域伝

成帝のとき(前三三―前七)、漢が異民族の朝貢使節に迎えを送ろうとしたことに反対して出された意見であり、朝貢の名のもと、現実の交易を是認して、夷狄の物品を得ていた。夷狄にあっても、かれらは漢のいう「文」に表面的には従い、そこから実利を得さえすれば何の問題もなかった。

それはまさに文実二元論にたち、朝貢という「文(理念)」を掲げつつ、交易の「実」を認める目的合理の功利主義が中華と夷狄の関係に現れたものといってよいであろう。さらに理念としてのあるべき朝貢は、いまだ公的接触のない異民族が中華へ帰順したという中華側の非現実的誇示ともなっていく。

漢武帝の時、漢の統治の完成をいう上申書には、「今、陛下は天下を幷有し、海内は率服せざるなし。……夜郎、康居、殊方万里は、徳を説び誼に帰す。此れ太平の致なり」(『漢書』董仲舒伝)とあり、また同じ時期、巴蜀の太守に向かっての檄文には、「陛下、即位し、天下を存撫し、中国を集安ず。然る後に師を興し兵を出し、北のかた匈奴を征す。単于は怖駭し、臂を交えて事を受け、膝を屈して和を請う。康居、西域は、訳を重ねて貢を納め、稽首して来享す」(『漢書』司馬相如伝)と、さきに言及した康居が「漢の徳を慕って奉献、帰順した」と述べている。

右の二つの史料は、ともに紀元前一三五―前一三〇年あたりに作成されたものだが、実はこの段階で、遥か西方の果てに康居という国が存在するということを漢が耳にしていた可能性はあるものの、康居が漢に朝貢した事実はない。康居の情報が正式に漢に伝えられるのは、張騫が十数年にわたる苦難の西域調査から帰国したときであり、それは武

帝元朔三年(前一二六)であった。康居の朝貢はそれ以後と考えねばならない。

では何故に事実でない朝貢を誇らしげに述べるのか。いうまでもなくそれは、周辺異民族が漢帝国に帰順する、もしくは、せねばならないという中華意識に起因し、中華帝国の強大さを高らかに喧伝することで、帝国の政治力を示すことを意図したのである。顕示する対象は外国だけではない。むしろ、より比重がおかれたのは、国内に向けてであり、それでもって帝国の強大さを誇示したのである。

強大さの誇示は、単なる外つ国からの朝貢をいうのではなく、四海の果て絶域の地から中華の徳に帰順したことを述べることで一層効果的となろう。先の文書に「夜郎、康居」「康居、西域」と康居を特に挙げているのは、康居が西域の最西端に位置し、夜郎は、漢の最南の境界に位置する国であるからではないか。「実」を一方で認めつつ、「文」をあくまで維持する漢人中華思想がもたらした虚構世界に他ならない。

かかる仕儀は、その後の漢人中華帝国においても引き継がれていく。

「楽浪海中に倭人あり。分れて百余国をなす。歳時を以て来りて献見すという」、『漢書』地理志にみえる我が日本史において注目されてきた重要な一条、これは前八〇年から後二年頃の倭と前漢の関係を述べたものだが、実際に倭から定期的に朝貢がおこなわれていたかどうかは定かでない。そもそもこの倭というのが、日本列島のどこに位置する「国」なのかもはっきりせず、漢帝国が「倭」国の位置と実態を認識していたのかも疑問である。

建武中元二年(五七)に朝貢をしてきた倭に光武帝が印綬(漢倭奴国王)を賜与したことに関しても、同じい。倭国の奉献は『後漢書』光武帝紀、同・東夷伝、『後漢紀』光武帝紀に明記されていることから、事実なのであろうし、印綬賜与は志賀島出現の金印「漢委(倭)奴国王」がそれを裏づける。しかし、後漢王朝が得ていた倭奴国に対する情報は、どこまで詳細であったのだろうか。ただ言えることは、後漢が倭国を絶域極東の国、もしくは部族として対応したことであり、漢人中華に絶域の夷狄も教化されて服従した、それを喧伝するだけで十分だったのではなかろうか。「文

（理念）」という大義のもとでは、倭国がどこにあるのか、朝貢であるのか否かという「実（現実）」は、鴻鵠の一毛でしかない。

曹魏になっても、さらにそれ以降も、夷狄に対する文実二元論的中華思想は変わらない。太和三年（二二九）、奉献してきた大月氏波調、景初三年（二三九）に奉献してきた倭国卑弥呼に、魏は、「親魏大月氏王」「親魏倭王」の称号をそれぞれ下賜した。「親魏某国王」というかかる称号は、文献史料のうえでは、右の二例にとどまる。このことについては、いくつかの論説が出されているが（関尾 二〇一二：「クシャン朝と倭」）、流沙の果てと彼方冥海の二国の服従を嘉した措置であったと、私は憶測したい（冨谷 二〇一八：五五―五六頁）。ことがらは、本巻であつかう時代をこえて、南北朝、隋唐、さらには皇帝中華がその終焉をむかえるまで連綿と続いていく。重層環節の中華世界において、環節の外側に非中華が存在する限り、夷狄に対する文実二元的思想の水脈は絶えることはなかったのである。

大月氏国は、陳寿『三国志』では、『魏書』明帝紀・太和三年一二月の条に見えるのみであり、裴注所引の魏・魚豢『魏略』西戎伝に、玉門関を越えて、葱嶺、県度を経て西域南道の終点、罽賓国、大夏国、高附国、天竺国などが大月氏に属すると記す。『魏略』の大月氏に関する情報は、すでに散逸してしまった部分にもあったかもしれないが、南道の果てに位置する絶域の地であると認識していたことは間違いはなく、果たしてそれ以上の詳細を掌握していたかどうか、同じ西戎伝の他の国の情報と比べて、至って簡単で少ないのである。それはまた、その位置に関する論争が絶えない我が邪馬台国に関して、『魏書』の記述の問題とも通じ、魏がどこまで東西の絶域の国を正確に認識していたのか、検討すべき価値があろう。

黄昏の漢人中華世界

後漢から西晋末に至るほぼ三〇〇年間、中華と夷狄の関係は、実に複雑な展開を来す。表層において、漢人帝国と異民族の部族国家のあいだで離合集散を繰り返すなかで、深層では異民族が華北に移住し、中華帝国の軍事を支え、帝国の内訌に深く関与したこと、また秦漢時代には匈奴が当面する最大の敵であったのが、複数の異民族が歴史の表舞台に登場し、夷狄同士および中華と複雑な絡みあいを呈する。

匈奴は、建武二四年(四八)、日逐王比が自立し呼韓邪単于となったことで、南北に分裂した。南匈奴は漢に服し、華北一帯の放牧に適する地、雲中・五原・朔北・定襄・雁門・上谷・代の諸郡に旧来の部族制を維持しつつ、居住していく。永元二年(九〇)の段階での南匈奴は、五八部族、人口二三万七三〇〇人、兵士五万一七〇人と『後漢書』南匈奴伝は記している。南匈奴は中国に帰順していったが、あらたな周辺異民族、いわゆる「五胡」と称される夷狄が西北辺を擾乱し、なかでも安帝永初元年(一〇七)、二年(一〇八)の先零羌の反乱は、漢中、河西回廊一帯を席巻し、西羌は「天子」を自称する(『後漢書』鄧騭伝、西羌伝)。後に「元二の災」として後漢の石刻にも記されることになった危機的状況であるが(楊孟文「石門頌」、洪邁『容斎随筆』巻五「元二之災」)、その直線的延長線上に二〇〇年後の西晋永嘉の乱が位置するのかといえば、そうではない。つまり、夷狄が反乱をおこし、中華を征服したのではなく、中国が夷狄を取り込み、夷狄はその中で「新たな中華」として孵化し、漢人社会に浸潤していったことで、漢人中華が終焉を迎えたのである。

いったい、夷狄が中華に服従することを、「帰義」(中華の徳に懐く)として中華は内外に誇示するのだが、かの『春秋公羊伝』が「夷狄を許すは、一にして足らざるなり」と受容のハードルを高く設定していたことは、あくまで儒教理念の世界のこと、現実では漢人王朝は、嬉々として夷狄の帰義を受け入れ、それを誇示したことは、前節でも一端を紹介した。しかし、この「帰義」がやがて漢人中華国家の滅亡の原因となることは、その段階で漢人中華は知る由もなかった。

異民族が孵化していく内実は、一つには、漢人中華の思想つまり儒学を学び、「文明化」していったことである。儒学は明帝時代(五七―七五)に隆盛となり、皇太子以下、功臣の子弟にいたるまで経典を学び、王朝は四姓小侯と称した外戚樊氏、郭氏、陰氏、馬氏の子弟のために学館を建てて五経の師をおいた。やがて、その末属のために学校を設立、さらに武官にもそれが及んだ。そこに匈奴も子弟を入学させ、儒学を学ばせたのである（袁宏『漢紀』明帝永平九年、『後漢書』儒林伝）。

続く章帝の時代（七五―八八）にも、四姓小侯に対する学業の奨励は続くのだが、漢の内地に移住し、また漢の武官となった匈奴の上層階級において、子弟に儒学を学ばせることがいっそう浸透していったと考えてよかろう。また、後漢末鮮卑の軻比能は、袁紹から離反してきた中原の漢人から武器製造の技術とともに文字を学び、中華に擬した統率、儀礼を身につけたという（『三国志』魏書鮮卑伝）。

かかる夷狄の中華への傾斜だけでなく、後漢には中華の夷狄への傾斜、夷狄の文物の嗜好が皇帝をはじめ貴戚にみられる。

霊帝は、胡服、胡帳、胡牀、胡坐、胡飯、胡空侯、胡笛、胡舞を好み、京都の貴戚は、皆な競いて之を為す。

『後漢書』五行志

前漢文帝期、匈奴に寝返ったかの中行説が中華の服飾、飲食に憧れた単于を強く戒めたこととは全く逆の、中華が夷狄の文物に傾倒するという現象が後漢後期には出来していたのである。もとよりそれは、上流階級の珍奇なものを求める奢侈、異国趣味でしかなかったとしても、夷狄の中華への浸透による現象であったことは否定できない。

異民族の孵化によるいま一つのことは、軍事面における夷狄の兵士の存在である。

中国に従属してきた異民族が辺境に居住し、部族単位にしろ個人的にしろ、中国の兵卒となることは、「胡騎」「胡兵」「秦胡兵」などと称されて、前漢期から史料に度々登場する。胡兵の数は千単位、万単位をもって記されており、後漢になれば、匈奴にかぎらず、羌族をはじめいわゆる五胡の異民族がそこに含まれるようになる。

「以夷伐夷（夷狄をもって夷狄を伐つ）」、夷狄の兵をつかって夷狄を征伐、制圧することであるが、この語が文献史料に頻見するのは『後漢書』であり(鄧訓伝、班超伝、南匈奴伝)、それは、周辺異民族の帰義と猖獗が背景にあるといってよい。

魏曹操においても、制圧した烏丸の兵卒を自軍の指揮下に編成して辺境を鎮圧せんとしたが(『魏書』烏丸伝)、曹操が流賊、流民、降兵、降民などを自己の直属軍とし、彼らをあらたに設定した兵戸に組み入れるようになったことは(浜口 一九六六:「後漢末曹操時代に於ける兵民の分離に就いて」)、夷狄の兵卒を採用することへの抵抗感を一層減殺させたと考えられる。一般庶民と区別され、ともに差別される対象ということの通底が兵卒と夷狄の距離の接近を招いたからに他ならない。

秦漢時代は、兵役と力役(徭役)が役務としては、完全に分離していなかった。一般庶民は、毎年一カ月本籍地の県で当番としての役につき、就役することを「践更」、当番者を「更卒」と称した(浜口 一九六六:「践更と過更」)。更卒は、その当番義務を代人を雇って免番となる(これを「過更」という)ことができ、その場合支払う金銭は、一カ月三〇〇銭であった。この三〇〇銭という値は、平帝元始元年(後一)に施行された顧山銭(女性の労役刑徒が月三〇〇銭を払うことで労役を代行する者を雇って刑役免除となる制度)の額と等しく、また秦律の財産刑に関して、金銭の支払いができない刑人は、労役でそれを代替し、その場合の一日の労働単価が八銭(一カ月二四〇銭)である(冨谷 一九九八:六八頁)。さらに漢代の穀一斗の銭価は八銭から一〇銭であり、毎月三〇〇銭が穀三石となり、それは吏卒の毎月の支給食糧(三石三斗三升)に近い値であることなどから、一カ月の雇用、労働額の「平価」(標準価格)は三〇〇銭であったといえる。そこから、指摘したいのは、過更にしろ顧山にしろ、また財産刑の労役代替にしろ、そこに共通した標準ともいえる価格が認められることは、かかる代替服役(労働)が普遍的であったということである。居延出土の漢簡に多様な庸に関する記述があり、それは戍卒の庸にまで及んでいるのも(鷹取 二〇一八)、その流れのうえで理解できよう。

いったい、課せられた義務(徭役・兵役)、償うべき罪科(刑役)には、本来それ自体にこめられた原初的理念、原理がある。兵役・労役・刑役を金銭によって代替できるというのは、理念の没却であり、結果として労働による成果、兵員数が確保できれば問題ないという功利的目的合理主義に他ならない。私は、本章のなかで随処にわたって「礼法主義に基づく漢人中華社会の功利的目的合理主義」を言及してきたが、兵役に関してもそれがうかがわれ、ここで指摘した曹操の兵戸形成、夷狄の兵士採用の基層に漢人中

一　華の目的合理主義があることを確認したい。

「夷をもって夷を伐つ」。しかしながら、国内に混乱、内訌がおこるにしたがって、やがて「夷をもって華を伐つ」という方向をとるようになっていく。それが顕在化したのが後漢末董卓(とうたく)の関中蹂躙である。もともと、隴西(ろうせい)に育ち、羌族との親交が厚かった董卓であったが、権勢を拡大するなかで、彼を頼ってきた秦胡兵を配下におき、献帝を擁立して長安に入り、略奪、横暴をつくしたのである。

董卓は数多くの胡兵を擁して、街には胡兵があふれかえり、宮殿から略奪をおこない、陵墓を暴いて珍宝を我がものとした。

『続漢書』五行志

漢人が招いた胡人による中華の制圧、それは二九一年からおこる八王の乱において、彼らが勝利を得るために、胡兵を引き入れ軍事力を強化せんとする禁じ手を使ったことに繋がっていく。かかる事態に当時の識者は、夷狄が中国内地に移住し、アメーバさながらに侵食、孵化していくその危険性にかく警鐘をならしている。

馮翊(ひょうよく)、北地、新平、安定界内の諸羌を、先零(せんれい)、罕幵(かんけん)、析支(せっし)のいる地に移住させ、扶風(ふふう)、始平、京兆の氐(てい)族を、隴右(ろうゆう)にもどして、陰平、武都の境あたりに移住させ、各々の故地にもどし、属国として懐柔するのです。晋と夷狄は混在せず、それぞれしかるべき場所に居住する、これが、『尚書』禹貢にもいう即叙〔秩序正しくする〕の意味であり、盛世永久の法則なのです。

江統「徙戎(しじゅう)論」(『晋書』巻五六　江統伝)

しかしながら、皇帝は聞く耳をもたなかった。否、孵化の段階から成長へとすすんだ夷狄をもはや押しとどめることはできなかった。そして、それに棹さしたのが「漢人中華社会の功利的目的合理主義」だったのである。

六、終焉――次なる中華へ

――その昔、我が太祖高皇帝（劉邦）は神武をもって時宜にかない、大業をおこし、太宗孝文皇帝は明徳を重ね、漢道を発展し安定させた。世宗孝武皇帝は、夷狄を退け領土を広げ、かの唐堯の時代をも凌駕したのである。中宗孝宣皇帝は、俊秀を取り挙げて、朝廷には優秀な人士があふれていた。我が祖宗の道が三王をこえ、功績は五帝よりも高く、かくして年は夏・商の倍の長さ、周を凌ぐ世を保ったのである。哀帝、平帝の短き御代をへて、賊臣王莽が天をなみして簒奪をおこなうのだが、我が世祖光武皇帝は、聖武の資質をそなえ、帝業を恢復し、漢の祭祀を以前の如くに復興させ、光明をとりもどしたのである。顕宗孝明皇帝、粛宗孝章皇帝と時をおって一層輝きを増したが、和帝、安帝以後になって、皇綱は次第に衰退し、統制がきかなくなっていった。全国に黄巾の賊が勃発し、宦官が鉛毒をたれ流し、董卓はそれにこと寄せ猖獗をほしいままにし、曹操父子は凶逆を引き継ぎおこなった。かくして、孝愍帝は政権を委譲、昭烈帝（劉備）は、巴蜀に流寓して、易の否卦から泰卦への変化、つまり、閉塞から通達に変わり旧都に戻ることを願ったが、ことはうまくいかず、後帝は困窮恥辱のなか、国は今に到るまで四〇年間、滅亡同然といえる。いま、天は忠義の人士を誘い、皇漢を災禍から救わんとし、司馬氏父子兄弟を次々に残滅させたのであるが、人民は塗炭の苦しみをうけ、それをどこに訴えればよいかを知らない。そこで、我はいま、皆の推戴をうけ、三祖（太祖高皇帝、世祖光武皇帝、烈祖昭烈皇帝）の大業を受け継ぐことにしたい。

『晋書』載記

漢（前趙）の劉淵が西晋から独立して漢王を称したときの言葉である。

劉淵の父劉豹は、三国魏の時代には五部に分かれた匈奴部族の左部統帥（太原）となり、晋太康年間（二八〇―二八九)に都尉となった。劉淵は魏嘉平年間(二四九—二五三)に生まれたが、幼少期から、崔游に師事し、『毛詩』『京氏易』『馬氏尚書』『春秋左氏伝』『孫呉兵法』を諷誦し、『史記』、『漢書』、諸子は余すことなく総覧した。晋武帝(司馬炎)に推挙され、太康末に父の北部都尉を世襲し、その治政は、法律を明確にし、姦邪を取り締まり、誠実さをもって接して財を分け与えた。五部の俊傑はこぞって集まり、幽州・冀州の名儒、後門の秀士は遠方から師事するためやってきた。

やがて、勃発した八王の乱では、成都王司馬穎に取り立てられ、輔国将軍、冠軍将軍となり、匈奴五部を率いて穎を援助するが、鮮卑の助力をえた王浚に敗退したのを契機に漢王を称し、三〇四年、年号を元熙として、三〇八年皇帝位に就き漢王朝を継承したのである。かくして、西晋の命運は、劉淵の帝位を継いだ子劉聡によって長安が陥落した(三一六)ことで尽き、滅亡にいたる。

さて、劉淵の宣告文にもどる。ここには、高皇帝劉邦、光武帝、昭烈皇帝劉備とつながる漢の皇統を自分が受け継ぐことがはっきりと宣言されている。

ことの流れは、漢人王朝下において虐げられていた匈奴部族が自立を目指して決起し、漢人王朝を滅ぼした(谷川一九七一:三〇—三五頁)ともいわれるが、しかし、劉淵の言葉からうかがえるのは、王朝の継承、劉氏漢の再興であり、それが大義名分であったにしろ、意味するところは十分に留意せねばならない。単に晋に取って代わり華北に覇をとなえる意思表示だけであれば、何故にこのように「我が」三祖を継承し、漢を再興させるという大義を強調せねばならなかったのか。それは、一つには匈奴と劉漢との関係が前漢の時代から、漢を兄、匈奴は弟という礼的疑似親族関係を有していたこと、いま一つは、劉淵、そしてその子劉聡においてもそうなのだが、漢人中華思想を学び、衰退、腐敗した漢人中華を再建することを自己の役割と考えていたからではないか。彼は、幼少期から経、史、諸子の学に精通していた読書人であったことは、すでに紹介した。彼らが修得した儒学=礼法が、彼の意識のなかで、非文明の異民族匈奴人を昇華させ、匈奴・漢人の枠をこえた新たな礼法社会、つまり「新たな中華」の創成を目指したのであった。

礼法をうたう漢人中華帝国は、野蛮の「夷狄匈奴」を征服することでもって成立し、礼法を修得した文明の「中華匈奴」によって滅ぼされた。またこうもいえる、「劉漢が確立した中華は、夷狄の劉漢によって幕がおろされた」と。中華の重層環節の第一幕はここに終焉し、次の新たな中華世界が幕を開ける。

本章を閉じるにあたって

内藤湖南の「新支那論」(一九二四年)に「東洋文化中心の移動」という章がある。そこでは、文化の中心が漸次移動すること、そしてもとの中心であったところが衰退していくこと、文化の発展は民族の境を越えて一つの東洋文化を形づくるということを述べている(内藤 一九七二:「新支那論」)。

湖南の主張は、当時の中国と日本の国際関係、日本の役割といったある意味では政治的視座に立ったものだが、ここで私が取り挙げたいのは、民族の境を越えてそれが移動するという「文化移動説」と、本章の鍵詞である「中華世界の重層環節」との視点の相違である。

確かに湖南が説くように、漢代までは黄河流域に文化の中心があったが、三国以後は南にそれが移動し、南宋以後、ますます文化が東南に傾いていき、外国交通が盛んになった湖南の時代は広東に中心が移りつつあった、これはそうかもしれない。しかしこの現象は、漢武帝期に完成した「中国(漢人中華帝国)」の領域のなかでの移動であり、中心が長城を越えて外に移ったとするのは、どうであろうか。なるほど、文化には国境はない。しかし政治制度、思想、つまり本章で提示した中華礼法主義という観点からすれば、長城の内側を「中国」ととらえ、その領域を中華世界とみる観念的世界は、長城の外には移動しなかったのではないか。むしろ、ことがらはその逆で、周辺の異民族が「中国」に移り、もとから存在していた中華社会、中華国家、中華思想を継承、拡大、そして変化させた。つまり移動したのは、文化ではなく民族であり、「中国」という観念的空間を円心に、中華世界が重層環節的展開をした、そしてしつつある、私はこのように考えている。

第二点、文化の受容における純粋性、継承と受容である。具体的にいえば、儒教という思想文化、それに基づく制度、さらには礼教ということを取り挙げるなら、礼教は後漢に入って地方にも普及し、社会に浸透していった。また長城を越えて移動してきた異民族もこの礼教を学びそれを実践しようとした。その場合、文化受容の初期にあっては、受容は素朴の段階であり、素朴ゆえに礼教はそのまま実践するべきものと考え、また実践しようとした。ただ、すでに礼教が定着していた中国にあっては、分と実、理念と現実を区別することが底流にあったのだが、分実二元的受容というすぐれて中華的思考方法に関しては、その老猾さを身につけていない異民族にとって理解が難しかったといってよい。

異民族の文化受容は決して二律背反を基盤とした受容ではなく、あくまで一元的であった。分と実の使い分けが定着するのは、より時間と経験を経なければならないのだ。そしてそれが定着したとき、異民族はもはや「異民族」ではなくなっていたのである。

最後に、本章を以下の仮説を提示することでもって、締めくくるとしよう。

それは、政治、制度、法制、思想など歴史上のすべての事象は、それを存続・展開・凝固させる要素と、それを否定し、衰退・滅亡・溶解させる要素の、相反する二つを存在の属性のなかに内包しているということである。言葉を換えていうなら、事象が展開する過程でそれの対立、矛盾が生じるのではなく、もとから二つの属性が併存しており、均衡(バランス)を保っていた。変化と盛衰は、その均衡が崩れたことから生ずる。取り挙げたことがらで示そう。

礼制度。礼は心の具現化であるとともに、具現化された礼の様態が逆に心情の善性を涵養するという内面の善性と外面の形式の相互補完、これが儒教が最も重要だとする礼の機能であった。かかる前提のもと、善を一層高踏的な段階に涵養するには、礼の規定をいや増しに細かく、厳しくすることで、高度な善が達成できる。最高の善を目指すことが人格形成における当為である以上、礼規定は実行が極めて困難な、理念の世界のものとなり、それにともなって礼の実行不可能性、礼そのものの虚構性が増幅する。つまり礼はすでにその創成において、礼を充実する要素とそれを否定する要素の二面性を有していたのである。

これは、礼制度に限ったことではなく、すべての制度についていえるであろう。制度は時とともに形骸化し実行不可能な存在となるのが一般的傾向である。それは制度の疲労からくる現象なのかといえば、私はそうは考えない。制度は決して不変性を有するものではなく、整備、完成に向けての不断の運動性は、制度が有する属性である。しかし、制度が整備され完全へと近づけばそれだけ、完璧さが実効を困難とさせ、維持し遵守する機能が減殺し、形骸化していく。動態が制度の本質であるとすれば、動態のなかに制度を否定する要因があり、本質の中に制度を発展させる要素と崩壊させる要素の二面性があるのだ。

本章での論の展開で中核に位置づけている概念は、漢人中華帝国であり、それは華夷秩序に立脚する。華夷秩序とは、文明と非文明、礼法と野蛮の区別であり、中華を存在たらしめるのは、夷狄とのあいだの分際である。一方、夷狄は確かに中華と対峙する存在であるが、本来、中華の聖王の後裔であり中国と根を一つにするという考えがあるから、夷狄は、殲滅すべき存在ではなく、教化されて服従し中華の一員となる可能性を有し、またそうなるべきだとされている。つまり夷狄の帰義であり、帰義は、中華と天下の関係にも及んでいく。

「溥天の下、王土に非ざるなし」、かく明言することにあって、また「天帝の命を受けた天子(皇帝)」という唯一絶対的存在である皇帝の立場からして、限られた領域の支配者ということは、理念のうえからは受け入れることはできない。夷が天子の徳に帰し、順化してはじめて皇帝の天下となり、中華世界が成就するのである。

しかしながら、夷狄が中華に帰順し、溥天の下、夷狄と中華が一体となり、夷狄と中華の空間的区別はなくなるということ、それはとりもなおさず夷狄に対する「中華」という概念が昇華することを意味する。中華が分際の上に立つ観念だからである。つまり、中華思想にはそれを完成・凝固させる属性と、昇華・溶解させる属性が内在していると言わねばならない。

「中華の重層環節的拡大は、中華の希薄化とそれによる消滅への道程である」。これをもって本章の結句としたい。

参考文献

江村治樹(二〇〇〇)『春秋戦国秦漢時代出土文字資料の研究』汲古書院。

大庭脩(一九八二)『秦漢法制史の研究』創文社。

金谷治(一九九七)「中国古代の自然観と人間観」『金谷治　中国思想論集』上巻、平河出版社。

関尾史郎(二〇二一)『三国志拾遺　正――史料・地域・対外関係』(https://note.com/nakazato211/n/n335dd5fc10ae)、最終閲覧日二〇二一年九月一五日。

鷹取祐司(二〇一八)「漢代長城警備体制の変容」宮宅潔編『多民族社会の軍事統治』京都大学学術出版会。

髙村武幸(二〇〇八)『漢代の地方官吏と地域社会』汲古書院。

武内義雄(一九七九)『武内義雄全集』第三巻「儒教篇二」、角川書店。

谷川道雄(一九七一)『隋唐帝国形成史論』筑摩書房。

冨谷至(一九九八)『秦漢刑罰制度の研究』同朋舎。

冨谷至(二〇一〇)『文書行政の漢帝国』名古屋大学出版会。

冨谷至(二〇一六a)『中華帝国のジレンマ　礼的思想と法的秩序』筑摩書房。

冨谷至(二〇一六b)『漢唐法制史研究』創文社。

冨谷至（二〇一八）『漢倭奴国王から日本国天皇へ』臨川書店。

内藤湖南（一九七二）『内藤湖南全集』第五巻、筑摩書房。

中田薫（一九七一）『法制史論集』第四巻（補遺）第二版、岩波書店。

浜口重国（一九六六）『秦漢隋唐史の研究』上巻、東京大学出版会。

日原利国（一九七六）『春秋公羊伝の研究』創文社。

日原利国（一九八六）『漢代思想の研究』研文出版。

福井重雅（二〇〇五）『漢代儒教の史的研究』汲古書院。

松井嘉徳（二〇〇二）『周代国制の研究』汲古書院。

安田二郎（二〇〇三）『六朝政治史の研究』京都大学学術出版会。

吉川幸次郎（一九六九）「森と海」『吉川幸次郎全集』第一九巻、筑摩書房。

渡邊信一郎（二〇〇三）『中国古代の王権と天下秩序――日中比較史の視点から』校倉書房。

渡邉英幸（二〇一〇）『古代〈中華〉観念の形成』岩波書店。

問題群 | *Inquiry*

「中華帝国」以前

吉本道雅

序論

秦始皇帝の天下統一（前二二一）から清朝宣統帝の退位（一九一二）までの二〇〇〇年余り、中国では、皇帝を戴く専制国家が持続した。戦後日本の中国古代史研究は、中国専制国家（「中華帝国」）の形成過程を探究する営みであった。始皇帝が「諸侯を以て郡県と為す」（『史記』秦始皇本紀）と表白するように、「郡県」に表象される専制国家は、先行する「諸侯」を克服することで出現した。したがって、専制国家を起源論的に理解するには、「諸侯」の時代を解明せねばならず、そのためには西周・春秋・戦国の通時的理解が要請される。

ところが、戦後日本の中国古代史研究は、殷周史・秦漢史に分断されてきた。これはまずは史料の相違に由来する。秦漢以降の中国史が、文献を素材にただちに歴史学研究を進めえたのに対し、殷周史研究は、甲骨・金文の解読からはじめねばならず、また東洋史学だけでなく、中国文学・中国哲学史・考古学の出身者をも交えたこともあって歴史研究以前の甲骨・金文研究にとどまらざるを得なかった。戦後日本の歴史学研究の主流が唯物史観であったことも、殷周史を歴史研究から遠ざけた。秦漢史の分野では、西嶋定生が、「古代国家の権力構造」（一九五〇）において、秦漢時代をエンゲルス『家族・私有財産・国家の起源』(一八八四)の定義する「国家」の成立期、その下部構造を「奴隷制」と規定した。スターリン『弁証法的唯物論と史的唯物論』(一九三八)の「世界史の基本法則」の中国史への適用に迫られたものであり、敗戦直後の革命願望を反映するものであった。ところが、日本経済の再建は、革命願望を急速に退潮させ、一九五六年のスターリン批判とも相まって、「世界史の基本法則」の機械的適用への批判が高まった。これを承けて、西嶋は『中国古代帝国の形成と構造——二十等爵制の研究』(一九六一)において、中国史の独自性において秦漢帝国の構造を説明することを試みた。以後一九七〇年代までの研究は、秦漢専制国家あるいはそれを支えた社会・共同体の構造の解明を主題として進められた(吉本 二〇一七b)。

過分に巨視的かつスコラ的であった秦漢史に対し、本質的に甲骨・金文学であった殷周史が問題意識を共有することは困難であり、そのことが、先秦期の通時的理解を阻んだ。この分断を打開する関鍵となるのが、両時代の狭間にあって双方への理解を要する春秋・戦国時代であることは見やすい道理である。しかし、『史記』の戦国紀年の混乱から、とりわけ編年的研究は戦国時代については困難である。まずは、『左伝』を擁する春秋時代が研究の起点を置きやすい。そのような次第で、本章は春秋時代に重点を置きつつ先秦期における政治的秩序の推移を概観するが、政治史的推移をたどる過程で折々に政治的秩序のあり方に言及することにする。これは、戦国中期、前四世紀以前の政治史についての認識がなお共有されていないからであり(吉本 二〇〇五)、零細かつ断片的な資料状況において、特定の時点における特定諸侯国の国制といった事象に対する構造論的説明が困難だからである。本章では加えて、政治秩序の重圏性に留意する。「春秋　其の国を内にして諸夏を外にし。諸夏を内にして夷狄を外にす」(『公羊』成十五)という戦国後期(先秦諸文献の年代観については、吉本 一九九〇参照)の言説に示唆されるように、先秦期の政治秩序は、(1)王朝および個々の諸侯国の統治機構(国制)、(2)王朝および諸侯国を包括した「諸夏」「中国」の統合、(3)「中国」と「四夷」との間の華夷関係という三圏から成っていたからである(本章一—五については吉本 二〇〇一、吉本 二〇一六、

六については吉本 二〇〇七aをも参照）。

一、殷

国家形成の指標として、階級分化、都市・冶金術・文字の出現などを挙げうるが、前二五〇〇年頃にはじまる龍山期にはこれらの要素がほぼ出揃っている（本章の考古学関係の記述については、小澤ほか 一九九九、宮本 二〇〇五、中国社会科学院考古研究所 二〇〇三および中国社会科学院考古研究所 二〇〇四参照）。ついで二里頭文化（前一九〇〇―前一六〇〇）の遺物は中国本土全域から発見されており、全中国的な影響力をはじめて有した文化となる。殷に先行する夏王朝は、二里頭期以降、各地に発生した諸王権に関わる伝説が、春秋戦国の間に、一個のイメージに結晶したものであったと考えられる（吉本 二〇〇六a）。

前一六〇〇年頃、殷王朝が成立し、その後半、前一三五〇年頃にはじまる安陽期に、甲骨文、ついで文章をなした金文が出現する。甲骨文は占卜の文言（卜辞）を記録する。

癸巳卜して、㱿貞う、旬に𡆥亡きか。王固いて曰く、希又らん、其れ来嬉又らん。五日丁酉に至るに乞び、允に来嬉又り、西自りす、沚𢦏告げて曰く、土方我が東啚に征し、二邑を伐つ、舌方も亦た我が西啚の田を侵す。

（郭 一九七八：〇六〇五七正二）

春秋以前の国家は、都市国家あるいは邑制国家とよばれる。邑は城壁の下に人が座る会意字であり、城壁で囲まれた集落が「邑」である。甲骨文で、殷王朝は「大邑商」と自称する。都城である「大邑」が王朝そのものと自認されていたわけである。占卜をつかさどる貞人が占う内容を発問し、最高の祭司である王が判断を下す。殷王朝の祭祀対象は主に先王先公であり、「帝」（「上帝」）は祭祀を超越した存在であった。

甲骨文には、「子」「帚(婦)」を冠する人々が見える。殷墟婦好墓の墓主は武丁の王后と考えられている。甲骨文には、さらに、「臣」「亜」「尹」「史」などの臣僚が見え、職能集団を率いて王朝に奉仕したとされる。戦国以降の文献には、夏殷周三王朝の領域を、王の都城→王の直轄領たる「内服」→封建された諸侯が統治する「外服」の三圏からなるものとするが、甲骨文に窺われる殷王朝の支配体制を考える上で参考になる。都城を中心に、殷王の支配が恒常的に及ぶのは、考古学的には殷墟文化殷墟類型の遺跡が分布する今日の河南北部・河北南部に限られ、これが「内服」に当たる。上掲の卜辞に見える沚馘は、「内服」にあった従属国の国君であり、沚はその都邑の名であろう。都邑の領域である「啚(鄙)」には複数の「邑」や「田」があった。「田」は地割りされた農地の象形である。殷王朝の内服支配は、大邑(商)—都邑(沚など)—属邑という大小の邑の重層的な統属関係によるものであった。殷墟文化地方類型の遺跡が分布する外服には西周の諸侯に相当する地方勢力が存在した。これらに対する殷王朝の支配は緩やかなもので、貢納に対する青銅器の下賜といった関係を保持することが支配の実態だったようである。殷後期には、殷墟文化の外に独自の地方文化が発展する。上掲の卜辞に見える土方・𢀛方をそれぞれ囲坊三期文化(北京市・天津市・河北北部)・李家崖文化(山西西部・陝西東北部)に比定する説がある(北方系青銅器文化については、烏恩岳斯図 二〇〇七参照)。さらに、陝西西部には、周王朝建国以前の周人による「先周文化」があった。殷王朝は中原王朝としての文化的優越性こそ保持したが、政治的には地方王権の挑戦を被るようになっていた。

殷王朝の脆弱性は、王位継承が不安定だったことにもよる。張光直は、殷王がその名に十干をもつことを踏まえ、殷王朝は甲乙戊己のA組と丙丁壬癸のB組が交代で王位に即き、直系として記される諸王は、A組の甲乙とB組の丁に限られることを指摘した上で、①殷王室ではABの二大支族がクロスカズン婚を行い、父子相続と記録される場合、王位はオジからオイへと移動した、②兄弟相続と記録されるものは、次の世代のオイが幼少などの理由で適性を欠く場合、同世代の同じ組に属する者が継承した、という仮説を提示した(張 一九六三)。殷王朝は実際の父子相続を基調とする王統が継続するような「王朝」にはなお到達していなかったのである。

二、西周

周人は、文王が天命を受け（「受命」）、武王が殷王朝を打倒した（「克殷」）ことで周王朝が開始されたとする。「天」の観念は周人にはじまり、周王は「天子」を称した。さらに西周後期の『詩』大雅には、「天下」が初見する（吉本 二〇〇七b）。

中国史における確実な紀年は、『史記』十二諸侯年表の共和元年（前八四一）にはじまる。克殷の年次はなお確定できないが、「夏商周断代工程」の前一〇四六年はおよその年代としては了解できる（夏商周断代工程専家組 二〇〇〇）。

武王は克殷ののち、殷の最後の王である紂の子・武庚禄父を殷の故地に封じ、弟の管叔鮮・蔡叔度に監督させた。武王がほどなく崩じ、弟の周公旦が幼少の成王の摂政となると、管叔・蔡叔は武庚を奉じて挙兵した。周公は武庚を滅ぼし、殷を解体して、紂の兄の微子を宋に封じ、中原支配の拠点として今日の河南省洛陽市に「成周」を建設した。洛陽は西の黄土高原（うち今日の陝西が「関中」）から東の華北平原（「中原」）への出口で、温暖期の当時においては、北方のアワ作地帯と南方のイネ作地帯の重なる地域でもあり、まさに天下の中心である。洛陽と今日の北京・上海を結ぶ線に区切られた扇形の中に、続く春秋時代の諸侯国のほとんどが存在する。これら諸侯は、武王・成王期に「封建」された。『荀子』儒効には、封建された七一国のうち五三国が周と同姓の姫姓だったとある。「姓」は「同姓不婚」の外婚集団だが、周王朝成立の際に擬制的な血縁集団として創設されたものらしい。戦国以降の文献には、諸侯は王朝に対して定期的に朝覲・貢納を行い、軍役に服し、また王と同姓諸侯は本家と分家の関係にあり、「宗法」という相続・祭祀秩序によって結ばれていたとあり、その点が契約関係である西欧中世の feudalism とは異なるとされる。一九五四年、江蘇省鎮江市丹徒区で発見された康王期の宜侯夨𣪘（呉 二〇一二：〇五三七三。以下金文の引用には同書の編号のみを附記する）は、封建の実態を窺わせる。

王、虎侯夨に令して曰く、繇、宜に侯たれ。秬鬯一卣・商瓚一・□・彤弓一・彤矢百・旅弓十・旅矢千を賜う。土を賜う、厥の川三百□、厥の□百又□、厥の□邑卅又五、厥の□百又卌、宜に在るの王人□又七姓を賜う。奠の七伯を賜う、厥の鬲（千）又五十夫、宜の庶人六百又□□六夫を賜う。

春秋以前の国家権力は祭祀と軍事において発動された。地に撒き、神の降臨を促す秬鬯とそれを酌む瓚は祭祀権、弓矢は軍事権を象徴する。領土は、邑のほか川などの山林藪沢をも含む。周王朝は、拠点については、邑や川を数えるような緻密な把握を行っていたのである。人民は、宜の原住民「庶人」、周から入植した「王人」、奠の地から「伯」一人あたり一五〇人ずつ、七「伯」で一〇五〇人の「鬲」が与えられた。人為的に一五〇人ずつに編成された「鬲」、人数は把握されているものの、人為的な編成を被らず、したがって自律的な生活を営んでいたであろう「庶人」、血縁集団の「姓」までしか把握されない「王人」といった人民の多様性が、春秋期までの人民支配の特徴である。

中期後半の共王期以降、淮水方面の淮夷（吉本 二〇〇六b）への遠征を記したものを除けば、金文は関中から洛陽に至る王畿（内服）にその記述の舞台を限るようになる。淮水流域は南方産の銅の集積地であり、王朝は祭器・武器の材料となる銅を分配することで支配層の支持を確保した（吉本 一九九一）。内服には内諸侯がいたが、たとえば外諸侯（外服の諸侯）である井（邢）侯に対し、内服にはその分族である井伯・井仲・井季などの内諸侯があり、さらに奠（鄭）・豊などの地に内諸侯井某の分族奠井叔・豊井叔などがいた。内諸侯－外諸侯の血縁的紐帯が、王朝の外服支配を補完していた（松井 二〇〇二）。中・後期の金文には、公族・卿事寮・大史寮・参有𤔲（𤔲土・𤔲馬・𤔲工）・小子・師氏・虎臣などの官職ないし身分集団が見える。これらの並列は水平的分業を示唆し、ある場合には階層的な編成が確認される。

その限りにおいてこれらを官僚機構と称することが可能となるが、内諸侯の執政団がこれらと王の間にあって、王朝を運営していた。官僚機構は統治機構の従属的な一部分に過ぎなかったのである。中期後半には、冊命金文が出現する。共和元年(前八四一)の師兌𣪘一(〇五三二四・〇五三二五)に次のようにある。

　隹れ元年五月初吉甲寅、王　周に在り。康廟に各り、位に即く。同仲　師兌を右けて門に入り、中廷に立つ。王　内史尹を乎び、師兌に冊令す。師龢父を疋け、左右走馬・五邑走馬を𤔲れ。……

ここでは内諸侯同仲が、受命者師兌の右者をつとめている。受命者は内諸侯より一等低い身分で、具体的な職事を命ぜられる。職事には権益がともなう。中期後半にはすでに土地争いを記した金文が見え、賜与すべき邑田が涸渇し、支配層の間に不満が高まっていた。王朝にあっても、懿王ののち叔父の孝王が即位する異常な王位継承が伝えられている。こうした社会的緊張を緩和するため、内服の権益を職事として分配したものが冊命の実態に他ならない。冊命の受命者は右者である内諸侯と私的な主従関係をとりむすぶ場合があったので、結果的に、内服の権益は内諸侯の分割に帰することになり、さらに分配の対象が王自身の家産に及ぶようになる。ここで王朝は、淮夷遠征など外服への再進出による権益の創出を図るようになる。これは外諸侯の反感をかい、厲王(前八七八―前八四二(以下、王侯の在位年代には(元年―末年)を附記する。春秋期については吉本 二〇〇六c、戦国期については吉本 一九九八aに拠る))初年には、鄂侯御方が東夷・南夷を率いて反乱し討滅されている。諸侯国相互あるいは諸侯国内部の混乱も頻発するようになり、夷王が紀侯の讒言で斉哀公を烹殺したのち、斉では数世代にわたって公位継承紛争が続く。厲王期には、玁狁(犬戎)の侵攻も見えはじめる。戎や狄は春秋期に至るまで、中国内地の山岳や藪沢に居住しており、周人がこうした地

西周王朝系譜

文王―武王[1]―成王[2]―康王[3]―昭王[4]―穆王[5]┬共王[6]―懿王[7]―夷王[9]―厲王[10]―宣王[11]―幽王[12]
　　　　　　　　　　　　　　　　　　　　　└孝王[8]

域に開発を進めたため、衝突が発生したものであろう。

前八四二年、厲王が追放され、前八四一―前八二八年の「共和」期となる。『竹書紀年』は共伯和が王を代行したとする。上掲の師兌𣪘一に見える師龢父が共伯和に他ならない（『史記』は厲王三十七年・共和十四年・宣王五十一年といった王名に在位年数の附された王名表を獲得したものの「共和」が共伯和であることを知らず、「周公・召公　二相政を行い、号して共和と曰う」と臆説を呈している）。宣王（前八二七―前七八二）は外服進出を再開し、魯の簒奪者・伯御（前八〇六―前七九六）を討滅した。幽王（前七八一―前七七一）が、太子宜臼を廃して伯服を立てたため、宜臼の母の実家である申やその他の外諸侯が宜臼を擁立し（平王。前七七〇―前七二〇）、幽王と対峙した。ついで幽王は犬戎の攻撃で敗死し、西周王朝は滅亡する。

三、東遷期から春秋中期

『史記』十二諸侯年表には平王元年（前七七〇）に「東のかた雒邑に徙る」とあるが、東遷につき十分な情報をもたなかったため便宜的に平王元年に繋けているに過ぎない。『史記』に先立つ諸文献の断片的な記述から東遷の過程を復元するとおよそ次のようになろう。幽王の敗滅後、申の平王に対し、虢公翰が王子余臣を擁立し（携王）、宣王の弟・王子友（鄭桓公）が洛陽（成周）を拠点に東虢・鄶などを征服して、新鄭に都城を構えた。この三者鼎立を打開したのが晋文侯（前七八〇―前七四六）であり、鄭桓公の子の武公とともに平王に帰順した。文侯は前七五〇年に携王を討滅し、前七四六年に卒した。文侯を嗣いだ昭侯は、前七三九年、叔父の曲沃桓叔擁立を図った大臣に殺害され、晋は長期の内乱に陥る。王朝への影響力を独占した鄭荘公は、平王を洛陽に遷した（清華簡『繫年』（吉本　二〇一三）には、幽王敗滅後、幽王の弟・余臣が「攜恵王」として虢において擁立され、前七五〇年に晋文侯に殺害された。九年間の空位を経て、前七四〇年、晋文侯が鄂(申の東北。漢代の南陽郡西鄂県)にあった平王を「京師」(宗周)で擁立し、前七三八年に成周に移動した、という独自の記述が見える。吉本 二〇一七a)。平王は鄭荘公と虢公を卿士に任じ、中原・西方の支配再建を図った。

西周後期より内紛や相互の紛争に陥っていた中原諸国は、混乱に対処するため都城を強化し、兵役負担者を集住させた。「国(國)」は西周金文では「或」と書き、邑を戈(武器)で守る会意字である。西周期には「東或」「南或」など王朝の軍事的影響力の及ぶ広域を指したが、都城への軍事力集中の結果、春秋期には「国」は都城の意味となり、都城に住み特権的に兵役を担う人々は「国人」と称された。戦国以降の文献は、諸侯のもとに卿・大夫・士・庶人・工商および隷属民の身分があったとするが、国人は大夫下層・士に相当する。この時期には、中原の有力諸侯国が周辺の小国を併合して領域を拡大し、邑田を獲得して有力化した家系が、卿や大夫上層の身分を独占的に世襲して世族を形成する。やがて有力諸侯国相互の紛争が慢性化し、軍事的負担に国人が不満を抱くようになった。国内支配の動揺に直面した諸侯は、最有力の諸侯を盟主に戴く同盟を結成し、紛争停止を図った。斉荘公(前七九四—前七三一)・僖公(前七三〇—前六九八)の「小伯(覇)」である。斉桓公(前六八五—前六四三)の覇権は、「小伯」の延長上にある。

斉桓公は、前六七九年、中原諸侯を同盟下に収めて覇者となり、前六六七年には周王朝の認証を得た。この時期、戎狄が活発化していたが、桓公は前六六四年、燕に侵攻した山戎(夏家店上層文化(内蒙古東南部・河北北部)に比定する説がある。吉本 二〇〇九)に出兵し、狄の侵攻を被った衛・邢を前六五九—前六五八年に、黄河右岸に移動させた。中原にとって最大の脅威は長江中流域にあった楚であった。『左伝』には前七一〇年に楚の北上を示唆する最初の記述が見えるが、一九九四年、山西省曲沃県北趙村の晋穆侯(前七九五—前七八五)墓から楚公逆(熊咢。前七九九—前七九一)の制作した鐘(一五五〇〇)が、一九九八年、陝西省扶風県法門鎮召陳村の窖蔵から楚公冢(若敖。前七九〇—前七六四)の制作した鐘(一五一七三)が発見された。西周後期の楚がすでに中原と交渉していたことが知られる。楚は熊咢以降、中原風の「楚公」の称号を用いて王の地位を高め、蚡冒(前七五七—前七四一)が「厲王」の王号を称するに至っている

（『史記』楚世家は霄敖（前七六三―前七五八）の子を蚡冒・武王（前七四〇―前六九〇）とするが、清華簡『楚居』は、蚡冒の子を霄敖・武王とする。この場合、厲王は霄敖に当たる）。楚は前六八〇年に蔡を下し、鄭に侵攻した。桓公は、前六五六年、中原諸侯を率いて楚を撃退した。桓公は後世、「尊王攘夷」の理想的覇者とされるが、王朝と頻繁に交渉するようになったのは、前六五五年以降のことであり、それも王太子鄭（周襄王。前六五一―前六一九）の請援を契機とするものであった。斉の覇権は洛陽以東に限定されており、王朝に対してはむしろ不干渉を基調とし、もっぱら淮水流域への進出を図った。

桓公の死後、宋襄公（前六五〇―前六三七）が覇権掌握を図ったが、前六三八年、楚に敗戦し、戦傷のため翌年卒した。前六三二年、楚は斉・宋以外の中原諸国を制圧していたが、宋の請援で出兵した晋文公（前六三六―前六二八）に城濮で敗れ撤退した。文公は王朝より覇者に認証された。文侯の平王援助に認められるように、晋には勤王の伝統があり、加えて山西南部にあった晋は、中原や淮水流域への進出に王朝との提携が必須であった。周王朝を一貫して奉じた結果、晋の覇権は政治社会秩序としての正統性を獲得し、曲がりなりにも前四世紀まで継続した。

中原諸国では、すでに世族が卿位を独占世襲していたが、晋が同盟内部の紛争を禁じ、邑田を獲得しえなくなった結果、後発家系の成長は抑制され、加えて晋が同盟国の政権安定を望んだため、世族の地位は一層強化された。当時の中原の政治社会的秩序は、全中原的な覇者体制と各同盟国の世族支配体制により相互補完的に構築されていた。

中原の覇者である晋が、中原外の斉・楚・秦に対抗するという地政学的構図は、戦国中期、前四世紀まで持続することとなる。斉は前六三一年以降、晋の主宰する会盟や軍事行動に不参加となり、晋の覇権のもとにあった中原から離脱する。秦の開祖・非子（?―前八五八）は周孝王より秦邑を与えられて「附庸」となり、秦仲（前八四四―前八二二）は宣王の大夫として西戎を伐って戦死し、その子の荘公（前八二一―前七七八）は西戎を破って、西垂大夫に任ぜられた。『史記』秦本紀には、荘公の子・襄公（前七七七―前七六六）が平王東遷を援助して正式の諸侯に封ぜられたとあるが、実際には西周王朝滅亡の混乱に乗じて自立したものである。穆公（前六五九―前六二一）は晋の公位継承紛争に介入して晋恵公（前六五〇―前六三七）・文公を擁立し、前六四九年、周の王子帯の乱を晋とともに平定した。秦もまた王朝と提携した淮水流域への進出を図っており、晋とは競合関係にあった。前六二七年、秦は殽の戦で晋に大敗し、関中への逼塞を余儀なくされた。当時の秦の都城である雍の遺跡は陝西省宝鶏市鳳翔区にあり、南郊の三畤原で景公（前五七六―前五三七）の墓が発掘された。景公制作の秦公殷（〇五三七〇）・鎛（一五八二七）の銘文は、襄公の「受命」を称するが、景公墓から発見された編磬（王ほか 一九九六）は景公を「天子」と称し、『詩』の秦風や石鼓文（王 二〇〇〇）も秦の国君を「天子」「王」と称している。周王朝を奉ずる中原の政治秩序から排除された結果、秦人は国君を「天子」に見立てた小「天下」を仮構したのである。

前六一八年、北上を再開した楚に鄭が降る。鄭の領域は西周期には王畿に属し、晋が周王朝を確保するには、鄭の奪回が必須であった。ここで、鄭をめぐる晋楚対立が続くことになる。晋の国内的混乱に乗じた楚荘王（前六一三―前五九一）は、前五九七年、邲の戦で晋を大破した。晋は長江下流域の呉に使者を送り、前五八四年、楚と開戦させた。長江下流域では、西周後期から大型の墳丘墓（土墩墓）が築かれ、王権の発生が窺われる。『史記』呉世家には、周の太伯・虞仲が弟の季歴に継承権を譲って呉に出奔したとあるが、これは本来、山西にあって前六五五年に晋に併合された虞（呉と発音が近い）の伝承である。晋から得た虞の伝承を流用して、呉は周の子孫を自称したのである。晋は前五六二年に鄭を最終的に奪回し、楚の中原進出を断念させた。呉の侵攻に苦慮した楚は、前五四六年、宋の盟で晋と講和した。

四、春秋後期

中原諸国は、晋の主宰する会盟や軍事行動に参加し、国君や卿が朝聘し貢納することを義務づけられていた。これは楚の中原侵攻に対する晋の軍事的負担への代償だったが、晋楚講和の結果、その根拠が失われた。晋の軍事的規制が弛緩すると、中原諸国では、世族支配体制のもとに蓄積された、世族間、世族とその他支配層（公子公孫や大夫層）、世族宗主と一般成員の矛盾が一挙に噴出し、内乱が続発した。前五〇六年、晋は楚に圧迫された蔡の請援を受けて中原諸侯と召陵に会したが、楚に対する軍事行動を中止してしまう。この結果、同盟国が次々に離反し、晋の覇者体制は解体の危機に瀕した。

楚では世族若敖氏滅亡（前六〇五）ののち、王の叔父にあたる公子が政権を担当する不安定な公子群政権が続いた。霊王（前五四〇―前五二九）は国君への権力集中を試みる。こうした「国君専権」を前提に、戦国期にはそれを支える各種権力装置が制度化され、それが専制国家に結実するのである。前五〇六年、呉王闔廬（前五一四―前四九六）が郢を攻略し、昭王（前五一五―前四八九）は秦の援軍を得てこれをようやく撃退する。以後の再建過程では、相続規範の強化に基づく王の至高性が意図的に再構築され、国君専権が体制的に定着する。

前四九六年、呉は越に敗戦し、その戦傷で呉王闔廬は卒した。呉王夫差（前四九五―前四七三）は、前四九四年、越王句践（前四九六―前四六五）を破って父の復讐を果たし、前四八四年、艾陵で斉を破り、前四八二年、黄池で晋と会した。ところが、越が呉に侵攻したため、夫差は中原より撤退し、前四七三年、越は呉を滅ぼす。

晋には六卿があったが、趙氏の内紛を契機に、前四九七年、范・中行氏が、知・趙・韓・魏氏との間に戦端を開いた。斉が范・中行氏を支持したため内乱は長期化し、前四九〇年にようやく平定された。晋は覇者体制の再建を図って中原に出兵し、これを拒む斉と対立した。趙簡子から知伯に正卿(筆頭の卿)が交代すると、出兵の対象が衛から鄭に転換されており、この出兵が一面で世族の利害を反映したことがわかる。知伯はさらに秦を攻め、北方・西北方の戎狄の地への進出をめぐって競合した趙襄子(前四七五―前四二五。代を征服。玉皇廟文化(北京市・河北北部)を代に比定する説がある)を晋陽に包囲したが、前四五三年、趙氏と通じた韓・魏氏の裏切りで敗死した。現在では、この前四五三年を春秋・戦国の交とする研究者が多い。

春秋後期の中原諸国では、国君や世族宗主が、従来の身分制的な権力機構とは別に家臣を蓄えるようになった。魯では季武子(前五六七年初見)以来、三桓(魯桓公(前七一一―前六九四)に出自する世族孟氏・叔孫氏・季氏)とりわけ季氏が圧倒的な権力独占を達成し、大量の家臣を蓄えた。季平子(前五三二年初見)の時には、前五一七年の昭公(前五四一―前五一〇)出奔ののち八年間にもわたる国君不在という他国に類を見ない事態を経験しており、昭公とともに大夫層の一定部分が出奔し、統治機構の再編と、それにともなう身分制を克服した人材登用の可能性が開けた。こうした趨勢にあって人材を育成したのが孔子(前五五二/五五一―前四七九)であり、『詩』『書』などの古典や、礼楽の実習により弟子を教育した。これらはすぐれて実践的な教養であり、たとえば『詩』の学習によって、「四方に使いして専対する」(『論語』子路)ことが期待された。孔子の教育は高く評価され、孟氏の孟懿子・南宮敬叔兄弟が入門している。家臣制の展開は、有力家臣の実権掌握をもたらした。魯では前五〇五―前五〇二年に季桓子(前五〇五年初見)の宰・陽虎が国政を壟断した。家臣制は世族宗主と家臣との人格的関係に依存し、有力家臣の離反・自立を容易にもたらした。陽虎は三桓打倒に失敗して斉に亡命したが、季氏の采邑である費の宰・公山不狃ら陽虎与党はなお残存した。陽虎・公山不狃の孔子招聘に窺われるように、孔子とその弟子たちは、有能な人材集団と目されていた。孔子が大夫身分である中都の宰・司寇に登用されたのは、季桓子が孔子集団と陽虎残党の提携を慮ったためである。斉に亡命した陽虎は魯への侵攻を勧めた。斉の後援による陽虎の復活を恐れたことが、魯の対斉講和の一つの契機である。前五〇〇年の夾谷の会で、孔子が「相」をつとめたのは、晋との伝統的な関係を有した三桓に憚るところがあったためである。ついで同年の郈の叔孫氏への反乱を契機に、前四九八年、季氏の宰に就任した孔子の弟子・子路が三都(三桓の采邑)の「堕」(武装解除)を進めた。郈が堕とされたのち、公山不狃が費人を率いて魯に侵攻したが撃退され、費も堕とされた。ところが、孟氏の采邑である成の宰・公斂処父の策謀で成の「堕」は失敗に終わり、前四九七年、孔子は魯を去った。前四九二年、季康子が立つと、再び孔子の弟子を登用するようになり、前四八四年の対斉戦では孔子の弟子・冉求が季氏の宰として活躍した。これら弟子たちの運動で、孔子は魯に帰国した。孔子は「道」すなわち客観的規範に基づく君臣関係を主張し、君主が「道」を逸脱した場合、臣下は自由に致仕できるとした。君臣関係における人格的結合の排除は、専制国家を支える官僚制に帰着することになる(吉本 二〇二一)。

五、戦国

晋では、知伯滅亡後、趙襄子が晋の正卿となる。趙・韓・魏の三晋はそれぞれの首邑である晋陽・平陽・安邑を中心に実質的な独立を進めた。前四二五年に趙襄子が卒すると、趙献侯(前四二三―前四〇九)・韓武子(前四二四―前四〇九)は中牟・宜陽に首邑を遷して衛・鄭の征服を開始し、斉・楚との対立が激化した。晋の正卿となった魏文侯(前四四五―前三九六)は、西方で秦を破り、晋烈公(前四一五―前三八九)を擁立し、前四〇四年、周威烈王(前四二五―前四〇二)の命を奉じ、三晋連合軍を率いて斉を破った(『繫年』には、三晋と結んだ越王翳(前四一一―前三七六)が斉を攻め、斉・魯がまず越と講和し、ついで斉が魏文侯の率いる三晋軍に大敗し、晋烈公が斉・魯・宋・衛・鄭を率いて周威烈王に朝したことが見える)。前四〇三年、威烈王は三晋を諸侯に公認した。三晋はなお晋侯に臣従したが、『資治通鑑』はこの年を戦国時代の開始とする。

魏武侯（前三九五—前三七〇）は、楚を撃退し、周王朝・晋侯を奉じて、秦・楚・斉から中原を防衛する晋の覇権を維持した。前三八六年、周安王（前四〇一—前三七六）に勧め、斉の世族田和（太公。前三八六—前三八五）を姜氏に代わって諸侯に公認させた（田斉）。ところが、中原諸国の存続を前提とする晋（魏）の覇権は、衛・鄭征服を図る趙・韓の志向と相容れず、前三八六年以後、三晋間の抗争が続発する。魏は、韓を懐柔するため、前三七五年に鄭の併合を認め、翌年、晋孝公（前三八八—前三五一）にこれを認証させた。さらに三晋はそれぞれ斉・楚・秦との提携に走り、これらから中原を防衛する覇権のありかたは自壊した。魏恵王（前三六九—前三一九）が立つと、叔父の公中緩との間に公位継承紛争が発生した。これに介入した趙・韓は、前三六九年に晋孝公を絳より屯留に遷し、前三六七年には周を東西に分裂させた。魏が周王朝・晋侯を奉じて覇者体制を維持することはもはや不可能となった。

ほどなく秦が東進を開始した。秦では躁公（前四四二—前四二九）が卒したのち、公位継承紛争が続発したが、簡公（前四一五—前四〇六）の頃から国君専権を制度的に強化するようになった。前四〇九年には、「吏」に剣を帯びさせ、支配層としての身分を認めた。再編された統治機構を維持する財政基盤確保のため、前四〇八年「初めて禾を租す」という措置がとられた。春秋期の戦争では、「国人」により編成された三人乗りの戦車一〇〇〇乗、三〇〇〇人程度の戦車兵が動員されたが、晋の世族は、前六世紀後半には、私邑から大量の兵員を動員するようになり、前五世紀には、山岳地帯にあった戎狄征服の本格化にともない、戦車戦から歩兵戦への転換が進んだ。東進にそなえて櫟陽に遷都した秦献公（前三八四—前三六二）が、前三七五年に戸籍を作成して民を「伍」（五人組）に編成したのは、晋（魏）に対抗

秦系譜

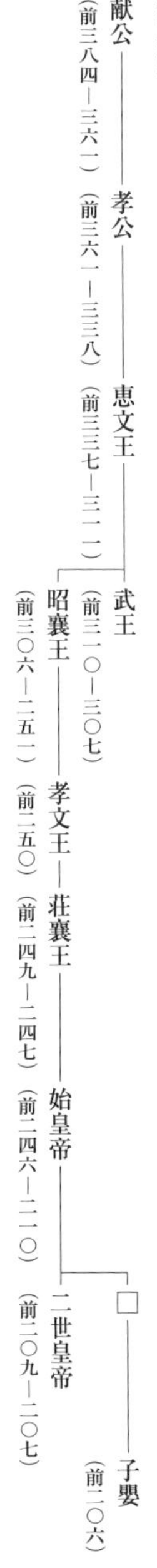

して歩兵を大量動員するためであり、前三六四年に秦は石門の戦で魏を大破して「斬首六万」の戦果を挙げた。すでに数万人規模の歩兵が動員されるようになっていたのである。周顕王（前三六八―前三二一）が秦を祝賀したが、魏・趙に対抗すべく、韓が周王朝を介して秦との宥和を図ったものである。しかし、秦の東進は止まず、三晋は講和に転じた。前三六〇年に、周王朝が秦孝公（前三六一―前三三八）に「胙」（祭肉）を贈ったのは、三晋が王朝を介して秦を懐柔したものである。

趙は前三八六年に邯鄲に、韓は前三七四年に新鄭に遷都していたが、魏も前三六一年に大梁に遷都した。これらの都城は洛陽から東方・北方に向かう交通路上にあった。楚の副都というべき陳も新鄭・大梁にほど近く、大梁の東方には、『史記』貨殖列伝に「天下の中、諸侯四通」と謳われた陶があった。春秋時代の晋の世族は中原諸国の貢納に依存したが、三晋は中原に都城を構えることで自ら中原国家に転化したのである。大梁建設の際、魏は黄河から鴻溝を引き、大梁西方に長城・陽池などの防備施設を構築した。民の組織的徴発が大規模土木工事を可能にしたのである。山林藪沢の開発によって農地も飛躍的に拡大し、誘致に応えて農民が他国に移住することが日常的に行われた。

『史記』には、秦孝公に仕えた商鞅が二度の「変法」を実施したとある。孝公一八年（前三四四）の紀年をもつ商鞅量（二八八八九）によれば、商鞅が秦の卿の筆頭である「大良造」に任ぜられたことは事実である。しかし『史記』の記述は、戦国後期の法家の創作部分が大きい。確実な年代記的記述に見えるのは、前三五〇年の咸陽遷都と県制の実施であり、多様な名称をもち、国家との関係も様々であった邑を統合して「県」とし、県令を派遣し、前三四九年には県に「有秩史」を設置した（吉本 二〇〇〇）。郡は上郡守・樗里疾が恵文後元五年（前三二〇）に製造した戈（一七二七一）が知られる。「郡」「県」は春秋期から散見するが、秦漢的郡県制の形成は戦国中期に降ることになる。

戦国中期には、国君専権を支える様々な要素が出現したが、国政の運営はなお場当たり的であった。それを端的に示すのが、「遊士」（他国出身の知識人）の活躍である。春秋後期の魯における孔子やその弟子の登用を濫觴とし、戦国前期には魏文侯が子夏やその弟子を登用したが、さらに戦国中期には、遊士出身の大臣が登場する。魏武侯・楚粛王(前三七八―前三六八。吉本 二〇一三)に仕えた呉起や、上述の商鞅はともに衛人であった。呉起・商鞅が楚粛王・秦孝公が卒するとたちまち誅殺されたように、遊士は国君の信任に専ら依存し、かれらを登用した国家運営は勢い不安定であった。

前三四九年、晋が断絶すると、魏恵王は自らの覇者認証を周王朝に迫ったが、魏の覇権を嫌った斉および趙・韓は、前三四四年、周において秦と会し、前三四三年、周王朝は秦孝公を覇者に認証した。そこで恵王は、中原では周王だけが保持していた王号を称し、周王朝覆滅を図ったが、斉威王(前三五七―前三二〇)に馬陵の戦で大敗した。秦孝公が卒すると、恵文王(前三三七―前三一一)が周王朝を推戴して覇権を保持したが、前三三四年、斉に接近した魏は、王号を相互に承認することで、周王朝とそれに認証された秦の覇権を否定した。秦は、周王朝推戴を放棄し、前三二五年に王号を称した。

周王朝の認証した覇者による全中原的秩序が終焉を迎えたこの時期に、新たな政治的秩序(「王道」)を提唱したのが孟子である。孟子は幽王敗滅によって周王朝がすでに滅亡していたと主張するとともに、孔子に堯・舜・禹―湯―文武・周公に匹敵する歴史的画期性を与え、それを踏まえて三王・五覇・今の時代区分を提起した。『春秋経』が記述する五覇の時代としての春秋時代はここに出現する。『史記』の三代世表・十二諸侯年表・六国年表、さらに今日の殷西周・春秋・戦国という先秦史の時代区分はこれに由来する。すでに滅びていた周王朝は覇者を認証しえない。覇者は、「力を以て仁を仮る者は覇、覇必ず大国を有つ」(『孟子』公孫丑上)と、他国を圧倒する「力」をもちさえすればよく、春秋期の覇権は五大国の間を移動したものと再定義された。『春秋経』に基づく時代区分の結果、戦国期の覇者の存在は抹消されることとなった。斉・魏が王を称したことを契機に、中原諸侯は次々に王を称するようになり、孟子はこれらの王の一人が天下を統一し、新しい王朝を開くことを期待したが、現実には周王朝が存続していたので、新しい王は簒奪者になりかねない。この矛盾を解消すべく、孟子は歴史認識の根本的な転換を主張したのである。新しい王たちが自らに都合のよいこの歴史認識を受容した結果、前七―前四世紀の覇者による政治的秩序の実態は意図的に忘却されることになる(吉本 二〇一九)。

　覇者体制に代わる広域秩序を構築すべく、新しい外交のありかたが模索されるようになった前三二〇年代以降、遊士の活躍は頂点に達した。秦恵文王に仕えた張儀は魏人、燕昭王(前三一一―前二七九)・斉湣王(前三〇〇―前二八四)に仕えた蘇秦は周人である。戦国時代の語源となった『戦国策』は、合従連衡に携わった遊士の弁論を載せるが、前三二九―前二八〇年の半世紀を舞台とするものが六割以上を占める(吉本 一九九八b)。この半世紀、魏に代わって覇を争ったのは、中原外の秦・楚・斉、それに、武霊王(前三二五―前二九九在位、前二九五卒)以降、中山・燕への進出に転じ、中原外国家に成長した趙であった。斉湣王は前二八八年、秦昭襄王(前三〇六―前二五一)とともに東帝・西帝を称した。「帝」の称号は、殷末の「文武帝乙」に初見し、前四世紀前半の『左伝』には、夏王朝以前の古帝王である炎帝・黄帝・帝堯・帝舜などが見える。斉湣王は、前二八六年に宋を併合するなど強盛を誇ったが、前二八四年、燕の率いる五国連合軍に敗滅した。楚懐王(前三二八―前二九九)は、春秋期以来の秦との友好関係を廃棄し、前三一二年に開戦したが、丹陽の戦で大敗し、のちに秦に抑留されて死んだ。前二七八年、秦は、楚の都城である郢を攻略して、楚を東方に駆逐し、前二六〇年、長平の戦で趙を大破した。秦の独走が決定的になると、縦横家の口舌による外交はもはや無用のものとなり、戦国諸国では、国制の合理化が急速に進む。その帰結が専制国家である。前二五六年に王赧(前三一四―前二五六)が崩じて周王朝が断絶すると、昭襄王は諸侯を来朝させ、前二五三年、雍において上帝を郊祀した。周に代わる王朝樹立を宣言し、秦を天子とする封建制を志向したものである。ところが、前二五一年に昭襄王が卒し、短命な孝文王(前二五〇)・荘襄王(前二四九―前二四七)のあと、幼少の秦王政(始皇帝)が即位し、秦の統一は先送りされる。秦王政は前二三八年に親政を開始するが、その翌年にはなお斉王建(前二六四―前二二一)・趙悼襄王（前二四四―前二三六）が来朝している。秦が他国の臣従を断念して武力統一に踏みきるのはそれ以降のことである。秦は、前二二一年に天下統一を達成する。郡県制を全面的に施行し、全領域を皇帝の直轄領としたが、こうした統一のありかたが唯一の選択肢と考えられていたわけではない。すなわち、統一直後、丞相王綰らが、遠隔の燕・斉・楚に始皇帝の諸子を封建することを提議し、前二一三年には、斉出身の博士淳于越が子弟功臣の封建を進言している。「諸侯更も相い誅伐するも、周天子　禁止する能わず」という李斯の反対で封建は復活しなかったが、西周以来八〇〇年持続した封建こそが、当時はむしろ常態と考えられていたのである。果たして、前二〇六年の秦の滅亡後、封建が復活する。前漢時代、呉楚七国の乱（前一五四）の後、全面的な郡県制が実質的に達成されたが、封建が以後も原理的に否定されることがなかったことは、中国専制国家の特質として留意されるべきであろう。

六、華夷思想の形成

華夷の別とは、「文明」と「素朴」の対立に他ならない。そうした認識は、前四世紀末の『孟子』告子下に的確に表明されている。

白圭曰く、「吾　二十にして一を取らんと欲す、何如。」孟子曰く、「子の道、貉の道なり。万室の国、一人陶すれば、則ち可なるか。」曰く、「不可、器　用うるに足らざるなり。」曰く、「夫れ貉、五穀　生いず、惟だ黍のみ之に生う。城郭・宮室・宗廟・祭祀の礼無し、諸侯幣帛饔飧無し、百官有司無し、故に二十にして一を取りて足るるなり。今　中国に居りて、人倫を去り、君子無ければ、之を如何んして其れ可なる。陶以て寡なきも、且つ以て国を為す可からず、況や君子無きをや。之を堯舜の道より軽くせんと欲する者は、大貉小貉なり。之を堯舜の道より重くせんと欲する者は、大桀小桀なり。」

「貉」は、燕の東、遼西にあった十二台営子(じゅうにだいえいし)文化の担い手を指す(吉本 二〇〇八)。前三一六年に斉が一時的に燕を征服した際に、貉に関する情報を得たものである。ここでは貉における農業生産力の低さ、都市・宗廟祭祀の礼・諸侯との外交関係・官僚機構などの欠如が列挙され、それらが「人倫」「君子」の欠如とされる。これらの特徴を裏返した社会的実体、すなわち、都城とそこに集住する官僚制的に編成され、礼によって秩序づけられた支配層、それを財政的に支える高い農業生産力をもち、他国との外交関係を持続しうる存在が当時の「中国」すなわち中原の国家に他ならない。

『孟子』においては、国家の欠如に具体化される政治的文化的未成熟が異民族の特徴とされたが、同様の認識は西周前期の大盂鼎(だいうてい)(〇二五一四)にすでに看取される。

> 女(なんじ)に邦𤔲(ほうし)四伯(しはく)、人鬲(じんれき)の駿(ぎょ)自り庶人(しょじん)に至るまで、六百又五十又九夫(ろくひゃくゆうごじゅうゆうきゅうふ)を賜う、夷𤔲(いし)王臣十又三伯(おうしんじゅうゆうさんはく)、人鬲千又五十夫(せんゆうごじゅうふ)を賜う。

異民族である「夷」は諸侯国である「邦」に対置され、「夷」が周王朝・諸侯から成る政治社会組織から疎外された人々であったことがまずは確認される。周の側からの排除は、夷の側からは自立を意味する。夷が自立しえたのは、周人の生活を支えた旱地(かんち)農法とは異質の、たとえば焼畑・稲作、狩猟、牧畜といった生業に依存する地域にかれらが居住し、そうした地域を直接支配することに、周の側が当面魅力を感じなかったからであろう。生業は文化のありかたを初発的に規定する。「民族」を文化的範疇とするならば、「夷」などはまさに異民族の名に値する存在であったと思われる。

蛮夷戎狄と対になる華夏の意味での「夏」は、上述した秦景公(しんのけいこう)制作の𣪘・鎛および編磬銘(へんけいめい)の「蛮夏」に初見する。「夏」が「蛮夏」の表現に初見することは、「夏」の出現を考える上で示唆的である。春秋期、中原諸侯は同盟を結成し、それが政治社会秩序の基幹となるが、この同盟はそれ自体を維持するために頻繁に会盟を行い、また同盟国は盟主に対して朝聘を行った。会盟・朝聘による持続的な外交関係は、それにともなう儀礼を規範化した。規範すなわち「礼」を受容しない同盟外の他者に対し、同盟内部に共同体意識が発生し、この共同体が「夏」と呼ばれるようになったものであろう。「夏」は夏王朝の開祖に位置づけられていた禹に由来し、それは、中国を「禹績」とみなす観念がすでに共有されていたからである(吉本 二〇〇六 a)。同盟に属することは「礼」の共有を意味したが、さらに同盟の枠を越えて、「礼」を実践しうるものが「夏」とみなされ、あるいは「夏」を自認するようになった。降って戦国後期には「礼」を逸脱した「夏」が「蛮」に転落するという言説が出現する。春秋期、中原に雑居していた戎狄は一般にはなお国家を形成していなかったため、外交関係を安定的に持続することができず、同盟の正規の成員たりえなかった。ここに、「夏」は蛮夷戎狄の対概念となり、政治的に敵対する同盟外の勢力もときに蛮夷戎狄とみなされた。同盟の維持はある場合には「夏」を蛮夷戎狄から防衛するものとみなされる。晋景公(前五九九—前五八一)制作の晋公盤(〇六二七四)が晋の初封の君・唐叔の第一の功績として「百蛮」に言及するのは、覇者としての晋の現状を唐叔に投影したものに他ならない。

　華夷の別は本来、国家に具現される政治的成熟に基づくものであったが、華夷思想の言説化が初見する春秋後期までに、中原に華夏と雑居した異民族は国家を形成し、あるいは華夏に吸収されることによって消滅した。中原から異民族が消滅した結果、春秋後期から戦国中期における異民族に関わる言説は一面で抽象的かつ類型的である。現実の存在でない異民族は記号化され、それを語る思想がいわば純粋培養されることになる。

　異民族への姿勢をはじめて明示したのは、『論語』である。八佾「夷狄の君有るは、諸夏の亡きに如かざるなり」の「夷狄」はすでに「君」をもち、したがって国家をもつ。異民族がすでに国家を形成していた春秋後期の状況を反映する。孔子の頃の魯を取り巻く状況を考慮すれば、この「夷狄」は中原進出を図った呉を指すものであろう。ここでは「諸夏」の「夷狄」に対する絶対的な優位がはじめて言説化されている。一方で、『論語』は、

子　九夷に居らんと欲す。或曰く、「陋なり、之を如何んせん」。子曰く、「君子　之に居る、何の陋か之れ有らん」。（子罕）

と、異民族にも適応しうる儒家的倫理の普遍性を強調し、異民族同化の可能性を主張する。

『左伝』には『詩』大雅の「中国」「四方」を援用した「中国」「四夷」の対比が初見する。『詩』の「中国」は周王朝の都城ないし王畿の意味だが、『左伝』の「中国」は「諸夏」の住まう中原を指し、辺境化された四方の野蛮人たる「四夷」に対比するものとして再定義されたものである。「諸夏」が「夷狄」と雑居する複数の諸侯国を指すのに対し、「中国」はその内部に「四夷」を含まない均質な領域を含意する。

『論語』は人倫の普遍性を前提として異民族同化の可能性を提示したが、この論理を逆転させ、異民族を普遍的であるはずの人倫をもたない不完全な存在とみなす言説が出現する。『礼記』檀弓下の「直情にして径行する者有り。戎狄の道なり」はその初見である。『左伝』にも同様の言説は頻見する。ここで注目したいのは、異民族をかつて辺境に放逐された罪人の子孫とみなす言説である。

先王　檮杌を四裔に居らしめ、以て螭魅を禦ぐ。故に允姓の姦、瓜州に居る。伯父恵公帰ること秦自りし、而して誘いて以て来たり、我が諸姫に偪り、我が郊甸に入らしむれば、則ち戎焉に之を取る。戎の中国を有つは、誰の咎ぞや。（昭九）

異民族の人格的な不完全性は罪人の子孫ゆえの先天的なものであり、同化の仕様もなく、辺境に永劫に放逐されねばならない。罪人の子孫である異民族には、「徳」ではなく「刑」を用いるよりなく、「献捷」において俘虜となしうるのも異民族に限られる。「中国」「四夷」の区別を絶対化した上で、「四夷」の棄絶を主張するものだが、『左伝』には今ひとつ別の傾向をもつ言説が見えることに留意せねばならない。

戎を和するに五利有り。戎狄荐居、貨を貴び土を易んず。土　賈う可し。（襄四）

将に戎子駒支を執えんとす。范宣子親ら諸を朝に数めて、曰く、……我が先君恵公不腆の田有り。女と剖分して之を食う。……対えて曰く、……我が諸戎飲食衣服、華と同じからず。贄幣 通ぜず。言語達せず。（襄十四）

それぞれ、北方の戎狄・伊洛流域の姜戎と晋との交渉を記述する。襄十四は、華夏の同盟に参加せず、異なった生活様式を維持することを語る。それは「不腆の田」に示された農業生産力の低さに由来する。襄四「貨を貴び土を易んず。土 賈う可し」も戎狄の農業の粗放さないしは狩猟への依存を示す。しかしこれらでは、戎狄・姜戎は晋に服属している。「四夷」の異質性を容認しつつ、「中国」との関係を維持するものである。こうしたありかたを「羈縻」と称しえよう（「羈縻」の表現は『史記』司馬相如列伝に引く「喩巴蜀父老檄」の「蓋し聞く天子の夷狄に於けるや、其の義 羈縻して絶つ勿きのみ」に初見する。「羈」は馬、「縻」は牛をつなぐことを指す。「四夷」を禽獣になぞらえることは、上掲『左伝』襄四の「戎、禽獣なり」にすでに見える）。

戦国後期以降、華夏の領域拡大は加速した。秦・趙・燕の長城地帯征服のほか、秦は今日の四川、楚は長江以南、斉は山東半島東部やそれ以南の沿海地域の征服を達成した。これら華夏の新領土には郡県が設置された。この拡大は、降って前漢武帝の時代まで続くが、郡県制として表現される華夏の政治社会組織は、華北の旱地農法地域において培われたものであり、淮水以南のイネ作地域にはかろうじて準用されえたが、西方・北方の遊牧・オアシス農業など異質の経済が支配する地域には浸透しえなかった。華夏の拡大は最終的な限界に達し、以後は、異民族の侵入を撃退する「棄絶」か、その異質性を容認しつつ関係の維持を図る「羈縻」が選択されることとなる。「同化」を原理的に堅持する硬直性と、状況によって「羈縻」「棄絶」を使い分ける柔軟性をあわせもった華夷関係の基本的な枠組みがここに完成されることになる。

結語

本章のもととなった筆者の研究は、一九七〇年代の状況に対する批判的問題意識に胚胎したものだが、それ以後、中国古代史研究の状況は一変した。まずは、『睡虎地秦墓竹簡』（一九七八）の公刊である。釈文・注釈・訳文の揃ったこの書物は、考古資料・出土文字資料に従来無縁のものにも広く出土文字資料の門戸を開放した。二一世紀に入ると、龍崗秦簡・張家山漢簡によって戦国秦・統一秦・前漢初年における律の変遷をたどることが可能になり、里耶秦簡・岳麓書院蔵秦簡によって統一秦の詳細な具体像が示されるようになった。出土文字資料の飛躍的増加に基づき、従来とは比較を絶する緻密な秦史の実態が解明されつつある。しかしながら、睡虎地秦簡以前の秦の出土文字資料は零細かつ断片的であり、したがって前三世紀前半以前の秦史研究はなお『史記』に依存せざるを得ない。さらに秦以外の諸国については、戦国楚簡が大量に公刊されつつあるが、文献がより多く、曽侯乙墓竹簡・葛陵楚簡・包山楚簡などの文書も孤立的であることから、秦簡と同じようにただちに歴史研究に活用することはなお困難である。今日の中国古代史、とくに先秦史研究は、前三世紀後半の秦に関する情報が質量ともに圧倒的となった結果、前三世紀前半以前あるいはその他諸国に関する情報の貧困が際立ち、それらに対する歴史学分野の研究関心が以前にも増して退潮し、一九七〇年代以前とは違った意味で分断はむしろ深刻化している。秦以外の諸国をも包括し、かつ少なくとも西周以降を通時的に展望しうる先秦史の復元が今後の課題である。

参考文献

小澤正人・谷豊信・西江清高（一九九九）『中国の考古学』同成社。

松井嘉徳（二〇〇二）『周代国制の研究』汲古書院。

宮本一夫（二〇〇五）『神話から歴史へ』（中国の歴史01　神話時代・夏王朝）講談社。

吉本道雅（一九九〇）「春秋事語考」『泉屋博古館紀要』六巻。

吉本道雅（一九九一）「淮夷小考」『清朝治下の民族問題と国際関係』京都大学文学部。

吉本道雅（一九九八a）「史記戦国紀年考」『立命館文学』五五六号。

吉本道雅（一九九八b）「藤田勝久著『史記戦国史料の研究』」『東洋史研究』五七巻三号。

吉本道雅（二〇〇〇）「商君変法研究序説」『史林』八三巻四号。

吉本道雅（二〇〇一）「国制史」殷周秦漢時代史の基本問題編集委員会編『殷周秦漢時代史の基本問題』汲古書院。

吉本道雅（二〇〇五）『中国先秦史の研究』京都大学学術出版会。

吉本道雅（二〇〇六a）「夏殷史と諸夏」『中国古代史論叢』三集。

吉本道雅（二〇〇六b）「中国戦国時代における「四夷」観念の成立」『東アジアにおける国際秩序と交流の歴史的研究　ニューズレター』四号。

吉本道雅（二〇〇六c）「春秋紀年表」『東亜文史論叢』二〇〇六。

吉本道雅（二〇〇七a）「中国古代における華夷思想の成立」夫馬進編『中国東アジア外交交流史の研究』京都大学学術出版会。

吉本道雅（二〇〇七b）「中国古代の世界観」藤井譲治他編『大地の肖像——絵図・地図が語る世界』京都大学学術出版会。

吉本道雅（二〇〇八）「中国先秦時代の貊」『京都大学文学部研究紀要』四七号。

吉本道雅（二〇〇九）『内蒙古東部における青銅器文化関係資料の調査に基づく先秦時代北方民族の研究』京都大学文学研究科。

吉本道雅（二〇一三）「清華簡繫年考」『京都大学文学部研究紀要』五二号。

吉本道雅（二〇一六）「先秦」『概説中国史上　古代－中世』昭和堂。

吉本道雅（二〇一七a）「周室東遷再考」『京都大学文学部研究紀要』五六号。

吉本道雅（二〇一七b）「睡虎地秦簡年代考——日本における中国古代史研究の現状に寄せて」『中国古代史論叢』九集。

吉本道雅（二〇一九）「「春秋時代」の出現」『出土文献に基づく春秋史認識の再検討』京都大学文学研究科。

吉本道雅（二〇二一）「孔子世家疏証」『京都大学文学部研究紀要』六〇号。

郭沫若主編（一九七八）『甲骨文合集』中華書局。
王輝（二〇〇〇）『秦出土文献編年』新文豊出版公司。
王輝・焦南峰・馬振智（一九九六）「秦公大墓石磬残銘考釈」『中央研究院歴史語言研究所集刊』第六七本第二分。
烏恩岳斯図（二〇〇七）『北方草原考古学文化研究――青銅時代至早期鉄器時代』科学出版社。
呉鎮烽編（二〇一二）『商周青銅器銘文曁図像集成』上海古籍出版社。
夏商周断代工程専家組（二〇〇〇）『夏商周断代工程一九九六―二〇〇〇年階段成果報告・簡本』世界図書出版公司北京公司。
張光直（一九六三）「商王廟号新考」『中央研究院民族学研究所集刊』第一五期。
中国社会科学院考古研究所（二〇〇三）『中国考古学夏商巻』中国社会科学出版社。
中国社会科学院考古研究所（二〇〇四）『中国考古学両周巻』中国社会科学出版社。

コラム｜*Column*

漢字の誕生

吉本道雅

漢字の起源に擬せられるのが、新石器時代の陶文である。つとに裴李崗文化（前六二〇〇―前五五〇〇）の段階で出現している。降って龍山文化（前二五〇〇―前二〇〇〇）では、山東省鄒平県丁公遺跡出土の陶片に一一個の符号があり、文章をなしている可能性がある。同じく龍山文化段階に属する山西の陶寺文化、河南の王城崗遺跡、さらに夏王朝に擬せられる二里頭文化（前一九〇〇―前一六〇〇）の陶文には漢字と形を同じくするものがすでに認められる。殷代後期に出現する甲骨文は、『説文解字』の「六書」を備えた文字体系であり、それ以前の一定の期間にわたる文字の成長が推定されている。

殷代後期、安陽期には甲骨文が出現する。殷王武丁（前一二五〇年頃）の時に始まり、五期に分期される。青銅器に鋳込まれた金文は、殷代前期、二里岡期にすでに認められるが、それが文章をなすようになるのは、甲骨第五期の頃である。安陽殷墟以外の甲骨として陝西省岐山県鳳雛村の西周宮殿遺址から季歴―武王時代の甲骨文が発見され、岐山県周公廟遺跡では、「周公」「文王」「新邑」などの字を含む甲骨文が多数発見されている。

西周金文は、陝西周原から河南洛陽に及ぶ西周王畿、内服で制作されたものがほとんどである。外服については、北京房山琉璃河の燕国墓地、河北邢台南小江の邢国墓地、山西曲沃北趙村の晋侯墓地、洪洞南秦の楊国墓地、山東曲阜魯国故城、河南濬県辛村の衛侯墓地、平頂山の応国墓地、南陽中国遺址などから有銘青銅器が出土してはいるが、質量ともに貧困であるといわざるを得ない。

春秋時代の青銅器は、もっぱら諸侯制作器となり、春秋中・後期の金文には顕著な地域性が認められるようになる。おおむね斉魯・晋・楚呉越・秦の四系統に分かれる。楚呉越の金文では装飾字体である鳥虫書が派生している。前六三二年に晋が覇者となり、周王朝を推戴して中原諸侯を同盟下に収め、楚・斉・秦と対峙した。春秋中・後期における金文の地域性は、こうした政治情勢に対応するものといえる。金文以外の出土文字資料としては、秦景公（在位前五七六―前五三七）墓より出土した石磬銘、晋の范・中行の乱（前四九七―前四九〇）の際の侯馬載書・温県載書がある。

戦国時代の文字は、秦系・六国系の東西に二分され、六国系はさらに斉・三晋・楚および燕に細分される。『説文解字』は統一秦の小篆を見出しとし、時に籀文・古文を掲げる。籀文については、周宣王（在位前八二七―前七八二）の時に、太史籀が大篆十五篇を著したとし、古文については、前漢時代の魯共王（在位前一五五―前一二八）が孔子の旧宅で発見した書物

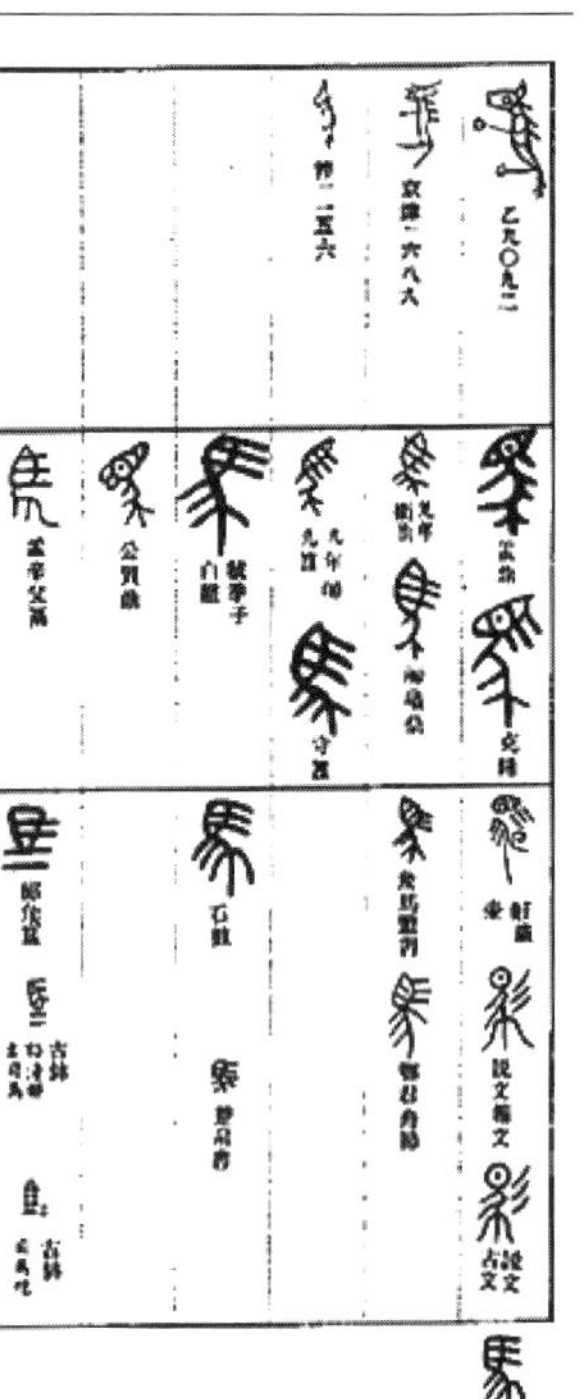

徐仲舒主編『漢語古文字字形表』（中華書局，2006年）

に「古文」が用いられていたとする。王国維は籀文・古文を戦国時代の秦系文字・六国系文字に比定する。戦国時代の金文は、従来のモニュメンタルな「銘功紀賞」に代わり、ほとんどが製造者を記した「物勒工名」となる。そのほか、石刻・貨幣・陶文・璽印さらに簡牘・帛書など多様な資料が出現する。唐初に秦の都城・雍の南郊で発見された石鼓文は秦景公の時のものとする説があり、最古の石刻である。秦封宗邑瓦書は秦恵文王四年（前三三四）の紀年をもつ。簡牘は楚恵王五六年（前四三三）の紀年をもつ鐘を伴出する随県曽侯乙墓出土簡が最古である。帛書は長沙子弾庫楚墓より出土したものが戦国中・後期の交とされる。

前二二一年、天下統一を達成した秦は、文字の統一を断行した。『説文解字』には、李斯の上奏に基づき、史籀大篆を簡化した小篆を作成し、さらに「官獄職務の繁」のために、小篆をさらに簡化した隷書を作成したとあるが、これらは戦国中・後期の秦系文字を踏襲したものである。始皇帝初年の湖北雲夢県睡虎地秦簡、さらに秦武王二年（前三〇九）の紀年をもつ律文を記した四川青川県郝家坪秦簡などはすでに隷書を用いている。

前漢時代には隷書が実質的に標準字体として用いられることになる。漢武帝の建元五年（前一三六）には五経博士が、元朔五年（前一二四）には博士弟子員が設置されるが、当時の経書は「今文」すなわち隷書を用いて抄写された。後漢時代までには隷書から草書・行書、そして今日の漢字の標準字体である楷書が派生する。隷書はそれ以前の小篆などに対し、字体の簡化が甚だしい。隷書の標準字体化こそが、今日に続く漢字の誕生を意味するものとなろう。

問題群｜*Inquiry*

軍事制度からみた帝国の誕生
――秦から漢へ

宮宅　潔

はじめに

「帝国」が「帝国」であるための要件が、強大な軍事力により周辺地域にまで際限なくその支配を及ぼしていく点にあるとすれば、秦が中国史上最初の「帝国」とされる理由は、秦王政が「皇帝」号を採用したことよりもむしろ、秦が軍事的な拡大傾向を持ち、幾多の戦役を勝ち抜いたという事実に求められる。秦はいかにして最終的な勝者となり、その帝国を築いたのか。この疑問に対する答えの一つを、荀子(前三一〇?―前二三五?)のことばのなかに探ってみよう。

斉は武術を尊重しますが、首級一つを得た者には贖罪金のなかから賞金を与えるだけで、きちんとした褒賞制度がありません。そのため、くみしやすい相手ならともかく、強敵にはかないません。魏では武術に優れた者を「武卒」として選抜しています。武卒の徭役は免除され、田宅の支給でも優遇されます。しかし採用から年を経て、力が衰えても特権は奪えないので、たとえ領地が拡大しても税収が足りません。秦は権勢によって民を脅し、窮屈な生活で縛り上げ、信賞必罰をはっきりさせており、民は戦功を挙げ、恩賞にあずかる以外に、国から利益を得る手段がありません。それゆえに、最も強大な軍隊を長く維持しており、領土が拡大しても税収を保てているのです。

『荀子』議兵（概要）

荀子はここで斉・魏・秦の軍功褒賞制度を比較し、秦制の長所を指摘する。それによると、秦の制度は税収を減らさずに兵力を確保する仕組みを持ち、かつ信賞必罰で兵士を鼓舞する点でも、他の国より優れていたらしい。荀子による褒賞制度の比較は、結局のところ各国の土地支給制度・賦税制度・刑罰制度を比較することにもなっている。軍功褒賞制度は、関連する多くの制度と一体になって機能していた。本章でいう「軍事制度」とは、軍隊組織の構成やその内部での取り決めなどに限らず、軍事行動を支えるために設けられた制度一般を、広く指すものである。

近年、中国で相次いで発見されている秦代の竹簡・木簡には、秦の諸制度の詳細を述べた史料が数多く含まれる。睡虎地秦簡・龍崗秦簡・岳麓書院所蔵簡（岳麓簡）といった史料群がそれに当たり、いずれも秦の時代に、実際に施行されていた法律条文を今に伝えている。さらに漢初のものではあるが、張家山漢簡「二年律令」には秦律と共通する条文も多く、秦の制度を知るための手がかりとなる。

出土しているのは法律条文だけではない。湖南省里耶鎮から出土した里耶秦簡は、秦王政による六国の征服にともない、この地に置かれた「遷陵県」の役所において、日々作成された行政文書群である。この史料からは秦の占領地支配の実情が読み取れ、法制史料が規定する制度の実施を裏づけることもあれば、制度と現実との乖離を暴露することもある。この点で非常に貴重な史料である。

本章ではまず、出土法制史料により、荀子が高く評価した秦の諸制度の詳細を明らかにする。そのうえで秦軍の構成や戦役史を俯瞰し、その戦いぶりと戦略の特徴とを紹介する。あわせて里耶秦簡から、秦が獲得した領域をいかに統治したのか、その実態と限界にも迫ってみよう。

こうして秦の軍事制度を整理した後、続いて前漢時代、武帝の治世に到るまでの展開を追う。ただしこの前漢前半期については、ごく早期の史料である「二年律令」などを除けば、秦簡に匹敵するような出土法制史料・行政史料が未公表であり、秦代と同じ解像度で制度の変遷や基層社会の現実をとらえることが難しい。そこで引き続き俯瞰的に、典籍史料に見える戦役の経過や当局者の政策提言などによりつつ、漢が推し進めた広域支配や防備体制整備の軌跡をたどる。これらの分析を通じて、初期帝国の絶頂期ともいえる武帝の時代の、軍事的基盤がいかにして整えられたのか、筆者なりに考えてみたい。

一、秦の諸制度

戸籍制度と賦税制度

春秋時代の戦争は、馬に引かれた戦車がその主役であった。各国はいずれも戦車一〇〇〇台程度の動員力を持ち、その兵役は君主の都城に暮らす「士」以上の階層の者によって特権的に担われていた。ところが前六世紀の後半から、各国の軍隊規模が飛躍的に増大し、数十万の軍勢も珍しくなくなる。同じ頃、北方の「戎狄(じゅうてき)」と対峙する晋や鄭では、戦車が機能しない山地での戦闘のために、歩兵の活用が進められた。やがて戦闘の主力は歩兵へと切り替わり、また戦国初期には使用され始めていたとされる弩(ど)が、歩兵の戦闘力を装備の面からも支えることとなった(林 一九七二:四二六—四三二頁、楊寛 一九九五:二七九—二九二頁、吉本 二〇〇五:二二二—二三四頁)。

歩兵を主力とする大規模な軍勢の動員は、より広い階層の人間を、国都以外の都市からも徴発することによってはじめて可能となった。歩兵の供給源となる人間集団を、国君が直接的、包括的に把握する必要が生まれたのである。秦で前三七五年に戸籍が作られたのも、櫟陽(やくよう)に遷都して東方への進出を準備していた献公(在位 前三八四—前三六一)が、歩兵を大量に調達するための仕組みを必要としていたことによる(吉本 二〇〇五:四一五頁)。

開始当初における戸籍制度の詳細はよくわからない。だが漢代には、毎年八月に戸口調査が行われ、世帯の構成、各自の年齢や爵位のほか、耕作面積や租税額についても記録が作成された（二年律令328―330、331―336）。『史記』商君列伝によると第一次変法（前三五九年）のとき、一つの世帯に二人以上の男子がいながら分家しなければ、税負担（「賦」）が二倍にされたことになっており、各世帯は夫婦と未成年の子供から成るのが基本であった。

それぞれの世帯には官から耕地が支給され、その支給額は戸主が持つ爵位の高下に応じて細かな違いがあった。例えば、爵位を持たない者（「士伍」）には一頃（けい）（約四・五ヘクタール）が支給されたのに対し、戦場で敵の首級を一つ挙げ、恩賞として爵一級を得て「公士」となったなら、支給額は一頃半に増やされた（二年律令310―313）。

実のところ、耕地の支給には「支給可能な耕地があれば、規定額を与える」という条件がついていて、必ずしも額面どおりに給付されてはいなかった。また、耕地の世襲や売買も認められ、決して厳密な土地の国有制度が施行されていたわけではない。だが何らかの理由で支給可能な官有地が生まれたら――犯罪者の財産が没収された場合、官によって新たに耕地が開墾された場合など――、未受給の者に分配された（二年律令318）。いわば「溥天の下、王土に非ざるはなし――あらゆる土地は君主のものである――」（『詩』小雅・北山）という建前の下、実際には土地の私有を容認しつつも、官有化された土地を税収や労働力の確保、あるいは軍功褒賞の原資として君主が活用していたのである。

官有地増加の大きな契機の一つは、言うまでもなく戦争による領土の獲得である。秦は領土を拡大させるなかで、新占領地の都市から元の住民を追い出し、そこに秦人を移住させている（西嶋 一九六一：五一七―五二三頁）。その際に移住希望者を強く引きつけた動機の一つが、十分な土地の支給であったのは想像するに難くない。

一方、耕地を保有する各世帯には、耕地の面積に応じて「租」を納める義務が生じた（楊振紅 二〇一五：一一九―一四一頁、臧知非 二〇一七：一九〇―二六四頁）。租は元来、収穫の一部が支配者の祖先祭祀のために上納されたものだった（宮崎 一九九一：七五頁）。秦代には、耕地の一〇分の一程度が「税田」とされ、そこで収穫された農作物が一定の割合で徴収された（里耶秦簡⑧1519、岳麓（弐）「数」11）。その割合は毎年同じではなく、年ごとの作柄に応じて決められたらしい。あわせて、秣（まぐさ）や藁（「芻藁（すうこう）」）も耕地面積に応じて徴収され、官有馬牛の飼料に充てられた。これについては、十分な量が確保されたなら、残りの部分は秣・藁を銭に換算し、他の財物で納められていた（二年律令240―241）。「租」のように生産物の一部を徴収することを「税」ともいい、両者はほぼ同義で用いられる。租・税は、農作物のほか、商行為や天然資源の採取による利益にも課せられた。前者を「市租」といい、後者には例えば塩・鉄の生産や、金・銀・鉄鉱石・鉛・水銀採掘への課税があった（二年律令436―438）。加えて、所有する財産に対しても税（「訾税（しぜい）」）が課された（岳麓（参）130）。

これらの、生産活動による利益の一部を生産高に応じて徴収する「租」「税」に対し、それぞれの世帯に対して一律に課せられた負担が「賦」であった。賦は元来、民が兵役に服する義務そのものを指していたが、やがて兵役を免除するという約束の下に、一般人から軍事費として取り立てた財物も「賦」と呼ばれるようになった（宮崎 一九九一：六五頁）。秦代において賦は世帯（＝「戸」）を単位に課され、「戸賦」と呼ばれた（岳麓（肆）118―120）。各世帯に成人男子（すなわち兵役対象者）は一名のみという原則の下、軍事費の負担が各戸に求められたのだろう。商鞅（しょうおう）変法で「一つの世帯に二人以上の男子がいながら分家しなければ、賦を倍にする」とされたのは、一世帯に兵役対象者が二人おれば、戸賦が二倍にされたことを意味する。

具体的には、一〇月に秣一石一五斤が、五月には一六銭が戸賦として納められた。戸ごとに賦として納められた秣は「戸芻（こすう）」とも呼ばれ、耕地面積に応じて徴収された秣・藁（「頃芻藁」）とは区別された。爵位を持たない一般人はもちろん、「大庶長」という相当に高い爵位（第一八等）を持つ者の世帯ですら、戸賦の納付は免除されなかった。高爵者の自耕地では「租」が免じられた（二年律令317）のとは対照的で、「賦」が元来は兵役の代わりであり、かつ貴族こそが兵役の担い手であったことを傍証する。

原則として、戸賦は銭と秣で納められた。だが実際には秣を銭で、さらに銭を布で代納することも認められていた。また里耶秦簡によると、遷陵県で賦として戸ごとに徴収されたのは、繭であった。地域の実情に応じて、さまざまな財物が「賦」とされたのである。さらに遷陵県では、刑徒を動員して集めた鳥の羽が「羽賦」として上納されている。矢羽根の材料となる鳥の羽なども含めて、軍事に充てるという名目で集められた財物が、広く「賦」と呼ばれるようになっていたのだろう。

兵役・徭役制度

賦税の負担に加えて、成人男子には兵役と徭役――両者は明確に区別されていた――に服す義務があった。まず、一カ月交替の輪番(「更」)で兵役(「戍」)に服すことになっていた(岳麓(肆)184―185)。これを「更戍(こうじゅ)」という。その配属先は恒常的に兵力を必要とする場所、すなわち東方の六国や北方の遊牧民等と対峙する、国境地帯の軍事拠点であったと考えられる。「戍」とはそうした、秦の辺境を防備する任務を指す。任期は一カ月を基本とするものの、一様ではなく、規定よりも長く服役したなら余剰の日数が、逆に短かった場合には不足日数が算出され、翌年の徴発に用いる台帳へと引き継がれた(岳麓(肆)253―254)。新たに兵士を選抜するとき、すでに長期間服役している者が除外されたのだろう。

国境防備の兵役とは別に、居住地周辺にある施設の維持・管理や物資の輸送、防壁の修築などのため、徭役が徴発される場合もあった。徭役に一日でも服したなら、その日数が毎月記録され、年度末には各自の服役日数が集計された。そして兵役と同じように、徭役の基準日数に対する過不足が算出され、その日数が翌年以降に繰り越された(岳麓(肆)244―247)。

徭役の「基準日数」が明記された法律条文はまだ見つかっておらず、かつそれは爵位に応じて異なったらしい。だが漢代には、「県弩」という弩兵に選抜された者は春と秋に一五日間ずつ弓の訓練に参加すれば、それが徭役への従事と見なされることになっており(二年律令414)、徭役の基準日数も三〇日、つまり兵役と同じく一カ月間が原則だったと推測される。また、弩兵として特別な訓練を受けることで徭役が免除されたというのであれば、成人男子の義務は徭役・兵役両者への服役ではなく、そのうちのいずれかへの服役であったことになる。

このように、秦の徭役・兵役制度は毎年三〇日間の服役を前提としつつも、実際の兵力・労働力需要の増減に対応できるよう、柔軟な仕組みを備えていた。例えば、国境防備の義務期間が一カ月だというのは、秦の領土が周辺へと拡大した後であれば短すぎる。実際には必要に応じて、兵士たちはより長期にわたり従軍したのだろう。その代わり、余剰の服役分は翌年以降に繰り越され、負担の均等化が図られたのである。

また、徴発日数を記録する台帳には各自の財産の多寡も記され、農繁期には富者が、農閑期には貧者が派遣された(岳麓(肆)244－247)。おそらく年齢・家族構成、および体力をも含めた各自の能力などが勘案され、どの構成員がどの労役を負担するのかは、集落単位での自律的な裁量が認められたのだろう。こうした工夫により、必要な労働力を適材適所で調達しつつ、安定した生産活動が維持されていたといえる(宮宅 二〇一九)。

生産活動の維持ということでは、物資輸送などの事業にまず動員されたのが、一般民ではなく労役刑徒であったことも忘れてはならない(里耶秦簡⑯5、岳麓(肆)148－149)。徭役労働は、あくまで刑徒をはじめとした官有労働力では足らないとき、それを補充するものと位置づけられていた。秦代には、死刑や財産刑とならんで労役刑が重要な刑罰の一つであり、かつ数種類あった労役刑のうち主要なものは、いずれも明確な刑期を持たない無期刑であった(籾山 二〇〇六：二三〇－二七四頁)。秦が抱えていた刑徒労働の総量は知るべくもないが、遷陵県だけに限っても四〇〇人ほどの刑徒が配置されていた(宮宅 二〇一六：一三－一四頁)。大量の刑徒労働が秦を支えた重要な人的基盤であり、一般民の徭役労働は、あくまでそれを補うための調整弁だった。

以上が秦の戸籍制度、および賦税・労役制度の概略である。領内に居住する者たちを直接把握し、兵力と軍事費の供給源とする仕組みが、こうして整えられていた。荀子が賞賛した秦の軍功褒賞制度は、これら諸制度と連動するかたちで機能したのである。

軍功褒賞制度

商鞅は変法の一環として、軍功を立てた者に爵位を授けた。敵の首級を一つ挙げると、爵一級が与えられたという。ただし『史記』秦本紀には、前三六四年の石門の役の時点ですでに、秦が勝利して「斬首六万」を獲たと記されている。首級に応じて爵位を与える褒賞制度は、実際には商鞅変法に先立って行われていたらしい。

爵は多くの利得をともなった。述べたとおり、一級でも爵位を獲得すると、支給されるべき耕地の面積が増やされた。さらに功績を重ねれば、罪を犯しても身体毀損刑には処されず、また徭役の免除も期待できた。その他、君主から賜物を受け取る際に爵位によって分量が異なるなど、爵がもたらす利益は多岐に及んだ(宮宅 二〇一一：三二六—三二九頁)。また、下爵の者が上爵の者を殴ったら、同爵の者同士よりも刑罰が重かった(二年律令28)。爵位は、社会の構成員相互の上下関係をも規定するものとされたのである。

こうした利得は、軍功を立てた本人のみならず、子孫にも継承された。本人が戦死したなら、跡継ぎが父の爵をそのまま継承し(二年律令369—371)、病死した場合でも、その者が一定以上の高い爵位を得ていたなら、跡継ぎには爵位が——父の爵より何等か降るものの——与えられた(二年律令367—368)。爵位と、それがもたらす諸々の利益とが、戦場での兵士の奮闘を促した。時には味方同士が剣を振るい、討ち取られた敵の首を奪い合うことさえあったという(封診式31—33)。兵士がいかに首級を欲していたかがうかがえる。

軍功を立てれば報われる一方で、敵に背を向けた場合には厳しく罰せられた。岳麓簡に残る、敵と戦って逃亡した者の取調記録では、彼らがいったい何歩逃げたのかまでが聴取されており、最も罪が重い者には無期労役刑が適用されている(岳麓(参)237-245)。決して「五十歩百歩」で一括りにはしない、厳密な量刑がなされていたのである。

荀子のことばに偽りはなく、秦の軍功褒賞制は確かによく出来ている。褒賞は手厚く、その利得は子孫にまで及んだので、強敵を前にして兵士を戦場に踏みとどまらせる効果は斉の制度にまさっていよう。また税役免除は主たる褒賞ではなく、相当の功績を立ててはじめて与えられたので、魏の制度と違い、褒賞が財政を圧迫することもなかったろう。軍規違反への厳密な処罰とあいまって、兵士の士気と規律を維持するための秦の制度には、他の国々にはない工夫があった。

ただし、ここで紹介したさまざまな制度が、制定の当初から円滑に、かつ全面的に機能していたとは考えにくい。例えば秦において当初「成人」の目安とされたのは、年齢ではなく身長だった(渡辺 一九九四:一〇五頁)。戸籍に記載がなく、生年が不確かな者であっても、身長を基準としておけば、その者を成人と認定し従軍させることができる。戸籍制度の網の目から漏れ出てしまった人間のいる可能性が、あらかじめ織り込まれた制度設計だったといえる。やがて基準は年齢に切り替わるが、それは趙で李牧(りぼく)に敗れた後、動員可能な者の数を正確に把握すべく、前二三一年にすべての秦の男子に改めて年齢を申告させた後でのことだろう。戸籍制度の開始から一五〇年ほどをへて、年齢を基準とした徴発がようやく可能となったのである。このように、軍事奉仕の土台を組織的に拡大させることによって、戦国諸侯国の発展は支えられていた。

ここでは十分に紹介できなかったが、民を五人組・十人組に分ける「什伍の制」が秦でも行われ、構成員はお互いに扶助/監視しあうことになっていた。この制度は、もともとは戦場における兵士の編制方法に由来する。さらに、君主の手足として統治に当たった官僚組織の重要な要素、例えば成文化された法律の施行や、官吏に対する勤務評価の制度もまた、戦時下の体制が平時に持ち込まれるかたちで誕生した(籾山 一九八〇、佐藤 二〇〇〇)。戦乱を勝ち抜くための必要性と、戦場で得た人間管理の技術とが、帝国を支える諸制度を作り出していったのである。そこではすべての国民が軍事制度の一部として組織され、序列化され、統制されていた(Lewis 1990: 67)。

では、これらの制度に支えられ、秦はいかに戦い、いかに占領地を支配したのか。続いて秦の軍隊そのものと、その戦役史とに目を移そう。

二、軍事行動の実態——征服戦争の展開と占領統治

秦軍の構成

戦国時代、秦が動員できた兵力の総数はだいたい一〇〇万人程度と見積もられ、例えば前二二四年、対楚征服戦に派遣された軍勢は六〇万人にのぼった(『史記』王翦列伝)。兵士たちはさまざまな兵種に分かれ、一般の歩兵の他、弩兵・騎兵・戦車兵、さらには輜重兵などがいた。その多くが徴集された農民兵だったろうが、一方で職業軍人や応募兵も存在していた。

例えば睡虎地秦簡には「尉の私卒」が現れる(封診式31—33)。相応の地位にある武官は私的に家来を抱えており、有事には、彼らは自らの手勢を率いて従軍したのだろう。戦争を生業とする人間集団が存在したのである。また前二三八年に嫪毐の乱が起こったとき、嫪毐は咸陽周辺の「県卒および衛卒・官騎・戎翟君公・舎人」を徴発しようとした(『史記』秦始皇本紀)。ここに見える「官騎」という騎馬兵もまた、職業軍人の一つに数えられる。

騎馬戦術は前四世紀末には中国に到来したとされる。秦でも若駒の酷使や、商人が運送用に体格のよい馬を用いることが法律で禁じられており(岳麓(肆)127—131)、馬の安定的な生産が重視されていた。右の史料では「官騎」に続いて「戎翟君公・舎人」、すなわち異民族の君長とその郎党が現れていて、官騎のなかには異民族出身の騎馬兵も、少

なからず含まれたと想像される。例えばオルドスの楼煩(ろうはん)出身の騎馬兵が秦代の咸陽周辺には駐留していたらしく、秦滅亡後から漢初に到るまでの戦場にも、これら楼煩兵の姿を広く認めることができる(吉本 二〇〇六：七六―七頁)。

騎兵と並んで重要な兵種となったのが、弩を操る兵士である。睡虎地秦簡に「軽車」(戦車兵)と並んで現れる「趆(しゃ)張(ちょう)・引強」などがそれに当たる(秦律雑抄8)。これと似た弩兵に、すでに紹介した「県弩」がある。県弩は軍事教練への参加と引き替えに徭役を免除されており、職業軍人というよりは、特に選抜された農民兵とみた方がよい。おそらく「趆張・引強」も同様であり、膂力(りょりょく)に恵まれた者が選ばれてこうした兵種に振り向けられ、日頃から訓練を積んでいたのだろう。これらの、特別な技能により選抜された者たちを、ひとまず「専門兵」と呼んでおく。漢代の弩兵である「材官」、およびそれと並び称される「騎士」もまた、専門兵の一つであろう。「鋭師」などとして史料に現れる精鋭部隊は、以上の職業軍人や専門兵から構成されたと考えられる。

これら専門兵に対し、部隊の多数を占めたのは、戈(か)や戟(げき)を手にした一般の徴集兵だった。岳麓簡には「卒百人、戟十・弩五・負三」(岳麓(弐)「数」132)とあり、戈(戟)兵・弩兵、さらには輜重兵(「負」)の割合がうかがえる。専門兵には選抜されなかった者たちが、有事に戈兵・輜重兵として徴発され、従軍したのだろう。特別な訓練を受けない彼らには、毎年の徭役・兵役に服す義務もあった。先に述べた、「更戍」として一カ月交替で国境防備に就いたのは、こうした男たちだったろう。

国境警備を本務とする兵士には、他に「冗戍」や「罰戍」があった。前者は「冗募群戍卒(じゅそつ)」ともいい、自ら応募して長期間従軍する兵卒である。一方の「罰戍」は、戍辺刑に相当する罪を犯し、ペナルティとして数年間の兵役に就けられた者であった。秦の軍隊には、一般の徴集兵の他に、生活の糧を得るために兵士となった応募兵や、罪を犯して兵士となった者もいたのである。

要するに、秦の兵力は①職業軍人、②専門兵、③応募兵、④徴集兵、および⑤刑徒に区分できる。数のうえで④が大半を占めたのはいうまでもないが、戦闘を生業とする①や、日頃から訓練を受けている②、従軍経験の豊富な③は、戦力の重要な部分を占めたであろう。①は平時には首都周辺に駐屯し、その他の兵士は首都防衛の補充部隊として、あるいは辺境防備の兵力として、必要に応じて活用されたと考えられる。

秦が六国に対して遠征軍を派遣する際には、右の兵力が軍勢の土台となった。こうした遠征軍はいかに組織され、戦場へと送り出されたのか。戦役史の展開に沿って見てみよう。

秦の戦役史——東方進出から征服戦へ

秦は前四世紀から東進を本格化させ、恵文王（在位　前三三七—前三一一）の時代には黄河以西の魏の領土を攻略し、また南方の巴蜀（はしょく）にも軍を送って、ここを支配下に組み込んだ。その後、半世紀あまりに及んだ昭襄王（しょうじょうおう）（在位　前三〇六—前二五一）の時代、秦の軍事面での優勢は決定的になる。南方の大国であった楚に侵攻し、その都を占領すると、長平の戦いでは趙の軍勢に対して大勝を収めた。この二つの戦役について、その経緯をたどっておく。

楚への侵攻は、前二八一年頃から本格化した。秦は武関から楚の領域に進出し、楚の前進基地だった宛を攻撃していたが、この年に宛の西南にあった穣に、翌年には南陽に罪人を遷して進軍の拠点を確保すると、漢水沿いに南下を始めた。前二七九年には攻略した鄧（とう）・鄢（えん）にも罪人を遷し、その翌年に国都の郢（えい）を攻め取った。このとき、秦は長江沿いのルートからも進軍した。長江方面軍の兵士は隴西（ろうせい）で編制され、巴蜀を通過して西から楚に攻め込んでおり、行軍中に巴蜀の兵も陣営に加わったらしい。郢を占領した翌年に長江南方の楚の領土を攻略したのは、この長江方面軍であろう。

一方、長平での攻防は前二六一年に始まる。長平は現在の山西省晋城（しんじょう）市の北部に位置し、秦と趙・韓との間で争奪の地となっていた「上党」と呼ばれる地域にある。上党は河北と河南を繋ぐ交通の要衝で、かつては韓に属したが、秦の攻撃により韓との連絡が絶たれると、救援を求めて趙に降ったのだった。上党の民が逃げ込んだ長平で、秦・趙両軍は衝突する。やがて趙軍が劣勢になると、昭襄王自らが河内に赴き、一五歳以上の者をすべて動員して趙軍を完全に包囲した。最後に打って出た趙の精鋭部隊も包囲を破れず、四〇万人が秦に投降した。

右に略述した戦役の経緯から知られるとおり、まず当時の戦闘は長期化していた。その理由としては、当然ながら秦本土と戦場とが遠く離れていたことと、戦闘のあり方が包囲戦を主流とするものに変化していたことが挙げられる。戦車部隊同士が激突し、数日で決着した春秋期の戦闘とは、根本的に様相を異にする。

述べたとおり、秦の精鋭部隊は首都周辺に駐屯していたと思われる。郢を攻撃した軍勢のうち、まず隴西において編制された長江方面軍の中核も、こうした部隊の一つだろう。職業軍人、あるいは通常の労役負担が免除された専門兵であれば、長期の従軍にも耐えられた。だが包囲戦においては、兵士の質とともに量が問題となる。秦軍の規模を担保するために、戦場に近い特定地域で重点的な徴兵が行われたことも、右の経緯から見てとれる。郢の攻略には、つとに秦の勢力下に入っていた巴蜀の民が参加し、長平の戦いでは「河内」から集中的に兵士が動員され、包囲が固められた。秦は負担を均等にしつつ農民兵を徴用する制度を整えてはいたものの、実際の動員に際しては、兵站拠点と戦場とを近接させるべく、戦場へと速やかに移動できる者たちが選ばれたのである。

また、新占領地には罪人、さらには一般人が移住させられた。彼らの移住先は兵站の拠点になると同時に、さらなる遠征に際しての兵員徴発地ともなった。例えば、長平を完全包囲した軍勢の徴発地である「河内」とは、おそらく河曲以東の黄河北岸一帯を指しており、この地域には曲沃(きょくよく)・陝・安邑など、秦の民が大量に移住した都城がある(大島 一九九六、柏倉 二〇〇六)。秦は新占領地の拠点に秦人を送り込み、その地を橋頭堡として確保すると、そこを兵員・物資の供給拠点とし、さらなる領土の拡張を図ったといえる。軍事行動と連動して、東方への殖民活動が展開されたのである(宮宅 二〇一三)。

さて、長平の戦いの後、しばらく大規模な遠征は行われない。だが秦王政が即位すると、やがて秦は六国との共存を放棄し、それらを完全に征服する方向へと舵を切る。前二三六年頃から本格化した征服戦のなかで、六国は次々と占領され、一連の戦争は前二二一年の斉の滅亡により終結する。前二三六年から数えれば、この間わずか一六年である。この征服戦争は、軍勢の規模といい行軍の距離といい、以前の戦役とは次元を異にする。先述した、中核部隊の派遣と戦場付近での徴兵とを組み合わせたような戦略ではなく、全面的な総動員が強行されたに違いない。例えば六〇万人の対楚遠征軍は秦王政に見送られて出発しており、首都周辺で編制された軍勢が、長距離を移動して戦場へと赴いたことがわかる。

もちろん、比較的戦場から近い、新占領地の民も動員された。前二七八年に郢を占領した後、その地には南郡が置かれたが、ここからも多くの兵士が徴発され、趙・楚への遠征に参加していた(睡虎地秦簡「編年記」、睡虎地四号秦墓出土簡)。中には兄弟二人がともに従軍している例もあり、かなりの非常動員が行われたと推測される。

里耶秦簡が出土した遷陵県にも、占領当初には南郡出身の兵士が駐屯しており、そのなかには「奔命(ほんめい)」と呼ばれる兵士たちがいた。奔命は「奔警(ほんけい)」ともいい、本来は外敵の侵入により非常警備体制が敷かれたとき、特に徴集された兵である(岳麓(肆)177–180)。この点からも、秦が全兵力を振り絞って征服戦を戦ったことが見てとれる。こうした大動員は社会に大きな負担を強いただろうが、その総力戦が一六年で完了したのは、秦にとって幸いだったというほかない。

里耶秦簡から見た新占領地の支配とその限界

前二二二年、山深い里耶の地にも秦の軍勢が進駐し、ここに遷陵県が置かれた。遷陵県の官吏定員は一〇〇名あまりで、欠員も多かったが、それでも八〇名を超える官吏が赴任していた。官有労働力として大量の刑徒も配置され、その数は三〇〇〇—四〇〇〇人ほどにのぼる。さらに六〇〇〇人を超える兵士も駐屯していた。時期を特定して得られる正確な総計ではないものの、だいたい一〇〇〇〇人程度の人員が、秦の占領支配を支えるべくこの地に送り込まれていたと推測される。

述べたとおり、占領初期には「奔命」などが駐屯していたが、やがて彼らの姿は見えなくなる。おそらく征服軍の撤退とともに、遷陵県から立ち去ったのだろう。代わりに、こんどは更戍・冗戍・罰戍などの、辺境防備の兵力が現れる。そのうち更戍のほとんどが泗水郡城父県(現在の安徽省亳州市)、すなわち始皇帝により占領された旧楚領の出身者であった。新たに服属したばかりの民が、占領から一〇年と経たないうちに一括して徴発され、遠く遷陵県にまで送られていた。六国征服後も北方・南方への侵攻を継続した秦は、従来の精鋭部隊をそちらの最前線へと投入し、新占領地での防備を担う者としては、別の新占領地の人間を活用したのだろう。これらの更戍は遠方から遷陵県までやってくるのだから、任期は一カ月にとどまらず、おそらく一年程度は服役したに違いない。

更戍についてもう一つ注目すべきなのは、彼らが原則として食糧を自弁したという点である(宮宅 二〇一八)。自弁が難しい場合には官給を受けたが、それはあくまで「貸与」であり、現物や財貨でそれを返済できなければ、貸与額に応じて就役日数が延長された。はるばる遷陵県に赴いた城父県の更戍たちが、食糧を自弁できたとは考えにくく、ほとんどの更戍が任期を延長させ、それにより「貸与」された食糧を「返済」したのだろう。

もっとも、すべての兵士が食糧を自弁したわけではあるまい。先に挙げた兵種のうち、①職業軍人はもちろんのこと、②専門兵や③応募兵の食糧も官給だったろう。だが更戍、すなわち軍隊の少なからぬ部分を占める④徴集兵の食糧が自弁を原則としていたという事実は、軽視されるべきではない。

ともあれ、こうして遷陵県に配置された兵士たちは、戦闘や治安維持に当たるほか、田地の耕作にも従事しており、刑徒とともに占領支配を支える人的基盤となっていた。だが実のところ、この占領支配に服し、官によって把握されていた遷陵県の総世帯数は一五〇―二〇〇戸ほどに過ぎない(宮宅 二〇一六)。一戸が五人だとすれば、わずか一〇〇〇人程度である。山深い僻地にあることを差し引いたとしても、秦の「天下統一」が必ずしもすべての居民の管理を意味しなかったことが、推して知られよう。

さて、右に述べた軍事遠征、および占領統治の戦略は、秦が関中や巴蜀を平定し、六国の領土を徐々に侵食してゆく段階では、有効に機能したに違いない。なにより領土の拡大は、軍功褒賞の基盤となる、秦人への再分配が可能な耕地の増大を意味した。また、兵力の多くを食糧自弁の兵士に依拠していたとしても、秦の領土が急拡大する前であれば、国境防備にせよ六国への侵攻にせよ、就役地が居所からさほど離れておらず、民に過大な負担を強いることはなかっただろう。例えば河内の民を大量動員した長平での完全包囲は、わずか二カ月程度のことであった。戦場に近い地域の農民兵が食糧持参で参加するのは、決して難しくなかっただろう。殖民による戦略拠点の確保ともあいまって、軍事行動を支えるのに必要な兵站の規模や、そのための財政負担は最小限に抑えられていた。

やがて秦王政が即位し、六国を征服する戦争が始まる。だがこの段階でもなお、継続的な兵站は必要とされなかった。戦闘員の背後には輜重兵が付き従い、非常時には略奪という手段もあり得ただろう。だが遠征軍の勝利により、秦の領土は急激に拡大する。秦は領土を維持すべく、新占領地の者を更戍として別の新占領地に送り込むという手法を採用したが、遠距離を移動し、長期服役する農民兵に自弁――自ら携帯する・郷里から送付する・私財で購入する等――を求め続けるのは難しい。「自弁」はもはや建前にすぎず、占領統治を支えた官吏や刑徒の他、戍卒にも食糧を支給せねばならないのなら、安定的な兵站網、およびそれを支える財政基盤の整備が、まずは喫緊の課題となる。ここに到って、農民兵は「食糧自弁の安価な兵力」ではなくなった。後述するとおり、西北漢簡に見える前漢後半期の戍卒は、すでに食糧を官から支給されている。後代、府兵制の下でも兵士の食糧は基本的に官給であり(氣賀澤 一九九九:二九五頁)、国家財政における軍事支出の割合は無視できないものであった(丸橋 二〇一〇)。

財政の規模についていえば、領土の拡大により歳入は確かに増加しただろう。だが新占領地のなかには遷陵県のような地域もあった。県全体で把握できている戸口がわずか数百戸程度なら、さほどの増収は望めない。新占領地の住民をも巻き込んで軍事負担を支える仕組みは、ただちには出来上がらなかった。統一直後における秦の台所事情の苦しさは、従軍した兵士に褒賞として支給する銭が足らなければ、県から郡、さらには中央に請求するよう命じた詔勅(岳麓(陸)68―69、(伍)269―270)などから、いくぶんかいま見える。

それでもなお始皇帝は征服をやめず、北方の匈奴、さらには南越にも攻め込んだ。南征軍には前科者や商人が動員され、犯罪者も追加徴用されたという。もはや農民兵の徴発では対応できなかったのである。秦の制度は軍事負担を社会全体で支える仕組みを備えていたものの、それにもおのずと限界はあった。陳渉(ちんしょう)・呉広(ごこう)の反乱軍が咸陽の附近まで攻め込んできたとき、秦は始皇帝陵の建造に当たっていた刑徒を兵士として動員した。首都に駐屯し、その防衛にすぐさま投入できる兵力が枯渇していたことを、如実に示している。

要するに、秦は爆発的に拡大した領土を継続的に包括支配し、なおかつ外敵の侵攻に備えうるだけの軍事体制を、十分に確立できていなかった。秦が解決できなかったこの課題は、次の漢王朝へと持ち越される。

三、秦から漢へ

「郡国制」の採用――軍事負担の共有

漢の高祖劉邦(りゅうほう)(在位 前二〇六―前一九五)は、秦末に挙兵した多くの反乱勢力と連合して勝利を収め、他の有力者たちに推戴されるかたちで「皇帝」の座に就いた。劉邦を支えた有力者は諸侯王として旧六国領に封土を与えられたので、漢の皇帝が直接支配したのは、秦の元々の支配領域を中心とした帝国の西半に限られた。いわゆる漢の「郡国制」である。

皇帝即位ののち、劉邦にとって最大の脅威となったのは帝国の東半に領土を持つ異姓諸侯王、すなわち漢の建国を支えた功臣たちであった。即位してから死没するまでの劉邦は、これら諸侯王の排除に邁進することになる。だが功臣たちを粛清した後も、かつての王国領は直轄化されず、そこに皇帝の親族が改めて封建された。つまり、劉邦が葬り去ろうとしたのは迂闊に信用できない異姓諸侯王たちであって、帝国東半の統治を王たちに委ねる間接統治の体制そのものではなかった。

全土を直接支配するのではなく、各地の諸侯王にある程度の自由裁量を認め、間接的に統治するというやり方には、むしろさまざまな利点があった。例えば徭役負担の軽減。直轄地の住民は、多くの労働力需要がある首都、長安にまで徭役に赴くこともあったが、王国の民は各王国内で服役すればよかった（『漢書』賈誼伝）。徭役労働の管理が皇帝と諸侯王との間で分掌され、徴発や移送にかかるコストはそれぞれが負担していたのである。それは軍事力の動員においても同様であった。

「郡国制」の下でも、兵士を徴発する権限は皇帝が一手に握っていて、王には発兵権がなかった（布目 一九五三）。だが有事の際に皇帝の指示を受けて兵士を徴発し、それを派遣する主体となったのは諸侯王であった。例えば、前一九七年に陳豨が反乱を起こすと、高祖は自ら出陣して邯鄲に赴き、周辺の兵士を動員して当面の備えとする一方で、檄を飛ばして天下の兵を徴集した。それに応えて諸侯王国から兵が送られたことは、梁・趙・斉・燕・楚といった国々の車騎が戦陣に加わったことから知られる（『漢書』靳歙伝）。そのうち、梁の軍勢は梁王彭越自身が率いてくるよう求められていたし、また斉の軍勢は、相国だった曹参・傅寛が率いたものだろう。総勢三二万とされる鎮圧軍は直轄地と諸侯王国との兵によって構成されており、王国において兵を徴発・組織し、戦場まで派遣する費用は、各王国が負担したのだろう。

漢初には、辺境防備にも協業体制がとられた。当初「韓王」に封ぜられ、潁川に領地を得ていた韓王信は、前二〇一年に太原郡へと国替えさせられ、馬邑を拠点として匈奴の侵入に備えることとなった。彼の軍事的な才能が、そのまま北辺防備に振り向けられたのである。また、趙・代の辺兵を管理したのは代相国の陳豨であり、彼が反乱を起こした後は、傅寛が代相国として駐屯軍を率いた。建国のはじめ、匈奴による攻撃の矢面に立ったのは代国、さらには燕国といった北方の王国だった（谷沢 二〇一〇）。一方、南方では南越国が漢に服属せず自立していたが、これと対峙していたのも呉・淮南・長沙といった王国である。後に反乱を起こした呉王劉濞は「寡人もとより南越を事とすること三十余年」と述べており（『漢書』呉王濞伝）、南越国対策は呉王の役目であった。広大な領域を維持するための軍事体制は、漢初においては皇帝と諸侯王との分業により成立していたのである。

だが強大な権限を持つ諸侯王の存在は、皇帝にとっては諸刃の剣である。皇族出身の諸侯王と皇帝との関係もやがて悪化し、両者の確執はついに呉楚七国の乱（前一五四年）へと発展した。これに勝利した皇帝側は、諸侯王の人事権を奪い、領土を削減し、全土の実質的な直轄地化を進めてゆく。

とはいえ、その後も諸侯王の封建は続く。加えて、県程度の領域を封土として与えられた列侯たちもおり、彼らには「藩屏」として、皇室を守護する役割がなおも期待された。他でもない呉楚七国の乱のとき、長安にいた列侯も鎮圧軍に従い、彼らは出征の費用を豪商の毋鹽氏から借りたという（『漢書』食貨志）。そうした列侯の一人であった潁陰侯灌何は、彼の父親の元舎人で、食邑のある潁陰県出身の灌孟を配下に指名し、「従奴」とともに参戦している（『漢書』灌夫伝）。当然のことながら、列侯は単身従軍したのではなく、相応の手勢を引きつれており、その費用を自らの手で調達したのである。降って武帝（在位 前一四一―前八七）のとき、王国内で兵士を募って匈奴を討ち、それで息子の罪を償おうとした趙王彭祖もまた、同様であったろう。もちろん遠征軍全体でいえば中央政府の負担が多くを占めたに違いないが、軍事費の一定部分を王や列侯も負担するという体制は、その後も存続していた。

辺防体制の展開

諸侯王の領地のうち、外敵と接する南北の辺郡は、呉楚七国の乱が勃発する前からすでに、少しずつ漢の直轄地とされていた（杉村 二〇〇四：二八頁）。辺境防備の体制が徐々に、中央政府の主導によって整備され始めたのである。前一八三年に、一年交替で戍卒を配置するよう命じられているのは、そのごく早期の試みであろう。これにより動員された戍卒は「遠方之卒」「東方之戍卒」とも呼ばれ（『漢書』鼂錯伝）、辺境地帯の外で徴発され、任地に派遣されたことがわかる。まずは秦の「更戍」制度が継承されたとおぼしい。

この辺防体制の抱える弱点が、鼂錯によって指摘されている。彼は文帝（在位 前一八〇—前一五七）への上奏のなかで、遠方の卒を防備に就けてたった一年で交替させるのでは、兵士は敵の能力にも辺境の地勢にも習熟しないままである、と現行制度を批判する。代わりに提案されたのが徙民策で、罪人・刑徒・奴婢、さらには希望する一般人を辺境に移し、住居や当座の衣食を提供して定住させたうえで、彼らを防備に用いようとした。この代替案が採用され、前一六七年に従来の「戍卒令」は廃止されたという（『史記』漢興以来将相名臣年表）。軍事活動と連動した殖民が、漢においても試みられたのである。

これと同時期に、鼂錯は納粟授爵の実施も提案している。こちらの上奏では、商人ばかりが利益を得、農民が窮乏していることが問題視される。解決策とされたのが、富める者に穀物を購入して国庫に納めさせ、納入額に応じて爵位を与えるというやり方である。穀物はまず辺境地帯で納付され、戍卒の食糧に当てられた。この施策により官府の穀倉は充実し、前一六七年には田租が全額免除されたという。

折しも、文帝の時代には匈奴の侵攻が相次いだ。戍卒令廃止の翌年、前一六六年にも匈奴の軍勢一四万騎が攻め寄せ、その斥候が長安の西わずか一五〇キロほどの雍県にも姿を見せた。匈奴対策は漢にとって最大の懸案であり、そのために試みられたのが、徙民策と納粟授爵とであった。

さらに徙民策の建言に先立って、鼂錯は投降した異民族を防備に用いることも説いている。述べたとおり、異民族の活用自体は早くから行われ、前一七七年に匈奴が侵攻してきたときにも「上郡の保塞蛮夷」(『漢書』匈奴伝)が防備に当たった。ただし鼂錯によると、異民族兵の数はなお数千にとどまっていたという。だが文帝期の末からは匈奴有力者の投降が相次ぎ、前一四七年には七人もの匈奴降将が列侯に封じられた。そのうち四人が北方の涿郡に領地を与えられており、配下を率いて投降した彼らが、そのまま防備体制の一部に組み込まれたと考えられる(米田 一九五九:八頁)。

徙民策と投降匈奴の活用は、いずれも兵員の長距離移送を避けるための工夫であり、納粟授爵もまた、食糧の長距離移送を民間に委ねたものである(金秉駿 二〇一一:一八三頁)。いわば秦代からの課題であった兵站制度の未熟さが、こうしたやり方で弥縫されたといえる。一方で、史書には「戍卒令が除かれた」とあるものの、実際には遠方からの戍卒の動員も継続して行われていたようである。例えば後述するとおり、武帝のときに匈奴の渾邪王が投降すると、隴西・北地・上郡の「戍卒」の半数が削減されたという(『漢書』武帝紀)。したがって、漢の防備体制はなお更戍制度を軸としつつも、徙民・投降匈奴でそれを補うものであり、これは戦国秦の制度とも一脈通じる部分があった。いずれにせよ、持続可能な辺境防備の体制が、中央政府の主導の下で段階的に構築され始めたのである。

国力の充実――武帝の勝利を支えたもの

戦国時代の、さらには秦滅亡後の戦乱をへて、ようやく平和が訪れた前漢の初期には人口が急増し、毎年の増加率は一〇―一二‰に及んだともいわれる(葛剣雄 一九八六:二三頁)。政府も、子供をもうけた者の徭役を二年間免除したり、結婚しない女性に重税を課したりして、人口増加を後押しした。労働人口の着実な増加は、前一六七年にすべての労役刑が有期化されたことからもうかがえる。この頃には、秦代のように刑徒労働に依存せずとも、必要な労働力を調達できたのである（宮宅 二〇一一：一六〇頁）。

人口の増加は、徴発可能な兵員の数を押し上げた。例えば高祖のとき、黥布の反乱（前一九六）が起きた際には、高祖自身が鎮圧のため出陣する一方で、上郡・北地・隴西の車騎、巴蜀の材官、中尉の卒三万人がかき集められ、皇太子が留守を預かる首都長安の防備に当てられた。それから三〇年後、前一六六年に匈奴の大軍が長安附近にまで攻めてきたときは、首都防備の軍勢は車一〇〇〇乗、騎兵一〇万人にのぼったという。このとき、上郡・北地・隴西の兵は匈奴攻撃に振り向けられていたので、この数には入っていない。それぞれの戦いの主戦場と長安との間の距離が異なり、首都を取り巻く緊張感には違いがあったろうが、首都防衛に動員できる兵士の人数が格段に増えていたことは確かだろう。

鼂錯が徙民策を提案した背景にも、こうした人口の急増があったに違いない。そして徙民により、辺郡の人口もまた増加へと向かったであろう。具体的な数値は知り得ないが、前一一〇年に武帝が北方を巡幸したときには、上郡・西河・五原、さらには朔方郡をめぐり、騎兵一八万騎を閲兵したという。漢帝国の人口が最も多かったとされる西暦二年時点で、四郡の人口は計一六七万人ほどだから、最盛期の男性人口の二〇%程度に当たる数の騎兵が、すでにこの地で動員可能だったことになる。

戦力の中核が歩兵から騎兵へと変化していることも、右の諸事例から見て取れる。漢の建国当初には馬匹が欠乏し、皇帝すら同じ色の馬を四頭揃えられなかったという（『漢書』食貨志）。高祖が白登山で匈奴に大敗したのも、その軍勢が歩兵を中心とし、匈奴の騎兵に対抗できなかったからである。張家山漢簡「二年律令」からは、馬の売買が厳格に管理され、とりわけ馬が畿内から外に持ち出されることに、政府が神経を尖らせていたことがわかる。馬匹の生産は漢王朝の重要な課題であり、やがて官馬の養牧場が北辺・西辺に設置され、三〇万頭の馬が生産された（『漢書』景帝紀注)。こうした施策の効果は文帝期から現れており、前一七七年には八万五〇〇〇の騎兵が匈奴の迎撃に向かっている。

武帝即位後、匈奴を相手に最初の勝利を収めたのは、前一二九年の衛青による遠征である。このときには四人の将軍が一万騎ずつを率い、そのうち雁門・代郡から出撃した公孫敖・李広の兵士たちは「雁門・代郡の軍士」と呼ばれた。戦場に近接する辺郡から、多くの騎兵を徴発して遠征したのであろう(Loewe 1974: 91)。充実した北辺の人口と、馬匹の生産力とに支えられて、武帝の対外進出が幕を開けた。建国から七〇年あまりをかけて、漢は外敵に対抗し、支配を周辺に拡大させ得るだけの軍事体制をようやく整えたのである。

おわりに——武帝の勝利が生んだもの

武帝は匈奴を相手に勝利を重ね、前一一九年の大攻勢の後には、匈奴の単于をはるか幕北へと追いやった。ついで矛先を南方・東方に転じ、前一一一年に南越を滅ぼすと、さらに雲南の滇王をも服属させ、前一〇八年には朝鮮を降した。始皇帝以来の、領土の急速な拡大である。

獲得した領土に、漢は大量の徙民を行った。なかでも前一一九年の徙民は大規模で、黄河の決壊により被災した貧民七〇万人をオルドス地域へと移している。この事業は大きな困難をともない、総体的には失敗であったものの、上郡・西河郡では一定の成果を挙げた(濱川 二〇〇九：一四四—一七〇頁)。加えて、投降した匈奴も新占領地の住人となった。特に前一二一年には匈奴の渾邪王が四万人を率いて降っており、このときの投降者は北辺五郡に配置され、「故俗」に従って暮らすことが許された。

これにより、首都防衛の要地だった隴西・北地・上郡では戍卒の半ばが削減された。一方、新たに外に向かって拡張した最前線には、多くの戍卒が送られた。例えば朔方から令居に到る西北方の防衛線には五、六万人の吏卒が配置され、屯田を行ったという(『漢書』匈奴伝)。また、居延(きょえん)漢簡などの西北漢簡を用いた戍卒の出身地分析によると、この地域にもはるばる帝国東半から大量の戍卒が送られていた。ただし、占領当初は遠方の郡出身の戍卒が多いものの、次第に地元である張掖(ちょうえき)郡出身者が増加しているという(高村 二〇〇八:三八〇―四二二頁、鷹取 二〇一八)。更戍を新占領地に配置しつつも、徙民や投降匈奴でそれを補ってゆく辺防体制が、武帝期以降も継続されたといってよい。

遠方からの戍卒動員を維持するには、兵站制度の整備が欠かせない。武帝の元光年間(前一三四―前一二九)以降、大規模な漕運制度の改革が進められており、その背後に軍糧調達の必要性があったことは言を俟たない(藤田 一九八三)。またインフラの整備とともに、財政運輸の仕組みも効率化された。いわゆる「均輸・平準」である。これにより、大商人を介在させたそれまでの物資調達方法が改められ、中央政府が物流を一元的に管理し、地方に備蓄された食糧や財物が、その指示の下に中央へ、あるいは需要の高い郡へと移送されるようになった(渡辺 二〇一〇:三九―七三頁)。西北漢簡においては、戍卒の食糧は官給が原則となっており、それを根底で支えていたのも、かかる兵站制度の充実であったろう。

整備された輸送路や物流の仕組みが帝国の各地を結びつけ、人とモノの動きは、軍事的な必要性の下に一層活性化した。恵帝期(前一九五―前一八八)には毎年数十万石だった東方(「関東」「山東」)から都への穀物漕運は、均輸・平準の導入後には毎年六〇〇万石に跳ね上がったという(『漢書』食貨志)。新占領地の寄せ集めであった「帝国」の全身に、ようやく血管が張り巡らされ、十分な量の血液が循環するようになった。広域支配を支える中央集権的なネットワークは、軍事制度の一部として次第に構築され、帝国の一体化を促したのである。古代帝国においてより包括的な支配が実現する契機とは、「軍事的な組織が強制的協同のメカニズムを通して政治的、イデオロギー的、そして特に経済的な相互作用のネットワークにところかまわず浸透」していくことによるという社会学者の指摘(マン 二〇〇二:一九三頁)は、中国古代帝国においても当てはまるところが少なくない。

参考文献

大島誠二(一九九六)「秦の東進と陝県社会」中央大学東洋史学研究室(編)『アジア史における制度と社会』刀水書房。

柏倉伸哉(二〇〇六)「秦による東方徙民の一側面」『学習院史学』四四号。

金秉駿(二〇一一)「中国古代南方地域の水運」藤田勝久・松原弘宣(編)『東アジア出土資料と情報伝達』汲古書院。

氣賀澤保規(一九九九)『府兵制の研究』同朋舎。

佐藤達郎(二〇〇〇)「功次による昇進制度の形成」『東洋史研究』五八巻四号。

杉村伸二(二〇〇四)「景帝中五年王国改革と国制再編」『古代文化』五六巻一〇号。

鷹取祐司(二〇一八)「漢代長城警備体制の変容」宮宅潔(編)『多民族社会の軍事統治　出土史料が語る中国古代』京都大学学術出版会。

髙村武幸(二〇〇八)『漢代の地方官吏と地域社会』汲古書院。

谷沢忠之(二〇一〇)「漢初における北方郡国の再編」『東洋学報』九二巻一号。

西嶋定生(一九六一)『中国古代帝国の形成と構造　二十等爵制の研究』東京大学出版会。

布目潮渢(一九五三)「前漢の諸侯王に関する二三の考察」『西京大学学術報告・人文』三、のち『布目潮渢中国史論集　上巻』汲古書院、二〇〇三に収録。

濱川栄(二〇〇九)『中国古代の社会と黄河』早稲田大学出版部。

林巳奈夫(一九七二)『中国殷周時代の武器』京都大学人文科学研究所。

藤田勝久(一九八三)「前漢時代の漕運機構」『史学雑誌』九二編一二号。

丸橋充拓(二〇一〇)「府兵制下の「軍事財政」」『唐代史研究』一三号。

マン、マイケル(二〇〇二)『ソーシャルパワー：社会的な〈力〉の世界歴史Ⅰ』森本醇・君塚直隆訳、NTT出版。

宮宅潔(二〇一一)『中国古代刑制史の研究』京都大学学術出版会。

宮宅潔（二〇一三）「秦の戦役史と遠征軍の構成――昭襄王期から秦王政まで」宮宅潔（編）『中国古代軍事制度の総合的研究』科研費報告書。

宮宅潔（二〇一六）「秦代遷陵県志初稿――里耶秦簡より見た秦の占領支配と駐屯軍」『東洋史研究』七五巻一号。

宮宅潔（二〇一八）「征服から占領統治へ――里耶秦簡に見える穀物支給と駐屯軍」宮宅潔（編）『多民族社会の軍事統治　出土史料が語る中国古代』京都大学学術出版会。

宮宅潔（二〇一九）「秦代徭役・兵役制度の再検討」『東方学報』京都九四冊。

宮崎市定（一九九一）「古代中国賦税制度」『宮崎市定全集3』岩波書店。

籾山明（一九八〇）「法家以前――春秋期における刑と秩序」『東洋史研究』三九巻二号。

籾山明（二〇〇六）『中国古代訴訟制度の研究』京都大学学術出版会。

吉本道雅（二〇〇五）『中国先秦史の研究』京都大学学術出版会。

吉本道雅（二〇〇六）「史記匈奴列伝疏証――上古から冒頓単于まで」『京都大学文学部研究紀要』四五号。

米田賢次郎（一九五九）「前漢の匈奴対策に関する二三の問題」『東方学』一九輯。

渡辺信一郎（一九九四）『中国古代国家の思想構造――専制国家とイデオロギー』校倉書房。

渡辺信一郎（二〇一〇）『中国古代の財政と国家』汲古書院。

葛剣雄（一九八六）『西漢人口地理』人民出版社。

楊寛（一九九五）『戦国史』上海人民出版社。

楊振紅（二〇一五）『出土簡牘与秦漢社会（続編）』広西師範大学出版社。

臧知非（二〇一七）『秦漢土地賦役制度研究』中央編訳出版社。

Lewis, Mark (1990), *Sanctioned Violence in Early China*, New York, SUNY.

Loewe, Michael (1974), "The Campaigns of Han Wu-ti," Frank A.Kierman, Jr.& John K.Fairbank (ed.), *Chinese ways in Warfare*, Cambridge, Massachusetts, Harvard University Press.

漢帝国の黄昏
——前漢から後漢へ

鷹取祐司

はじめに

前二〇二年、劉邦(りゅうほう)によって創建された漢帝国は武帝の時期に最盛期を迎え、王莽(おうもう)による簒奪(さんだつ)を挟みながらも、後二二〇年に滅亡するまで四二〇年あまり続いた。本章は、最盛期である武帝の後、滅亡に至るまでの展開を記す。

漢帝国は帝国維持に必要な物資と労働力を民衆から徴発した。それゆえ、帝国の盛衰はその民衆把握の程度に規定されるが、その民衆は生命の危険を感じればたやすく逃亡する存在だった。したがって、帝国の盛衰とは結局のところ、帝国による民衆の生活保全の程度に比例することになる。文帝に仕えた鼂錯(ちょうそ)は、当時の一般的な農民について、家族は五人、耕作地は一〇〇畝(一八二アール)、その収穫は一〇〇石(一九四〇リットル)に過ぎず、その生活は自然災害や不当な徴発がなくてかろうじて維持できる水準だ、と述べている(『漢書』食貨志(しょっかし)上)。長城を守る吏卒の一カ月の食糧は三・三石なので、一〇〇石は吏卒三〇人の一カ月分の食糧にしかならない。『前漢紀』の同記事は一〇〇畝の収穫を三〇〇石とするので、収穫は吏卒九〇人分となるが、それでも家族一年分の食糧を差し引くと一〇〇石ほどしか残らない。景帝期の江陵鳳凰山(こうりょうほうおうざん)一〇号漢墓出土の食糧貸与記録である鄭里廩籍(ていりりんせき)では二五戸の平均保有田は鼂錯の挙げた例の四分の一の二五畝弱なので、なおさら生活基盤は脆かっただろう。
それゆえ、帝国存続のためには民衆の生活を守ることが必須だった。それを実現するには、為政者が農民の生活に関心を持ち、民生維持のための現実的かつ有効な政策を立案し、それを郡県の吏が忠実に遂行することが不可欠だったが、秦漢帝国の吏はともするとその立場を利用して私腹を肥やす存在だった。睡虎地秦簡「為吏之道（吏為るの道）」と同じく官吏の心得を説いた文章が岳麓書院蔵秦簡「為吏治官及黔首（吏為りて官及び黔首を治む）」や居延漢簡五〇六・七にも見える（鷹取 二〇一八b）のは、辺境の吏に至るまでそれを徹底する必要があったからに他ならない。秦漢時代に発達した文書行政はそのような吏に職務を忠実に遂行させるための手綱であり、この手綱が緩んだ途端、地方行政は民衆搾取の手段と化してしまう。搾取が民衆の受忍限度を超えると、民衆はたやすくその王朝を見限り別の権力に乗り換えることになる。

後漢末、群雄が各地で蜂起した頃、田疇という人物が宗族など数百人を率いて徐無山に立て籠った。数年間で五千余家が田疇の許に集まった。田疇は指導者に選ばれると、二十余条の刑罰規定や婚姻嫁娶の礼を定め、学校での教育も実施したという。田疇の許に集まった五千余家はまさしく漢帝国を見限り別の権力に乗り換えた人々である。

本章は、漢帝国滅亡までの経緯を帝国による民生の安定という点に注目しながら叙述する。民生安定を帝国存続の条件とするなら、漢帝国は黄巾の乱（一八四年）をもって実質的に崩壊したといえよう。武帝から黄巾の乱に至るまでのこの時期は、また、後漢滅亡の約一〇〇年後に勃発した永嘉の乱（三一一―三一六年）で歴史の表舞台に現れる夷狄が中国内地に徐々に浸透していく時期でもある。そこで、本章では中華世界への夷狄の浸潤についても随時言及してゆくことにしたい。

『漢書』食貨志上は『論語』を引いて「寡きを患えずして均しからざるを患い、貧しきを患えずして安からざるを患う。蓋し均しければ貧しきこと亡く、和すれば寡きこと亡く、安ければ傾くこと亡し」と為政者の心得を述べる。

武帝以降の漢帝国はこの言葉の正しさを逆説的に実証した。本章はその過程を跡付けることになろう。

一、前漢後期前半（昭帝―宣帝　前八七―前四九年）

昭帝即位時の国内状況と塩鉄会議

前八七年、武帝が崩御し昭帝が即位、霍光（かくこう）が輔政することになった。武帝期の輝かしい軍事的成果の影で国内は極度に疲弊していた。前一〇七年には、関東（函谷関（かんこくかん）より東の地域）で流民が二〇〇万人、戸籍未登録者が四〇万人いたし、昭帝即位時の戸口数はそれまでと比べて半減していた。昭帝期の政治課題は、負担軽減と休息によって民衆の生活を回復させることだった。霍光は貧民に対する種籾・食糧の支給や田租の徴収中止などの民生安定政策を続けざまに実施した。

前八一年、武帝期の塩鉄専売などの是非をめぐり塩鉄会議が開催された。この会議で、賢良文学（学才あるとして推挙された官僚候補者）は儒学的立場から塩・鉄・酒の専売と均輸官（各地の特産物を徴収し、不足地に供給する経済政策である均輸の担当官）の廃止を主張し、御史大夫は政策担当者として現実的見地から反論した。この議論の中で、賢良文学は貧困を罪悪の温床と認識しながらも、民衆の経済的充足や生活安定を期待しうるのは農業だけで、商業は社会に害毒を流す賊業であるとし（日原　一九八六）、塩鉄酒専売および均輸は民と利を争い人々を貪欲にし商業に向かわせるので廃止すべきだと主張した。しかしながら、農業だけでは民衆の生活は豊かにならない。前漢後期以降、政治に大きな影響を持つようになる儒学の経済政策には致命的な欠陥が内在していたのである。

宣帝の政治

宣帝の前六七年、流民八万余口の戸籍登録を顕著な功績として膠東国の国相(行政長官)である王成が関内侯を与えられた。『漢書』地理志によれば、後五年の膠東国の口数は三二万余なので、単純に比較すると八万余口はその四分の一に相当する。王成の申告数は水増しの可能性もあるようだが、少なくとも当時、八万余口が虚偽申告とは思われなかったほどに流民が大量に存在していたのである。そのような状況をうけて、宣帝は帰郷した流民に公田や種食を貸与し徭役や課税を免除したほか、水害や疫病の被害があった場合にも同様の民生安定策を実施した。

宣帝の政治姿勢を端的に表す言葉が『漢書』循吏伝に見える。「庶民が安住し憂いなく過ごせるのは、政治が公平で裁判が道理に適っているからだ。私とそれを実現するのは良二千石だ」と。「良二千石」は郡国の長官のことである。宣帝は民間で育ったため、政治や裁判が人々の暮らしにいかに大きな影響を与えるか実感していたのだろう。

その「良二千石」を代表するのが循吏である。当時、民衆の生活基盤は脆く、安定した生活を継続するには公的支援が不可欠だったが、循吏はそれを実践した。『漢書』循吏伝に列伝される六人のうち四人が宣帝期の人物である。例えば、渤海太守の龔遂は民が奢侈に奔り農業に努めない様子を見て、自ら倹約を実践し民に農業を勧めると共に、一人当たり楡一本、薤一〇〇本、葱五〇本、韭一畦分を植え、母豚二頭、鶏五羽を飼うよう指導した結果、郡中の人々は皆豊かになって裁判沙汰もなくなったという。宣帝はその一方で、地域社会を害する豪族に対しては酷吏を用いて弾圧した。事あればすぐに流民化する民衆の生活は、地方官の支援によって辛うじて維持されていたのである。

夷狄の内徙

武帝期の対外積極策は国内に甚大な影響を与えただけでなく、周辺夷狄の内徙(中国内地への移住)という新たな状況も生み出した。前一二一年、匈奴の渾邪王が部衆四万余人と共に投降すると、漢帝国は辺境に設置した五属国に投降匈奴を分徙した。この五属国の設置地域は、戦国秦以来の旧長城より北、黄河より南の地域で、後の天水・安定・上郡・西河・五原郡の地域に当たる。渾邪王ら五人に封爵して、五属国に分徙した各集団の統率者とし、匈奴固有の部族組織等を維持したまま自給させると共に塞外にいる匈奴の侵寇に備えさせた。その後も、武帝期に張掖属国、宣帝期に西河属国と北地属国が置かれ、投降匈奴がそこに遷徙された。属国は、対匈奴最前線の後背地に軍事力として投降匈奴を配置し、状況に即応した動員を可能にする極めて軍事色の強い異民族統御システムだった（熊谷 一九九六）。

属国へは羌も遷徙された。羌はもともと隴西・北地・上郡の地にいたが、戦国秦の討伐を受けて金城郡の湟水流域に逃れ、さらに、秦を避けて越巂・広漢・武都郡に移住する種もあった。漢代に入って武帝が武威・張掖・酒泉・敦煌の河西四郡を拓いて羌と匈奴の連携を遮断すると、漢と羌は敵対関係となった（佐藤(長) 一九七八）。前六二年、羌と匈奴の連携を知った漢による討伐で四千余人が投降したので、金城属国を設置し降羌（投降した羌族）を遷徙した。その際、匈奴の場合と同様に、降羌の酋豪（指導的立場の有力者）に封爵している。この討伐戦の過程でも三万余人が投降しており、彼らも金城属国に遷徙されたのだろう。

なお、属国設置以前にも匈奴と羌は内徙していた。文帝期末から武帝期までに、漢に降って列侯に封ぜられた匈奴酋豪が三十余人おり、その封地は涿郡・魏郡・鉅鹿郡・南陽郡・潁川郡・琅邪郡・淮河郡一帯に置かれた（米田 一九五九）。武帝期に禁軍（近衛軍）として新設された七校尉のうち長水・胡騎の二校尉配下の部隊は胡騎（胡族の騎兵）であったが、渾邪王投降以降に帰義した者は基本的に属国におかれた（米田 一九五九）ので、この二校尉配下の胡騎は、おそらく武帝期までに投降し三輔（前漢の首都圏にあたる京兆尹・左馮翊・右扶風）方面に移住させられた胡人の中から選抜されたのだろう（浜口 一九六六：第一部第六）。羌については、景帝の時に研種の留何が種人を率いて隴西塞を守ることを願ったので、留何らを隴西郡内の狄道・安故・臨洮・氐道・羌道県に遷徙している。また、前一〇八年には武都の氐人が反乱を起こしたので、酒泉郡に分徙した。武都郡の地はもともと氐人の居住地で、前一一一年の武都郡設置後もこの地に継続して居住していたのである。

このように、宣帝期頃までに、匈奴・羌・氐などの夷狄が帝国西北辺の諸郡に少なからざる規模で内徙するようになっていた。基本的には、属国での在り方のように、当該部族固有の部族組織等を維持したまま存在し、その一部は選抜されて漢軍に編入された。両漢（前漢・後漢）交代期の河西には「張掖属国精兵万騎」（『後漢書』竇融伝）が存在し竇融の軍事力を支えていた。肩水金関出土簡牘にも「属国胡騎、充国佰県泉里……」（73EJT14: 2）と記された属国胡騎の名籍が見えるが、「佰」は属国都尉―部（候）―仟―佰という属国の統属系統の「佰」で、「充国」は漢人名なので、この胡騎は元来の部族組織から引き離されて漢人官僚の下に編成されていたのだろう（佐藤（達）二〇一八）。

塞外の烏桓（烏丸）もまた漢帝国と関わるようになった。前一一九年、霍去病が匈奴左地（東部地域）を撃破したのを機に、上谷以東の五郡（上谷・漁陽・右北平・遼西・遼東）の塞外に居住する烏桓が漢と直接交渉を持つようになった（吉本二〇一〇）。烏桓は長らく匈奴に隷属していたが、匈奴の支配が消えて表舞台に出てきたのである。漢は護烏桓校尉を幽州に設置して烏桓を監督させた。

また、帝国南方には蛮とよばれる夷狄がいた。武陵郡・南郡・巴郡にいた蛮には賨銭・賨布という賦を納めさせていた。張家山漢簡・奏讞書の案例一では、兵士として都尉に徴発された蛮民が、賨銭を納付しているので軍役従事の義務はないと逃亡して捕らえられた事例が見える。蛮民は漢初においてすでに個別に把握されていたことが窺える。

二、前漢後期後半（元帝―哀帝　前四九―前一年）

政治への儒学の浸透

前四九年に即位した元帝は儒学官僚の登用を進めた。元帝は自ら登用した貢禹の提言に従って宮廷関連支出の節約や宮衛兵士の削減、税の減免を実行した。貢禹はさらに銅銭を廃止し布帛・穀物を用いることを提言した。貢禹は民衆が農業を棄てて商業に走るのは貨幣のせいと考えたのである。この提案は実施されなかったものの、儒家官僚が理念優先で現実経済の理解が決定的に不足していることを如実に示すものである。この時期、儒学はすでに政治に深く入り込んでいた。その結果、経済振興による民衆の生活向上が帝国の政策として推進されることはなかった。

外戚王氏の勢力拡大

前三三年、元帝が崩御し、王皇后(元后)の実子である成帝が即位した。これを機に外戚王氏が権勢を振るうことになる。後漢で常態化する外戚専権の始めである。一族一門から列侯・地方長官を輩出し奢侈を極める王氏を公卿は「側目」した(『漢書』元后伝)。これは後漢の外戚として横暴を極めた梁冀(りょうき)の場合と同じだが、王氏は粛清されなかった。王氏は放埒一辺倒ではなく、優れた人物を好み私財をもって賢者を養成しているし、成帝の軽挙を諫めることもあった。加えて、奢侈が過ぎて成帝の怒りを買った王氏が成帝ではなく元后に謝罪したことが端的に示すように、一族の中で格別の存在だった元后が、王莽簒奪後の後一三年まで健在で、その間、「天下の母」として王氏の専横を抑制し続けたのである。これが、王氏が粛清されなかった理由であると共に、王莽の簒奪にまで至ってしまった理由でもあろう。

官僚の不作為

昭帝期以降、休民政策の成果もあり漢人による大規模反乱は皆無だったが、前一九年には鄭躬(ていきゅう)ら六十余人が広漢郡で反乱を起こし、一万人近くがそれに加担した。この乱の鎮圧後、宣帝皇后の邛成太后(きょうせいたいこう)が死去しその葬儀のために臨時の賦斂が行われた。それを知った成帝は丞相薛宣(せっせん)を罷免した。成帝はその際、「先に広漢の群盗が好き放題暴れ、吏民に危害を加えた。朕はそれを悼みしばしば君に問うたが、君は事実を答えなかった。また、邛成太后の葬儀に際し三輔では限度のない賦斂が行われ、酷吏がそれを好機として不正を働き百姓を侵害したので、君に調査させたのに、君は事実を解明する気がなかった。九卿以下が皆君の意を忖度し虚偽報告の罪を犯したのは、君のせいである」と言って薛宣の不作為を責めている。後漢後半になると、このような官僚の無責任によって行政の停滞が見られるようになる。その芽はすでにこの頃には生じていたが、皇帝による官僚統御によって今しばらくはその芽が大きく伸びることはなかった。

豪族・吏と民衆

前七年、即位した哀帝は、高級官僚や豪族が広大な田宅と多くの奴婢を保有し民と利を争う結果、民衆の生活が危うくなっているとして、土地と奴婢の所有制限を臣下に議論させた。その結果、吏も民も耕作地登録は三〇頃(けい)(五四・六ヘクタール)まで、奴婢の数にも制限を設け、超過分は県官に没収することを有司は提案した。この提案は外戚や寵臣の反対で実施されなかったが、上限を超える土地や奴婢を所有する例が相当数あったことが窺える。その代表例が樊重(はんじゅう)であろう。三〇〇頃もの広大な農地を有し、郷里の人々に貸した金は数百万銭にのぼったという(『後漢書』樊宏伝)。ちなみに、居延漢簡三七・三五に見える候長礼忠(れいちゅう)の資産は奴隷三人、馬五頭、宅一区、田五頃の計一五万銭なので、樊重は礼忠の全資産の数十倍もの銭を貸し付けたことになる。樊重は遺言でその債権を放棄しているが、他の豪族から借りた者には返済のため自ら身売りして奴隷となる場合もあっただろう。そのようにして農民の持つ土地を兼併し、その農民を奴隷としてあるいは奴隷的に使役する豪族が前漢末には広範に存在していたのである。

この限田策の中で有司は残虐な吏の罷免も提案しているが、吏の残虐行為は鮑宣(ほうせん)の上書にも見える。鮑宣は民が逃亡する原因として、陰陽不調による水災旱害、県官による重税、貪吏による公務に乗じた物資徴発、豪強大姓の侵害、苛吏の徭役使役による農作業への支障、盗賊逮捕のための民衆動員、盗賊による略奪の七つがあるという(『漢書』鮑宣伝)。うち四つが吏に関わるもので、当時、吏の恣意的な徴発や動員によって民衆は逃亡を余儀なくされるほど追い詰められていたわけである。成帝期に久々に起こった鄭躬らの反乱はそのような民衆による抗議であった。

長城警備体制の変容

漢帝国は河西四郡を防衛するために長城を建設し、戍辺(辺境防備)の義務として徴発した民衆にそれを守らせた。当初、長城警備に従事する戍卒は魏郡・東郡・淮陽(わいよう)郡・南陽郡などの内地から徴発されて来ていた。戍卒の任期は一年だったが、早くも宣帝期から一年を超えて長城警備に従事しなければならない状況が発生していた。そのため、長城警備への就役が忌避されるようになり、徴発対象となった者が身代わりを個人的に雇って代理就役させるようになった。居延(きょえん)漢簡には二万九〇〇〇銭や四六〇〇銭で個人的に身代わりを雇った例が見える。漢代の成年男子が年に一カ月労役に従事する義務である更卒(こうそつ)を免除してもらう際の免役銭は月三〇〇銭(『漢書』荊燕呉(けいえんご)伝服虔(ふっけん)注)なので一年間では三六〇〇銭となり、二万九〇〇〇銭はその八倍にもなる。それだけの報酬を払ってまで就役を回避した者がいたわけである。赴任する戍卒たちは一〇人で車一台に荷物を載せて運んだが、そのうちの六人が身代わりという記録もあるほどだった。戍辺におけるこのような身代わりの雇用は、その主体が帝国ではないけれども、実質的には募兵制である。この実質的募兵制は、天下の人が等しく戍辺の義務を負うという原則を否定するとともに、忌避すべき兵役を経済的余裕のある者だけは合法的に回避できるという不公平を公的に容認するものだった。原則の否定と財力による不公平の公認という点において後述の贖刑と通底する。

金銭を払って就役を回避しようとする者が増えるとその対価は高騰し、そのため金目当てで代理就役する者が増えた。その結果、勝手に持ち場を離れたり犯罪行為に走るなどして長城警備業務の遂行に支障が出てくるようになった。

このような金目当ての応募兵の質の悪さは、郡国常備兵を廃止した後漢ではさらに深刻な問題となる。この時はそれを回避するため、徴発対象者が身代わりに支払うべき傭銭を戍卒徴発担当の県が預かり、それを辺境に輸送して、辺境で代わりの就役者を雇って長城警備に従事させるようにした。かくて、内地から徴発されていた戍卒は、成帝中期以降、地元出身者に置き換わっていった(髙村 二〇〇八)。これ以降、「万歳部居摂元年九月戍卒受庸(傭)銭名籍」(EPT59: 573)という名籍が作成されるほどに戍卒の傭銭受取りは一般化し、一年を超えて複数年勤務する者も現れるようになった。このような戍卒の傭兵化というべき状況が前漢晩期には進行しており(鷹取 二〇一八a)、民衆の兵役義務の一つである長城警備のあり方も大きく変質していたのである。

三、王莽執政期(平帝―王莽・新 前一―後二五年)

王莽の政策

八年、真皇帝となった王莽は自分の理想とする国造りを急速に進めてゆく。官僚制度や爵制、地方行政区画およびその名称、貨幣制度など大幅な変更を繰り返し実施した。これらの改革は王莽が理想とする古制に合わせようとするもので、わずか一〇年あまりのあいだに強行されたため、行政や社会は混乱に陥った。目まぐるしい貨幣変更に乗じた盗鋳や、土地・奴隷の売買禁止違反で、罪に当たる者が数えきれないほど出る結果となった。ただ、民衆生活の安定を目指す政策もなかったわけではない。井田制に似た土地配給制度や、武帝期の均輸・平準(平準は、官が余剰物資を購入しておき、騰貴時にそれを放出して価格上昇を抑制する経済政策)に類似した六筦(りくかん)の制なども実施された。しかしながら、例えば、六筦の制の実施に際しては実務担当者に富商を任命したため、郡県吏とグルになって不正を働き、逆に民衆の憂いとなったし、自然災害の救済原資に充てるため、自然災害があった場合に被害割合に応じて吏の俸禄を減額する制度も作ったが、仕組みが複雑で被害割合を計算できなかったために吏は俸禄を得られず、賄賂を生活の糧にせざるを得ない始末であった。このように王莽の改革には民生の安定を目的とするものもあったが、その実施が拙速かつ制度に多くの不備があったため、逆に、民生を脅かす結果となってしまった。

一七年、子の仇討ちのために呂母（りょぼ）が起こした反乱に一万人が加わった。その多くが厳しい法律と徴税等を理由に加わっており、当時、民衆がいかに追い詰められていたかを物語る。これをきっかけに各地で反乱勢力が蜂起し、王莽は二三年九月に殺された。光武帝の再興した後漢王朝によって統一が完全に回復されるのはその一三年後である。

両漢交代期の居延

王莽末から後漢再興の時期の居延漢簡には、隗囂（かいごう）の「復漢（ふくかん）元年」（二三年、『漢書』隗囂伝は「漢復」につくる）、更始帝（こうし）の「更始二年」「更始三年」（二四・二五年）、赤眉（せきび）の「建世二年」（二六年）、平帝の年号を継続した「漢元始廿六年」（二六年）という年号が相次いで見えていて、内地の政治状況が居延にも影響を与えていたことが窺える（鵜飼 一九九六）。その一方で、居延における長城警備はそれ以前と同じように安定して業務が継続されていた。文書行政の厳格な運用がそれを実現した（永田 一九八九、冨谷 二〇一〇）。

居延の長城警備業務は原則的にすべて文書によって伝達・管理されていた。そうすることで、業務が規定通り遂行されているか常に監視していたのである。規定通りでない場合、処罰の対象になった。例えば、出張先への戍卒引率で集合期日に遅れたら引率担当の吏に懲罰として物資輸送をさせたり、烽隧備品の不備の放置に対しては担当者を刑事告発している。匈奴の襲撃を受けた烽隧の被害状況を馬に乗って確認しに行ったところ、その馬を匈奴に奪われたとして告発された例もある。この場合、馬の略奪だけでなく、文書伝送用の馬を勝手に被害状況の視察に使用したという馬の目的外使用までもが罪とされている。このような厳格な監督が実施されていたからこそ、内地が混乱の渦に巻き込まれている時期にあっても居延地域の長城警備はそれ以前と同じ形で遂行されていたのである。

先述のように王莽は地名や官名を何度も変更した。それに伴い、この時期の居延漢簡に見える居延都尉の名称も、居延大尉→左大尉→後大尉→延城大尉→居成大尉と五度にわたって変更されていて(冨谷 二〇一五)、この官名変更が居延でもきちんと実施されていたことが確認できる。徹底した文書行政は、朝令暮改的な王莽の命令さえ吏に確実に遂行させることができたのである。

四、後漢前期(光武帝―章帝 二五―八八年)

後漢再興時の国内状況と光武帝の政策

王莽末の混乱は社会に重篤な打撃を与えた。それを示す指標の一つが戸口数である。王莽の執政が始まったばかりの二年は「漢極盛」(『漢書』地理志下)とされ、口数五九五九万余を数えたが、光武帝末の五七年の口数は二一〇〇万余(『続漢書』郡国志五注所引『漢官儀』)で二年の約三五%まで減少している。ただし、王莽末の混乱で三八〇〇万人以上が死んだわけではない。混乱によって相当規模の人口減少はあったにしろ、この口数の減少は後漢帝国による捕捉人数が前漢末期の半分にも及ばなかったということを示すもので、それだけ多くの人々が逃亡したり流民化していたということである。

それゆえ、後漢朝廷が務めるべきは民生の安定と戸籍による民衆把握であった。光武帝が特に力を入れたのが、王莽期以来の混乱の中で罪を犯して捕らえられた者や奴隷に身を落とした者の解放だった。二九年、未決囚を解放して、死罪以外の罪は一切取り調べないこと、刑徒はすべて解放して庶人とすることを命じ、三〇年には、王莽期に違法に没入されて奴隷となった者を解放した。これ以降も同様の命令を何度か出している。光武帝が未決囚や刑徒の解放を積極的に進めたのは、王莽期、田宅奴婢の売買および盗鋳の罪で捕らえられた者や盗賊に略奪され奴隷とされた者が無数におり、社会の安定には彼らの身分回復が不可欠だと考えたからである。これらの施策と、戸籍登録した流民への賜爵や帰還に際しての食糧援助といった明帝以降実施した政策の甲斐あって、章帝末の八八年には口数四三三五万余（二年比七三％）、安帝末の一二五年には口数四八六九万余（同八二％）にまで回復した（『続漢書』郡国志五注所引『漢官儀』）。

地方行政組織の簡素化と地方官による民生安定策

このような戸口の減少を踏まえて、光武帝は行政組織を簡素化した。三〇年、県侯国四百余を併合するとともに郡県吏員も一〇分の一に削減した。かくて地方行政組織は簡素化されたが、章帝の頃までの地方官には民生安定に治績をあげた者も少なくなかった（紙屋 二〇〇九：第一三章）。例えば、光武帝期に南陽太守になった杜詩は民衆を虐げる者を誅し賦役を軽減したほか、農地に灌漑水路を建設し農機具を鋳造したり、溜め池を修治し農地を開拓するなどしたため、郡内の人々は豊かになった。また、章帝期に山陽太守になった秦彭は稲田数千頃を開墾し、農繁期に自ら耕地を測量し土地の肥瘠を三ランクに定め帳簿に記録した。これによって、姦吏が徴税に託けて搾取することができなくなったので、章帝はこの方法を全国で実施するよう命じた。先述の戸籍登録口数の回復はこのような地方官の努力の成果でもあった。漢帝国は徳俵に足が掛かった状態になりながらもなんとか踏ん張ったわけである。

郡国常備兵の廃止

光武帝はまた郡国の常備兵も廃止した。三〇年、郡国で軍事を担当する都尉を辺郡を除いて廃止した。郡内で大規模な盗賊が発生した場合は、郡が臨時に都尉を設置して対応し、鎮圧すれば都尉を解任することとした。都尉の廃止に併せて都試（郡太守が主宰する講武礼および兵士の戦闘技術の試験。志野 一九九五）も廃止し、翌年には軽車・材官・騎士・楼船士も廃止してその任にあった者を帰郷させた。

この材官等に関しては諸説あるのでここで検討しておきたい。材官等についての基本史料である次の二史料は、各史料内での対句的表現（傍線部）と、「力役」の語義および両史料の対比から、次のように句読するのが妥当である（重近一九九九、鷹取二〇二二）。

又加月為更卒、已復為正一歳、屯戍一歳。力役三十倍於古、田租口賦塩鉄之利二十倍於古。〔また加えて月に更卒と為り、已にして復た正と為ること一歳、屯戍すること一歳。力役は古に三十倍し、田租口賦塩鉄の利は古に二十倍す。〕

『漢書』食貨志上所載董仲舒上言

民年二十三、為正一歳、以為衛士一歳。為材官・騎士、習射御騎馳戦陣。八月太守・都尉・令・長・相・丞・尉会都試、課殿最。水家為楼船、亦習戦射行船。辺郡太守各将万騎……。不給衛士。材官・楼船年五十六老衰、乃得免為民就田。〔民 年二十三にして、正と為ること一歳、もって衛士と為ること一歳。材官・騎士と為るものは、射御騎馳戦陣を習う。八月太守・都尉・令・長・相・丞・尉 都試に会し、殿最を課す。水家は楼船と為り、また戦射行船を習う。辺郡太守 各おの万騎を将い……。衛士を給せず。材官・楼船 年五十六にして老衰なれば、すなわち免じて民と為し田に就くを得。〕

『続漢書』百官志五注所引『漢官儀』

先行研究の中には、この『漢官儀』冒頭の「民年二十三為正」と後の「年五十六老衰」とを対応させ、二三歳を正の負担開始年齢、五六歳をその免除年齢とする解釈もある（浜口 一九六六：第二部第三）。この解釈では、「不給衛士・材官・楼船。年五十六老衰」と句読され、五六歳で「免じて民と為」すとあることから、それ以前は民とは異なる何らかの身分であったとして、その身分を冒頭の「正」と理解する。その結果、『漢官儀』冒頭は「民年二十三為正、一歳以為衛士……」と句読されることになる。しかしながら、この部分は「民年二十三、為正一歳」と句読すべきことと先述の通りである。この句読では民と異なるその身分を正とは理解できないので、五六歳で免ぜられるべき身分が文中に示される必要がある。「年五十六老衰」の前には衛士・材官・楼船が見えるが、衛士は一年限りなのでその身分にはそぐわない。その結果、「年五十六老衰、乃得免為民就田」の主語は材官・楼船と解釈するのが妥当である。『漢官儀』冒頭の「年二十三」は民衆の兵役義務開始年齢であるが（浜口　一九六六：第二部第四）、「為正」とは切り離されるので、正になる年齢ではなく、傅籍（兵役義務負担者名簿への登録）の年齢と考えるのが妥当である（山田　一九九三）。

上掲の句読では、董仲舒上言の「屯戍一歳」と『漢官儀』の「為衛士一歳」が対応するので、この部分は衛士あるいは戍卒として一年間就役することを意味する（労榦　一九七六）。また、『漢官儀』の「不給衛士」は、内郡の民衆は衛士か戍卒のどちらかに就役するのに対して、辺郡では専ら戍卒として就役するという意味だろう（韓連琪　一九五六）。

以上の検討から、民衆は兵役として、二三歳以降、正に一年間、衛士または戍卒に一年間、計二年間就役する義務があったと考えられる。

一方、材官等は、『漢官儀』に軍事訓練を受けるとあり、実際、肩水候官駐屯の騎士は機動性のある攻撃部隊なので、これらは訓練された特殊技能兵と考えられる（大庭　一九九二）。『後漢書』光武帝紀建武七年条注所引の『漢官儀』にも「高祖　天下の郡国に命じて能く関を引き蹶張する材力武猛なる者を選んで、もって軽車・騎士・材官・楼船と為し、常に立秋の後をもって講肄課試す。各おの員数有り」とあり、材官等が材力武猛者を選抜して訓練した兵士で定員もあったことを明記する。前掲の百官志注所引『漢官儀』の「材官・楼船年五十六老衰、乃得免為民就田」から、材官等は民とは異なる身分で田作には携わらず五六歳まで務めたことがわかるが、これも材官等が軍事に専従する常備兵であることを示す。さらに、百官志注所引『漢官儀』には都試を受けて殿最（勤務成績）を評価されるとあるが、居延漢簡にも「九月の都試、騎士は馳射し、最なれば、人率に五算半算を得」(E. P. T52: 783)と見え、騎士が都試の成績で考課されていることが確認できる。漢簡には都試と同じく考課のために実施された秋射も見え、その対象は隧長などの軍吏だった。軍吏だからこそ考課の対象となるわけで、材官等が都試を受けて考課されていることは、それらが軍吏に準じる存在だったことを示す。

以上の検討から、材官等は民衆の兵役義務とは別に特殊技能兵として選抜・編成された郡国常備兵と考えてよい。この材官等と都試の廃止は、尚文偃武・修徳安民といった光武帝の儒教的思想に基づく英断ともされる（浜口 一九六六：第一部第七）が、光武帝が隗囂・公孫述以外の勢力をすべて制圧した時点において、「今 国 衆軍有り、並びに精勇多し」（『後漢書』光武帝紀）と配下に充分な精鋭部隊がいることを理由に敢行していることから、光武帝自身と同じように都試に集まった材官等を擁して挙兵する敵対勢力の出現を未然に防ぐためだったと考えるべきだろう（志野 一九九五）。

なお、民衆の兵役義務である正と衛士・戍卒について補足しておくと、戍卒は長城の烽隧で主に見張りを担当しているし、衛士も宮城の城門と城内の警備および車駕への扈従がその任務で（浜口 一九六六：第一部第六）、基本的に見張り担当である。戍卒も衛士もそれに徴発されたのは軍事訓練を受けていない民衆なので、実際の戦闘などとても務まらない。長城では騎士が、都では期門・羽林および七校尉が実戦部隊であった（浜口 一九六六：第一部第六）。正に徴発されたのも軍事訓練を受けていない民衆で、居住する県において官府などの警備を担当した。正は正衛とも呼ばれたが、それは「衛（警備）」を主に担ったからだろう。張家山漢簡二年律令・津関令に見えるところの関所や塞に詰めたり吏に率いられて盗賊を追捕している「卒」や、長沙五一広場東漢簡牘に見える「門卒」「亭卒」などが正としての就役だったのだろう（鷹取 二〇二一）。

漢代は兵農未分離だったと言われる（浜口 一九六六：第一部第八）が、もっぱら軍事に携わる兵士は期門・羽林などの兵や材官等として別に配備されていた一方で、民衆の兵役である正や衛士・戍卒が担当するのは実戦ではなく、官府の警備や盗賊を追捕する吏の補助などの警察業務である。漢代には後世の兵戸制のような戸籍区分はないものの、徭役や警察業務に就役する者と実戦部隊とは明確に区別されており、この意味では兵農は分離していた。漢代の兵農未分離は、民衆が就くべき兵役が戦闘技術不要の正や衛士・戍卒としての就役で、実質的に徭役と変わらなかったことで生じた状況だったのである(鷹取 二〇二二)。

光武帝が対抗勢力の出現を未然に防ぐために敢行した材官等の廃止は、軍事訓練を受けた常備兵が郡国に存在しない状況を作り出したが、これは想定をはるかに超えて郡国の治安維持と民衆の生活に多大な影響を与えることとなった。

贖刑の定期的実施

明帝即位以降、刑罰を銭穀などの納入で代替する贖刑が死刑以下の刑徒に対して実施されるようになった。贖刑は前漢時代にも特例的に実施されたことはあったが、明帝期以降のそれは実質的に定期的な実施だった。贖刑については、すでに前漢宣帝期の蕭望之(しょうぼうし)や元帝期の貢禹が、贖刑の恩恵を受けられるのは富者のみであるため、貧富によって刑罰が異なることとなり法の一貫性が失われると批判している。贖刑の実施もまた原則を否定し財力による不公平を公認するものであった。後漢では桓帝期の人王符(おうふ)が「いったい民衆が軽々しく盗賊となり、吏がたやすく悪事を働くのは、赦令と贖刑がしばしば実施されそれを受ける望みがあるからだ。もしも、罪を犯したら一生指名手配され、逮捕されたら必ず刑罰が当てられるならば、悪行の計画は破れ、悪事をしようという気持ちも絶えるだろう」(『潜夫論』述赦篇)と述べ、赦令と贖刑の頻繁な実施は法令遵守の弛緩をもたらすと批判している。中国古代の刑罰は、社会の安定、治安の維持、さらには皇帝の意思命令の貫徹を志向する強制装置であり、それゆえ、刑罰は予防と威嚇を主たる目的とする目的刑であるとされる(冨谷 一九九八)。同時代人である王符は刑罰のこのような本質を正しく認識していた。実際、後漢王朝滅亡への第一歩となった第一次党錮(とうこ)の禁(宦官による清流士大夫弾圧事件)は、占いで赦令の発布を予知した張成という人物が子に人を殺させたことが発端だった。刑罰の機能を失わせる赦令や贖刑の頻繁な実施は、中央・地方の有力者の違法行為が見逃されたことと相俟って、法令の遵守や社会秩序の維持に致命的な影響を与えた。

夷狄の内徙

両漢交代期、匈奴・烏桓はしばしば代郡以東の諸郡を侵寇し、その被害は甚大だった。当時、代郡には張曄が、河北には彭寵が、安定郡には盧芳が割拠していて、匈奴・烏桓・羌は彼らにも協力していた。そこで、光武帝は匈奴征伐に踏み切ったものの成功しなかったため、三三年以降、北辺諸郡の吏民を内地に遷徙したり郡自体を廃止したりして、上谷・代・雁門・定襄・雲中・五原・朔方・北地の八郡を実質的に放棄した。ところが、四八年、匈奴の日逐王比が内訌から南辺八部の衆四、五万人を率いて漢への投降を願った。その二年後、光武帝は南単于(日逐王比)を西河郡美稷に内徙し、使匈奴中郎将を設置して監視護衛させた。南単于配下の部衆は、先に実質放棄したうちの七郡に各侯王に率いられて分居した。これに伴い、光武帝は旧居住民を帰還させると共に内地からの移住者も募集して、放棄した八郡を回復した。この後、北匈奴から、五九年に一千余人、八三年に三万八〇〇〇人、八七年には鮮卑からの攻撃を機に五八部二〇万人が投降した。その結果、南匈奴は二三万七千余口を擁するようになった。

一方の烏桓は、遼東塞外に南下してきた鮮卑に圧迫されて遼西に遷徙しており、二五年には、烏桓大人(烏桓の指導的地位にある有力者)が九〇〇〇人を率いて帰順を願った。光武帝は、大人八一人に封爵し、遼西郡から朔方郡に至る北辺諸郡の塞外に分徙した(吉本 二〇一〇)。その際、上谷に護烏桓校尉をおき、内附の烏桓を領護するとともに鮮卑も監督させた。

羌は王莽末の混乱に乗じて隴西・金城郡に侵寇したが、その地に割拠していた隗囂はそれを自身の勢力下に置いていた。三三年、隗囂が死んだ際、後漢はその配下の羌を取り込むべく護羌校尉を設置した。三五年には羌の一種である先零羌が臨洮に侵寇したので討伐し、降羌を天水・隴西・扶風に遷徙した。翌年には武都郡の参狼羌も反乱を起こし、その討伐戦の中で守塞の諸羌八千余人が投降した。五八年には隴右を侵寇した先零羌を討伐し、投降した七〇〇〇口を三輔に、少し後だが一〇一年にも塞内に侵寇しようとした先零羌を迎え撃ち、投降した六千余口を漢陽・安定・隴西郡に分徙した。また、戦国期に秦を避けて南下した種も後漢になって内属し、広漢・蜀郡の二属国を設置して遷徙した。

後漢前期の段階で、匈奴は前漢期に属国が設置された天水・安定・上郡・西河・五原・張掖・北地に加えて代・雁門・定襄・雲中・朔方郡にも内徙し、羌は前漢期までの隴西・北地・上郡・越巂・広漢・武都・酒泉郡・金城属国に加えて三輔・漢陽・安定郡・広漢属国・蜀郡属国に内徙した。烏桓は前漢期には上谷・漁陽・右北平・遼西・遼東五郡の塞外にいたが、後漢になると代郡・雁門・太原・朔方郡の塞外にも拡散し、後漢中期以降になると南下して塞内に居住するようになった(吉本 二〇一〇)。後漢帝国はこれらの内徙夷狄を管理するために、張掖・張掖居延・上郡・酒泉・金城・安定・広漢・蜀郡(以上、羌)、西河(匈奴)、遼東(烏桓)の各属国を新設または再置した(小林 一九八九)。前漢期も含めて帝国領内に居住する夷狄の分布状況を示すと**図1**のようになる。永嘉の乱勃発直前の「関中に住む百余万人のうち、夷狄がその半ばを占める」(『晋書』江統伝)という状況はすでに始まっていたのである。

こうして帰順した南匈奴・烏桓・羌は、後漢の軍事行動に協力した。例えば、七三年に竇固が北匈奴を討伐した際には、酒泉・敦煌・張掖郡の甲卒および盧水羌胡一万二〇〇〇騎、武威・隴西・天水郡の募士および羌胡一万騎、河東・北地・西河羌胡および南単于兵一万一〇〇〇騎、太原・雁門・代郡・上谷・漁陽・右北平・定襄郡兵および烏桓・鮮卑一万一〇〇〇騎が出撃している。ここで動員されている胡兵の多くは当該郡国内に移徙していた者で、漢から封爵を受けた部族長を介する形で護烏桓校尉や護羌校尉によって動員されたのだろう(佐藤(達) 二〇一八)。光武帝による郡国常備兵の廃止によって、このような内徙夷狄の軍事利用が加速することとなった。

夷狄が内徙した郡には当然、漢人も居住しており胡漢雑居の状況が出現した。その実情について、三三年に護羌校

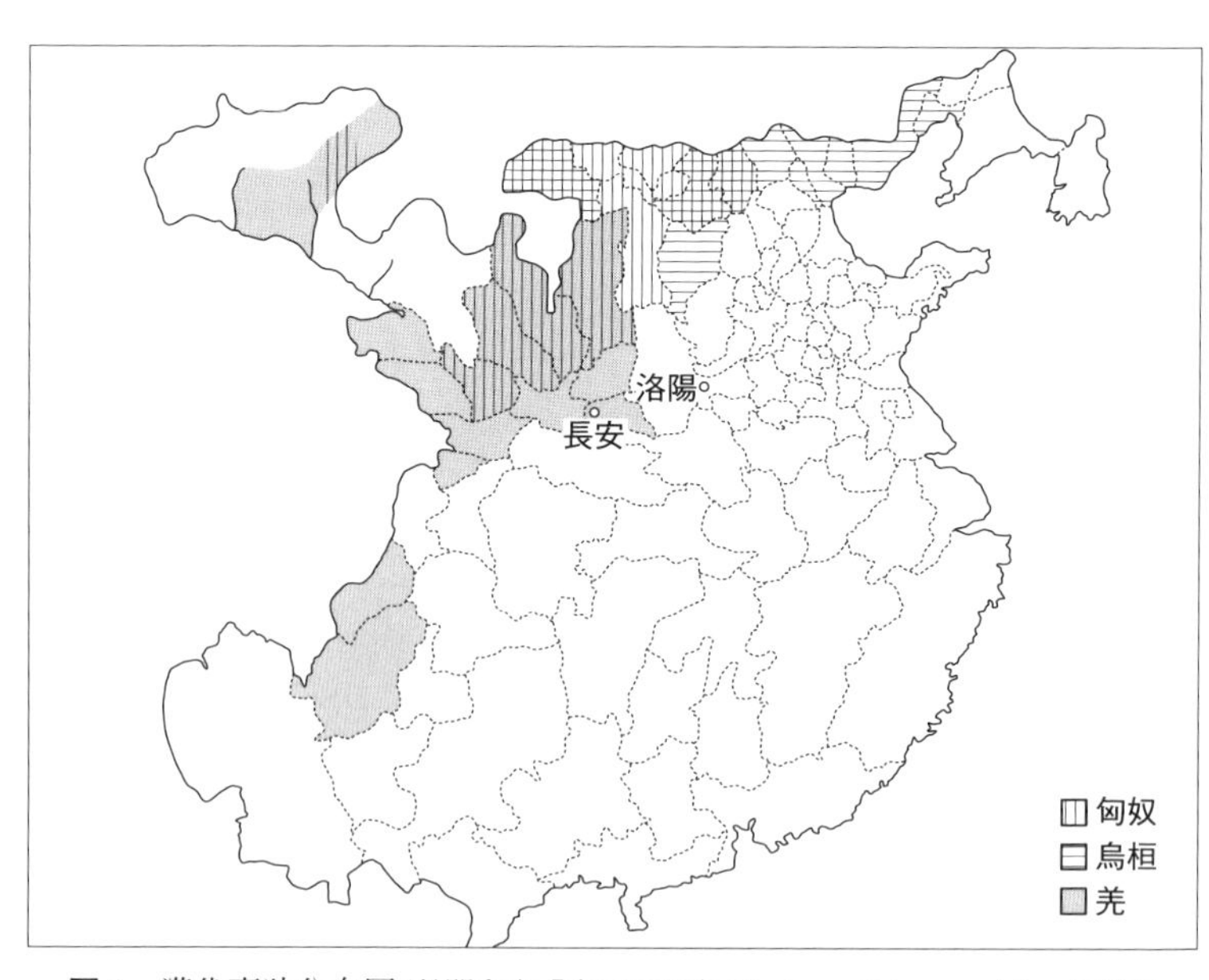

図1 漢代夷狄分布図(鶴間和幸『中国の歴史03 ファーストエンペラーの遺産 秦漢帝国』講談社(2004年)所収「後漢時代の郡国図」より作成)

尉再置を提案した班彪は「涼州に住む降羌は漢人と雑居しているが、習俗も異なり言語も通じず小吏や黠人に侵奪されて、辛抱たまらず反乱を起こしている。蛮夷の反乱はおおむねそのためだ」と述べている。実際、居延漢簡には吏民がその地に住む夷狄を使役していないか調査せよとの命令も見え(佐藤(達)二〇一八)、漢人による夷狄の搾取が行政運営に支障をきたすほどだったことが窺われる。内徙した夷狄には、旧来の部族制の形態を維持する者もあったが、それから切り離されて個別に漢人に支配された者もいたわけである。

その一方で、内徙夷狄の部族長の子弟には明帝が整備した学校で学ぶ者もあった。後に五胡十六国の魁となった劉淵は、『毛詩』『京氏易』『馬氏尚書』『春秋左氏伝』『孫呉兵法』に通じ、『史記』『漢書』諸子の書で綜覧しないものはないというほどの教養をもっていたが、劉淵のような中国的教養を身につけた匈奴人が生まれるその濫觴がここにあったのである。

前漢武帝期から後漢時代にかけて進んだ周辺夷狄の帝国領内への遷徙は、地域社会・軍事・文化の面において中華と夷狄の混淆を進めることとなった。永嘉の乱で華々しく表舞台に登場する胡族はその中で育まれたのである。

五、後漢中期(和帝―鄧太后臨朝期　八八―一二一年)

行政刷新策

八八年、章帝が崩御し一〇歳の和帝が即位した。九二年からの和帝親政期と、和帝崩御後に一三歳の安帝を擁立して臨朝称制(皇帝の代行)した鄧太后の期間には、地方行政の刷新策が積極的に推進された(上谷　一九九四)。和帝は良吏の登用が政治の基本であるとして特に官吏登用法である選挙を重視し、推挙された士を自ら策問し郎吏に任命して、その中から適任者三〇人を県令長に任命したり、郡国の行政状況を中央に報告する上計吏を郎官に任用した。地方の実情に通じた上計吏を郎官に任用するという点に、和帝の地方行政重視の姿勢が窺える。また、この時期は大規模災害が集中して発生した(多田　一九六八)ので、賑恤稟貸・税の減免・流民対策なども積極的に実施された。

鄧太后は一二一年に死去するまで臨朝称制を継続したが、前漢時代の外戚の禍を鑑み、首都圏警察長官にあたる司隷校尉などに鄧氏の不法を厳しく取り締まるよう詔を下して鄧氏の専横を抑制した。鄧氏は太后の祖父の代から慎ましやかな家風で、太后と兄鄧騭による政治は節倹・力役の減免・賢才推進を旨とするものだった(東　一九九五：第四章)。その鄧太后が死去すると、歯止めを失った外戚と宦官による横暴が続くことになる。梁冀は登場すべくして登場したのである。

長沙五一広場東漢簡牘にみえる地方統治

和帝末頃の洞庭郡臨湘県の行政文書を多く含む長沙五一広場東漢簡牘(五一広場簡)からも、この時期の厳格な文書行政の遂行が窺える。文書行政の要点は文書を確実に送付先に届けることで、秦漢の行書律には文書伝送に関わる細かい手順や罰則が規定されていた。実際、里耶秦簡や居延漢簡には文書の伝送記録が残されており、居延では所要時間の点検も行われ規定時間を超えた場合には譴責されていた。確実な文書伝送を実現する工夫の一つが受領報告の徹底である。里耶秦簡には文書受領者が発信者に対して「今書已到（今、文書はすでに届きました）」という受領報告を送っている例が確認できる。居延漢簡にも里耶秦簡と同じ「書到言（文書が届いたら報告せよ）」という報告命令は見えるが、受領報告の実例は確認できない。ところが、五一広場簡には詔書の例ではあるがそれが確認できる。このことは、前漢後半期の居延ではすでに形骸化していた「書到言」という命令が、この時期の洞庭郡臨湘県では実践されていたのであり、居延に比べてより徹底した文書行政が行われていたということを意味する。

臨湘県での厳格な行政執行を示す一例が「仮期書」という期日延長の申請文書である。刑事事件の関係者取調べなどを担当する吏が期日までに取調べを完了できない場合に、この「仮期書」を提出した。この例から、当時の臨湘県では吏の業務遂行について具体的な期日が設定されていて、その期日が厳格に運用されていたことがわかる。さらに、五一広場簡には職務不履行の吏が処罰されている例もある。ある案件に関する証人の召喚命令を受けた吏が証人の身柄を確保できなかった廉で、召喚命令を受けた二十余日後に「不承用詔書（詔書の命令を奉行しない）」で挙劾されて耐司寇（刑罰名）に処せられている。証人未召喚が犯罪とされているのである。他にも、借金の未返済を民から訴えられた吏を別の吏が拘留し尋問した上で返済させた例もある。この時期はちょうど先述の行政刷新期に当たるので、これらはその効果と考えてよいだろう。ただし、逆に言えば、吏に職務を遂行させるためにはこれほどの厳格な管理が不可欠だったということでもある。いずれにしろ、この時期の行政刷新策は行政の弛緩の進行をしばらく押しとどめることにはなった。

羌の大反乱

光武帝期に帰順した南匈奴は、中期以降、南単于の威信低下の影響で一部部族が烏桓・鮮卑の中国侵寇に加担することもあったが、おおむね帝国北辺の藩屏としての務めを果たし、曹操によって五分割される二一六年までに一六回の軍事協力も確認できる（内田 一九七五a）。烏桓も、塞外諸部は北辺を侵寇することもあったが、内徙諸部は後漢に軍事協力をしていた（内田 一九七五b）。後漢中期に大問題となるのは羌である。

一〇七年、羌の大反乱が起こった。この年の夏、安帝は金城・隴西・漢陽郡に住む羌族一〇〇〇騎ほどを動員して西域遠征を実施しようとしたところ、帰還できないことを恐れた羌兵が酒泉まで来たところで逃亡した。河西諸郡は兵を発して逃亡した羌兵を捜索し羌族の廬舎（ろしゃ）にまで押し入ったため、以前から漢人の吏や豪民に使役されて怨みを積もらせていた一帯の羌族諸種は大騒動となり、大反乱へと発展したのである。先零羌を中心に数万人にのぼった反羌（反乱をおこした羌）は天子を自称し、武都の参狼羌、上郡・西河の諸雑種を招集して大勢力となり、東は趙・魏、南は益州、さらに三輔・河東・河内まで寇掠（こうりゃく）した。羌は小部族的結合による遊牧集団を構成していたため、全体が大同団結することは少なかった（佐藤（長） 一九七八）。それにもかかわらず、この規模にまで反乱が拡大したのは、班彪が述べたような漢人の搾取に対する積年の怨みゆえであった。この大反乱は一〇年を経てひとまず平定されたが、莫大な戦費のため帝国の国庫は空となったうえに、寇掠被害は内地にも及び、辺民の死者は無数で并州（へいしゅう）・涼州は虚耗となった。その後も、一三四年の鍾羌（しょうきょう）の隴西侵寇を機に、金城・武都・北地・武威・三輔を巻き込む大反乱が再び起こり、今度も十余年を経てやっと鎮圧された。この時は、巨額の戦費に加えて、反乱鎮圧軍諸将による軍糧横領・賄賂が蔓延し、戦死した士卒は葬られもせず野ざらしにされる始末だった。反乱鎮圧の軍事行動さえ、諸将が私腹を肥やす機会となっていたのである。

羌の侵寇地域に住む漢人にはさらなる辛苦が待ち受けていた。この地域の地方長官には内地出身者が多かったため、赴任先の郡県を羌の侵寇から守る気などさらさらなく、羌の侵寇から逃れるため郡治(郡太守府の所在地)の移転を朝廷に要請したのである。朝廷はそれに応えて郡治を移転した。隴西郡治の移転先はまだ同じ隴西郡内だったが、安定・北地・上郡の郡治の移転先は三輔だった。郡治移転に際しては住民にも移住を強制した。嫌がる住民を無理矢理移住させるために、田畑の穀物を刈り取り住居を打ち壊し積聚(しじゅう)(備蓄した食糧)を廃棄した。この時、蝗害(こうがい)(イナゴの害)などの自然災害が頻発して飢餓に瀕しているところに強制移住を迫られた人々は離散し、道に野垂れ死んだり自ら他人の僕妾となったりして、移転先に辿り着いたのは居住者の三分の一だったという。文字通りの棄民であった。

郡国常備兵廃止の影響

一〇七年の羌の大反乱では、任尚(じんしょう)らが三河(後漢の首都圏にあたる河南尹(かなんいん)・河内郡・河東郡)・三輔・汝南・南陽・潁川・太原・上党郡の兵を率いて鎮圧しようとしたが、逆に大敗し八千余人が殺された。任尚らが率いた諸郡兵は禁軍である五校尉の兵とともに動員されたもので、禁軍を含めて五万人だった。一方の反羌は数万人だったので、諸郡兵と反羌の兵力に極端な差はなかった。さらに、その時の反羌は「復た器甲なく、あるいは竹竿木枝を持ちもって戈矛に代え、あるいは板案を負いもって楯と為し、あるいは銅鏡を執りもって兵に象(かたど)る」(『後漢書』西羌伝)とあるように武器らしい武器も持っていなかった。それにもかかわらず、諸郡兵は大敗した。後漢初期の反羌鎮圧でも郡兵が敗退している例がいくつか確認できる。

光武帝の材官等廃止によって、軍事訓練を受けた常備兵が郡国には存在しなかったため、反羌鎮圧に動員された郡兵は、民衆の兵役義務として郡県の官府などの警備を担当していた正などが動員されたものと思われる。先述のように、正は軍事訓練など受けていないので、戦力にならないのは当然だった。それゆえ、後漢朝廷は兵力を別のところから調達する必要があった。それが夷狄と募兵だった。実際、この時の羌の大反乱の鎮圧に貢献したのは、反乱に同調しなかった羌族諸種だったし、南方でも反乱鎮圧にしばしば武陵郡の零陽蛮や巴郡の板楯蛮が募集されている。

後漢朝廷は夷狄だけでなく漢人の募兵も動員したが、この募兵はうまく機能しなかった。例えば、一六二年に長沙・零陵の賊が桂陽などを侵寇した際、後漢朝廷が募った豫章郡艾県の六百余人は賊に勝てなかったばかりか、約束の購賞(報酬としての賞金)を得られないことを怨んで自分たちも反乱を起こした。その三年後にも荊州兵が反乱を起こしたが、これも軍事行動が長期にわたり、かつ、購賞が充分でないことがその理由だった。光武帝が廃止した郡国常備兵の穴を埋めたのは購賞につられて応募した兵士だったので、購賞の獲得が彼らにとっての最重要事だった。豫章郡艾県の六百余人を鎮圧した度尚はその後、桂陽の宿賊(長期にわたって活動している盗賊)討伐に向かったが、度尚軍が宿賊の拠点の一つを制圧し珍宝を獲得すると、それを山分けした兵士は戦意を喪失した。度尚は宿賊全滅を図るが、出撃を強いると兵士が逃亡すると考え、兵士を外出させた隙に珍宝を置いている宿舎を焼き払った上で、宿賊は数世を富ませるほどの財物をまだ持っているぞと兵士を焚き付け、賊を見事制圧した。郡国常備兵の廃止は兵士の素性とその性格を大きく変質させていたのである。

郡国常備兵の廃止は、統治に不満を抱く者が反乱に踏み切る気持ちを助長した上に、一旦反乱が起こったら、購賞目当てに応募した民や夷狄が軍事訓練を受けることもないままに反乱鎮圧に動員されるため、しばしば反乱軍に敗北する結果となった。後漢に入って南蛮や羌の反乱が頻発しそれが容易に鎮圧されなかったのはそのためでもある。それにもかかわらず、常備軍を再置しなかったのは帝国財政の窮乏による。

光武帝による都尉廃止の後も、辺郡では都尉が存続しその配下や諸軍営に常備兵が配置されていた(小林 一九九二)。それについて、王符は「今、数州の屯兵は十余万人、すべて県官が食糧を支給するので穀物は毎年一〇〇万斛が必要で、さらに月直もあった」と述べている(『潜夫論』救辺篇)。前漢晩期の戍卒の傭兵化を踏まえると、この「月直」は常備兵の俸銭だろう。屯兵一〇万人を一年間維持するためには、食糧支給量を一人一カ月三・三石、俸銭を隧長と同じ月六〇〇銭として、四〇〇万石弱の食糧と七億二〇〇〇万銭が必要になる。実際、一〇七年の羌の大反乱の鎮圧では最終的に二百四十余億銭もの経費がかかっている。そこで、反乱勃発の三年後には早くも、国庫枯渇を食い止めるため涼州放棄策が提案された(東 一九九五：第四章)。この策自体は不採用となったが、財政不足の補塡のため中央官と州郡県吏の俸給減額が実施され、その前年には官爵売却も行われている。一三四年から再発した羌の大反乱の鎮圧にも八十余億銭が支出され、その後も、続発する盗賊の鎮圧のために国庫が窮乏したので、一六一年と翌年、公卿以下の俸給減額と官爵売却が実施された。官爵売却という姑息的な対策でさえ取らざるを得ないような財政状況では、禁軍や北辺の諸軍営に加えて、一〇五もの郡国すべてに常備軍を配置することなど不可能だった。そもそも、儒学が政治に深く浸透したために前漢武帝期のような経済積極政策を採用できない後漢朝廷には、財政状況を改善する術などもとよりなかったのである。

六、後漢後期(安帝親政期―献帝　一二一―二二〇年)

選挙の機能不全

鄧太后の死後、後漢朝廷では権力の掌握のみが関心事となり、外戚と宦官による奢侈と民衆搾取が続いた(江幡 一九六九)。そんな中、社会全体を危機的状況に陥れたのは外戚・宦官による官吏登用への介入である。前漢宣帝が「良二千石」と言い、和帝が選挙を重視したのは、官吏登用が社会の安定に極めて重要だと認識していたからに他ならない。桓帝期の种暠(ちゅうこう)の話は外戚・宦官による選挙介入を端的に物語る。河南尹の田歆(でんきん)は孝廉(選挙科目の一つで孝行・廉潔な人物を推薦するもの)六人を推挙する立場だったが、貴戚の請託に違うこともできず、せめて一人は優れた人物を推挙して国家に報いたいと、人物眼のある种暠に推薦を頼んだ、と。外戚や宦官からの請託を受けて地方長官が推薦したのは当然のこと賢者ではなかった。光禄勲(宮殿警備を担当する中央官)による茂才の選挙でも同様だったため、「無能な奴を見つけたければ、光禄茂才を探せ」とまで言われた(『後漢書』黄琬伝)。王符は言う「群僚の士を挙ぐるや、あるいは頑魯をもって茂才に応じ、桀逆をもって至孝に応じ、貪饕をもって廉吏に応じ、狡猾をもって方正に応じ、諛諂をもって直言に応じ、軽薄をもって敦厚に応じ、空虚をもって有道に応じ、嚚闇をもって明経に応じ、残酷をもって寛博に応じ、怯弱をもって武猛に応じ、愚頑をもって治劇に応ず。名実相い副わず、求貢相い称わず」と(『潜夫論』考績篇)。後漢末まで地方官の人事権は三公(太尉・司徒・司空)にあったが、実務を担当したのは尚書で、そこに外戚・宦官からの働きかけや贈賄が横行したわけである(紙屋 二〇〇九：第一二章)。一三二年、左雄の提言に従って、孝廉の被察挙者を四〇歳以上に限り試験も課すよう改革したのは、上述の外戚・宦官による選挙請託が常態化していてもはや無視できない状況にあったことを示すものである(東 一九九五：第四章)。

官吏登用を歪めたのは中央の外戚・宦官だけではなかった。この頃になると、儒学的教養・能力の差によって、県廷・州郡府・中央政府それぞれに出仕可能かどうかが決まるようになり、その結果、地域の豪族が、中央官僚や郡府掾史を輩出する士大夫的豪族とそれができない土着的豪族に分化し対立するようになっていた。土着的豪族は、士大夫的豪族が人事を握る郡府県廷への出仕は難しいため、選挙権を持つ中央や地方の官僚に請託するようになった。それが外戚・宦官の一族与党だった。地方社会においては、民衆収奪に走る濁流系地方官や土着的豪族と、民衆の望たるべくそれを抑止しようとする士大夫的豪族とがせめぎ合う状況だったのである(東 一九九五：第五章)。

選挙に介入した外戚・宦官は積極的に兄弟親族を地方長官として赴任させた。彼らによる民衆搾取の激しさたるや、盗賊と変わらなかったという。地方長官は実入りのよいポストだったので、外戚や宦官が一族与党を地方政府に送り込み、集財機関として活用した(上谷 一九九四)。例えば、桓帝期の宦官侯覧の兄は益州刺史となり、富裕な民がいると大逆罪で誣告して誅滅し、その財産を奪った。その額は数億銭にのぼったという。一四二年、順帝が八人の使者を州郡に派遣して監察させたことがあったが、その際、不正を挙劾されたのは軒並み宦者の親族だった。しかし、朝廷を牛耳る梁冀と宦官の庇い合いによって、この件はうやむやになった。吏の不正を抑制する力はもはやどこにも存在しなかったのである。

行政の無責任と漢人による反乱

このような中央・地方における有力者の放埒を助長したのは、中央・地方に蔓延していた無責任だった。地方行政の状況は、刺史(しし)による監察、郡国からの上計(じょうけい)(年度末の行政実績報告)、郡国守相(郡太守と国相)の考課を通して監督されていた。そのうち最も重要なのは郡国からの上計で、司徒が受理した上計副簿を三公が分担審査し、郡国守相の殿最を考課した。このような形で三公は地方行政を監督していたが、早くも章帝期から三公の地方行政に対する監督が機能不全を起こし始めていた。その頃、州郡県の長吏・属吏に対する刺史・太守の考課・人事が不公平になりつつあったが、それが選挙不実(不正)として指弾されることはなかったのである。そんな中、州郡は災害や盗賊の発生を隠蔽するようになっていった(紙屋 二〇〇九:第一三章)。王符は言う「郡国守相や県令長は治績を挙げることなど思わず、恣(ほしいまま)に苛政を行い、法令を遵守せず、小民を侵害している。それを州刺史も放置するので、人々は遠く離れた朝廷に直訴せざるを得なかったが、尚書が三公を責めることはなく、三公も州郡を責めることはなく、州郡も県を責めることはないのだ」と(『潜夫論』考績篇)。かくて、中央・地方の官吏による搾取や不正に耐えかねた民衆がやむにやまれず蜂起するようになる。

少し時代は降るが、黄巾の乱が勃発した一八四年、交趾(こうし)郡の屯兵が反乱を起こした。鎮圧に赴いた賈琮(かそう)が反乱者にその理由を尋ねたところ、皆が言うには「過重な賦斂のせいで皆貧しくなったが、京師(帝都)は遥か遠く窮状を訴えることもできない。もう生きてゆけないと思い盗賊になったのだ」と。交趾は珍物を多く産出するゆえ、歴代刺史に清廉な者はおらず、上は中央の貴人の要請を受けて、下は自身の私腹を肥やすために、財物獲得に専念し、充分に得られたら転任を求めるような輩ばかりだった。それを聞いた賈琮は、民衆の資産や産業を安堵し、徭役を免除して、民の害を為す有力者を誅殺し、良吏を選んで地方長官に任命したので、一年ほどで民衆は安定したという。

この交趾郡の屯兵反乱では、天を支える将軍という意味の「柱天将軍」を自称していた。そこには、新たな世の中の創造が含意されていたのだろう。安帝期以降に発生するようになった漢人の反乱では帝号や王号を称する例が頻出する。一四五年の馬勉は「黄帝」を、同年の華孟は「黒帝」を、一四七年の李堅は「皇帝」を、一四八年の陳景は「黄帝子」を、一五〇年の裴優は「皇帝」を、一五四年の李伯は「太初皇帝」を、一六五年の蓋登は「太上皇帝」を、一七二年の許生は「越王」をそれぞれ称している。いずれも漢皇帝に代わる新たな皇帝を意味している。黄巾の乱が勃発する前の時点で、漢帝国はすでに民衆から見限られていたわけである。

この時、反乱の鎮圧に当たるべき郡太守などがしばしば敵に怯えてその職責を放棄した。一例を挙げれば、一六二年に長沙・零陵の賊が蒼梧・交趾に侵寇した際、交阯刺史と蒼梧太守は出奔し、そのため交趾・蒼梧の二郡は略奪され放題になった。郡国常備兵の廃止は、このような形で民衆の生命を危険にさらすことにもなった。

そのような中で、漢帝国立て直しの最後の希望であったのはいわゆる清流士大夫だった。先述の士大夫的豪族が中央政界に進出し清流派を形成したのである(狩野 一九九三)。清流派は儒学的教養を背景に、専横を極める宦官を厳しく批判した。しかしながら、そのために逆に党錮の禁(一六六、一六九年)によって排除されてしまった。帝国に滅亡回避の選択肢はなくなった。

疫病の流行と黄巾の乱

後に黄巾の乱を起こす太平道という宗教団体は符水などによる治病で信者を増やした。病気はいつの時代でも人々の大関心事で、里耶秦簡や居延・敦煌漢簡にも病気の処方箋が見える。安帝期以降、災異説さながらに疫病が頻発するようになった。『後漢書』帝紀には、安帝の一一九年「会稽大疫」、順帝の一二二年「京師大疫」、桓帝の一五一年正月「京師疾疫」、同二月「九江・盧江大疫」、一六一年「大疫」、霊帝の一七一年「大疫」、一七三年「大疫」、一七九年「大疫」、一八二年「大疫」、一八五年「大疫」とある。桓帝以降、一〇年に一度の割合で疫病の流行があり、霊帝期に入ると数年も空かずして疫病が発生している。このような中、人々の不安は高まり、太平道などに救いを求める人が続出した。

一八四年、太平道信者が大反乱を起こした。黄巾の乱である。太平道はこの頃、首都近郊と北西・西・南の辺境を除く八州に広まり数十万人の信者を獲得していた。「蒼天已に死し、黄天当に立つべし、歳は甲子に在り、天下大吉」というスローガンからわかるように、黄巾の乱もまた漢帝国を見限り新たな世の建設を目指していた。これを機に各地で続けざまに反乱が発生した。人々の積怨は、爆発するきっかけを待つだけの状態になっていたのである。

霊帝は、反乱への対応策として、州刺史が従来持つ民事上の監察権に加えて軍事上の監察権を持たせた牧を新設し、常備禁軍として西園八校尉を設置した。しかしながら、この牧伯制の導入は、州牧となった豪族勢力による地方支配とその自立を既成事実化し、軍閥割拠の情勢に拍車を掛けることとなった(石井 一九九二)。

二二〇年、献帝が曹丕に禅譲し後漢王朝は滅亡した。実質的にはその三〇年前の董卓の献帝擁立をもって滅亡していたが、その董卓が多くの胡兵を率いて洛陽に乗り込んだことは、まさに時代の展開を象徴するものといえよう。

おわりに――誠信による世界

後漢末の混乱の中、巴郡および漢中郡には張魯が五斗米道によって民衆を導いた別世界が存在していた。五斗米道は祈禱による治病で民衆の帰依を得ていたが、同時に、信者に対して誠信の心を懐き人を欺かないことも教えた。病人には罪を反省させ、過ちを犯した者には道の掃除をさせた。法を犯した者も三度までは許し、それでも法を犯したらそこで刑罰を当てた。さらに、義舎を整備し旅行者には無償で米肉を提供したが、必要以上に取ると病に罹るとされた。ここでは、刑罰による威嚇ではなく誠信によって社会秩序が維持されており、他人を搾取する者などいなかった。三〇年もの間、漢族だけでなく夷狄もが張魯の許に集っていたのは、他人を欺かない誠信の世界の中で人々が心から安堵して生活できたからだろう。「寡きを患えずして均しからざるを患い、貧しきを患えずして安からざるを患う」ことをせず、安帝期以降、実質的に棄民政策を取った漢帝国が民衆から見限られ「傾」いたのは当然の帰結であった。

参考文献

石井仁(一九九二)「漢末州牧考」『秋大史学』三八号。

上谷浩一(一九九四)「後漢中期の地方行政刷新とその背景」『東洋学報』第七五巻第三・四号。

内田吟風(一九七五a)「南匈奴に関する研究」『北アジア史研究　匈奴篇』同朋舎出版。

内田吟風(一九七五b)「烏桓鮮卑の源流と初期社会構成——古代北アジア遊牧民族の生活」『北アジア史研究　鮮卑柔然突厥篇』同朋舎出版。

鵜飼昌男(一九九六)「建武初期の河西地域の政治動向——『後漢書』竇融伝補遺」『古代文化』第四八巻一二号。

江幡真一郎(一九六九)「後漢末の農村の崩壊と宦官の害民について」『集刊東洋学』二一号。

大庭脩(一九九二)「地湾出土の騎士簡冊」『漢簡研究』同朋舎出版。

狩野直禎(一九九三)「李固と清流派の進出」『後漢政治史の研究』同朋舎出版。

紙屋正和(二〇〇九)「後漢時代における地方行政と三公制度」『漢時代における郡県制の展開』第一二章、「後漢時代における地方行政の変容」同第一三章、朋友書店。

韓連琪（一九五六）「漢代的田租口賦和繇役」『文史哲』一九五六年第七期。

熊谷滋三（一九九六）「前漢における属国制の形成」『史観』第一三四冊。

小林聡（一九八九）「後漢の少数民族統御官に関する一考察」『九州大学東洋史論集』第一七巻。

小林聡（一九九一）「後漢の軍事組織に関する一考察」『九州大学東洋史論集』第一九巻。

佐藤達郎（二〇一八）「漢代における周辺民族と軍事——とくに属国都尉と異民族統御官を中心に」宮宅潔編『多民族社会の軍事統治　出土史料が語る中国古代』京都大学学術出版会。

佐藤長（一九七八）「漢代における羌族の活動」『チベット歴史地理研究』岩波書店。

重近啓樹（一九九九）「兵制の研究」『秦漢税役体系の研究』汲古書院。

志野敏夫（一九九五）「漢の都試——材官・騎士についての再検討」『東方学』第八九輯。

鷹取祐司（二〇一八a）「漢代長城警備体制の変容」宮宅潔編『多民族社会の軍事統治　出土史料が語る中国古代』京都大学学術出版会。

鷹取祐司（二〇一八b）「書評　簡牘整理小組編『居延漢簡』壹～肆（中央研究院歴史語言研究所専刊之一〇九）——簡牘実物に基づく初めての居延漢簡の図版」『木簡研究』第四〇号。

鷹取祐司（二〇二一）「漢代兵役考証」『立命館東洋史学』第四四号。

髙村武幸（二〇〇八）「前漢西北辺境と関東の戍卒——居延漢簡に見える兵士出身地の検討を通じて」『漢代の地方官吏と地域社会』汲古書院。

多田狷介（一九六八）「黄巾の乱前史」『東洋史研究』第二六巻第四号。

冨谷至（一九九八）「秦漢の刑罰——その性格と特質」『秦漢刑罰制度の研究』同朋舎。

冨谷至（二〇一〇）『文書行政の漢帝国——木簡・竹簡の時代』名古屋大学出版会。

冨谷至編（二〇一五）「地名変更」『漢簡語彙考証』岩波書店。

永田英正（一九八九）『居延漢簡の研究』同朋舎。

浜口重国（一九六六）「両漢の中央諸軍に就いて」『秦漢隋唐史の研究』第一部第六、「光武帝の軍備縮小と其の影響」同第一部第七、「後漢末・曹操時代に於ける兵民の分離に就いて」同第一部第八、「秦漢時代の徭役労働に関する一問題」同第二部第三、「漢の徴兵適齢に就いて」同第二部第四、東京大学出版会。

東晋次(一九九五)「貴戚政治の展開と儒家官僚」『後漢時代の政治と社会』第四章、「地方社会の変容と豪族」同第五章、名古屋大学出版会。

日原利国(一九八六)「『塩鉄論』の思想的研究」『漢代思想の研究』研文出版。

山田勝芳(一九九三)「徭役・兵役」『秦漢財政収入の研究』汲古書院。

吉本道雅(二〇一〇)「烏桓史研究序説」『京都大学文学部研究紀要』第四九号。

米田賢次郎(一九五九)「前漢の匈奴対策に関する二三の問題」『東方学』第一九輯。

労榦(一九七六)「漢代兵制及漢簡中的兵制」『労榦学術論文集甲編』芸文印書館。

問題群｜*Inquiry*

漢人中華帝国の終焉
——四夷中郎校尉から都督へ

石井 仁

はじめに

後漢帝国の解体にともなって引きおこされた内戦は、中国のみならず、東アジア全体を動乱の渦に巻きこむ。戦乱・飢餓を避けて故郷を離れた流民（周 一九六三、多田 一九六八、譚 一九八七）、軍事力・労働力として動員された非漢人（唐 一九五五、田村 一九八五、船木 一九八九、谷口 一九九六）は、基層社会の流動化を助長した。また、城郭都市を基本とした居住形態にも変化があらわれる。「邨（村）」「聚」「塢」「壁」「塁」「堡」などの文字で記された新興集落（本章では「村塢」と呼称する）の出現である（那波 一九三四、宮崎 一九六〇、金 一九六四）。流民・非漢人の活動と、村塢の盛行は多くの部分で密接に重なり合っている。かかる基層社会の変化は、当然、帝国を支えてきた諸制度にも影響を及ぼすことになる。

漢魏交替期（二世紀末—三世紀初め）、官制をはじめ、兵制（兵戸）、選挙制（九品中正）、土地・税制（屯田）、礼制などが変化したことは、先学によって明らかにされている（洪飴孫『三国職官表』、『清国行政法』、和田 一九四二、西嶋 一九五六、宮崎 一九五六、濱口 一九六六）。わけても、地方統治体制は旧来の郡県もしくは州郡県制から、都督府を加えた、府州郡県制、いわゆる都督制へと転換する（宮崎 一九五六、厳 一九六三、越智 一九六三、小尾 二〇〇一）。

曹操（一五五―二二〇）の勢力が拡大するにつれ、かれの直属軍（中軍もしくは中外軍という）が地方の要地に駐留し（たとえば、赤壁の戦い後（二〇八年）、行征南将軍の曹仁が江陵を守り、関中平定後（二一一年）、行護軍将軍の夏侯淵が長安に駐留し、江東遠征後（二一六年）、伏波将軍の夏侯惇が「都督二十六軍」となって居巣に駐屯した）、治安維持を担当したのが、都督制の始まりである。魏が成立すると（二二〇年）、寿春に揚州都督府、長安に雍涼二州都督府、宛県ないし襄陽に荊州都督府、薊県に河北都督府が置かれ、地方統治の拠点になった（このほか、曹操ないし魏への反発が根強い山東地方を鎮撫するため、下邳に青徐二州都督府が置かれた）。都督府の長官は四征もしくは四鎮将軍・都督某州郡諸軍事という官職を帯びる。たとえば、曹真は「使持節・鎮西将軍・都督雍涼二州諸軍事」に任命され、長安に駐屯した（『魏志』巻九・本伝、曹真残碑）。ゆえに、雍涼二州都督府は征西府、もしくは鎮西府とも呼ばれる。その後、必要に応じて分割（魏末、荊州都督は沔北と沔南、雍涼二州都督は隴右と関中に分けられた）、もしくは増設され、西晋の初め（二六五年頃）には、地位の軽い監諸軍事（略して監軍。たとえば、蜀の旧領に設置された巴東監軍、南中監軍など）、同じく督諸軍事（略して督軍。たとえば、魏の宗室を監視するため鄴に置かれた督鄴城守事など）も加え、一〇余りの都督府が存在した（『晋書』巻四十七・傅玄伝）。

つづく西晋の都督制は、宗室諸王の封建と一体になって運用された。宗室諸王を都督府の長官に起用する際、任地と封国を地理的に接近させ、支配を強化しようというのが、「封王の制」である（越智 一九六三、渡邉 二〇一〇）。たとえば、平呉戦役の直前（二七七年）、扶風王司馬亮（司馬懿の子。以下の諸王も同じ）は汝南王（汝南は豫州の領郡）に改封のうえ、都督豫州諸軍事に任命され、都督徐州諸軍事の東莞王司馬伷は琅邪王（琅邪は徐州の領郡）、都督雍涼二州諸軍事の汝陰王司馬駿は扶風王（扶風は雍州の領郡）に改封された（『晋書』巻三・武帝紀、同・巻三十八・宣五王伝、同・巻五十九・汝南王亮伝）。封建そのものは復古的であるが、具体的な施策は都督制のヴァリエーションにすぎない。皇弟皇子が都督府の長官職を独占する体制は、基本的には南朝まで継承される。このように、都督制は、魏晋南北朝を通して、基幹的な地方統治制度、ないし国家体制として在り続けた（「封王の制」が封建論の政策化であるのはまちがいない。当然、華夷の別、あるいは九服（王畿を中心に九重の同心方形状に設定された観念的な地理区分。外側に行くほど、野蛮の度合いが強まる）などの概念によって、辺境統治ないし非漢人支配の問題に接続すると思われるが、本章では制度史的な考察を優先し、思想史的な問題には踏みこまない）。

ところで、後漢の地方統治体制を郡県もしくは州郡県制とするのは、厳密に言えば、正確ではない。漢人向けの州郡県、非漢人向けの「四夷中郎校尉」など、二本立てでおこなわれたからである。漢が成立した頃、北アジアの遊牧民も匈奴によって統一される。はじめ漢は匈奴の軍事力に圧倒されるが、武帝（在位前一四一―前八七）が積極策に転じると、匈奴は次第に弱体化し、内紛につぐ内紛の末、南北に分裂する（四八年）。光武帝（在位二三―五七）は日逐王の比（呼韓邪単于二世）の集団を傀儡政権「南匈奴」とし、オルドスに抑留するとともに（北匈奴も、大将軍竇憲の遠征（八九―九一年）によってモンゴル高原から駆逐される）、それまで匈奴単于の支配下にあった北方ないし西方遊牧民「五胡」の直接統治にのりだした。これを担ったのが、長城沿いの要衝に列置された、四夷中郎校尉もしくは「蛮府」（『宋書』巻四十・百官志下）と総称される機関である。

①護烏桓校尉（四九年設置）は甯県（幽州上谷郡）に駐屯し、烏桓・鮮卑を統治する（烏桓は「烏丸」とも表記されるが、本章では史料からの直接引用を除き、烏桓で統一する）。②使匈奴中郎将（五〇年設置）は美稷県（幷州西河郡）に駐屯し、南匈奴を監視する（南単于の統治権が認められていた）。③護羌校尉（三三年設置、七六年以後常設）は令居県（涼州金城郡）、狄道県（涼州隴西郡）などに駐屯し、氐・羌を統治する。さらに、度遼将軍（六五年設置）が曼柏県（幷州五原郡）に駐屯し、西北辺境の最高長官として、四夷中郎校尉ならびに西北辺の州郡を統制する（小林　一九八九）。度遼将軍はもちろん、四夷中郎校尉も、郡太守以下を斬殺できる「使持節」の官であり、「幕府」を開き、長史・司馬などの僚属を備える。フフホト市ホリンゴル県で発見された後漢墓の壁画には、墓主が任官したとみられる、護烏桓校尉府の様子が活写されて

いる（内蒙古自治区博物館文物工作隊編『和林格爾漢墓壁画』文物出版社、一九七八年）。

これまでの研究において、四夷中郎校尉は「五胡」の問題（後漢ないし魏晋の対外政策、国際関係、あるいは非漢人の民族意識など）と関連して論じられるのが一般的であった。しかし、四夷中郎校尉（蛮府）、および度遼将軍は漢人中華帝国を守護する矛と盾であり、華夷の別、ないし胡漢の分割統治体制を象徴する機関とも言える。後述するように、後漢はこれらの長官を閣僚ポストとみなし（万斯同『東漢将相大臣年表』も、建武二八年（五二年）以降、度遼将軍と護羌校尉を掲載する）、エリート官僚（外戚の子弟、三公の幕僚出身者など）を起用した（永田 一九六五）。魏晋政権の首脳部は、その後継者である。しからば、かれらは四夷中郎校尉の体制をどのように継承し、運用しようとしたのか。いっぽう、前述の都督は、なにゆえ基幹的な地方統治機関としての地位を獲得するのか。本章は、表題に掲げた「漢人中華帝国の終焉」について、魏晋が構想した四夷中郎校尉による地方統治体制の挫折、ならびにそれに代わる都督制の発達を通して描き出すことを目的とする。

【補記】

なお、四夷中郎校尉、および度遼将軍のほか、敦煌長史（『後漢書』列伝三十七・班超伝）、隴西長史（同・列伝十四・馬援伝）、漢陽長史（同・列伝四十八・蓋勲伝）などのように、辺郡には郡丞ではなく、長史が置かれ、非漢人を統制した（『続漢書』百官志五、同・注引『古今注』）。「将兵長史」とも称され、任官者によっては、将軍に準じる地位が与えられた。永平末（七三年頃）、馬厳は（西河郡の）将兵長史に任命され、「北軍五校士・羽林の禁兵三千人」を率いて美稷県に駐屯し、「南単于を護衛」するが、司馬・従事を置くとともに、かれに対して州刺史・郡太守が「謁敬」することを義務付けられるなど、将軍と同等の礼秩が認められた（『後漢書』馬援伝）。属国都尉も非漢人の統治を担当した。公孫瓚が遼東属国長史となり、烏桓・鮮卑に恐れられたのは有名である（同・列伝六十三・本伝）。このほか、郡都尉は光武帝のとき(三〇年)に廃止されるが、滇零の乱のさなか(一一〇年)、京兆虎牙都尉、扶風都尉(「雍営」ともいう)が置かれた(同・本紀五・安帝紀・永初四年二月乙丑の条、同・注引『漢官儀』)ように、状況に応じて再置された。

一、「西北の列将」と魏晋政権

安帝(在位一〇六—一二五)期の動乱(『後漢書』列伝七十七・西羌伝によれば、一〇七—一一八年、滇零を指導者とする関西の内徙羌(戦争捕虜になったり、人身売買などによって、本国から中国内地に連行された羌人)、漢人豪族の反乱を鎮圧するのに、「二百四十余億銭」が投じられた)後、あらためて西方・北方政策が重視され、四夷中郎校尉、および度遼将軍の地位はさらに上昇する。とくに、度遼将軍は、龐参(河南の人、?—一三六頃)が当該官から大鴻臚に遷り(一二九年)、ついで太尉に登ったように(『後漢書』列伝四十一・本伝)、在任中、「経費を節減する(省息経用)」(同・列伝四十一・陳亀伝)、「蛮族を手なずけ辺境を安んじる(和戎綏辺)」(『蔡中郎集』巻六・太尉汝南李公碑)などの功績をあげれば、中央に召還され、三公九卿のイスが用意された。順帝(在位一二五—一四四)の末ないし霊帝(在位一六八—一八九)の初め、四夷中郎校尉、および度遼将軍に起用され、西北辺境の統治・防衛を担った官僚グループを「西北の列将」(『後漢書』列伝四十七・李雲伝)という。いずれも外戚の梁商(安定の人、?—一四一)・梁冀(?—一五九)父子の大将軍府の幕僚経験者、もしくは梁氏に協力した宦官の曹騰(沛国の人、曹操の祖父)と関係が深い人物である。

种暠(河南の人、一〇三—一六三)は、曹騰に推挙されて出世した「海内の名人」(『後漢書』列伝六十八・宦者伝)の一人である。大将軍梁冀の従事中郎(一四七年頃)、使匈奴中郎将、遼東太守、度遼将軍(一五九—一六〇年頃)などを歴任した後、大司農として中央に召還され、司徒に遷る(一六一年)。司徒在任中、「名臣の橋玄・皇甫規」らを推挙し、「称職の相」と称された(同・列伝四十六・本伝)。

皇甫規(字は威明、安定の人、一〇四—一七四)は、後述の張奐(字は然明)・段熲(字は紀明)と共に「涼州の三明」と称された(『後漢書』列伝五十五・段熲伝)。祖父の皇甫棱は度遼将軍(九〇—九四年)、父の皇甫旗は扶風都尉(一一五年頃)であった。皇甫規は泰山太守、度遼将軍、使匈奴中郎将、護羌校尉を歴任し(一六〇—一七四年)、親友の張奐と二人三脚で、辺境統治に尽力する(同・列伝五十五・本伝)。学問にもすぐれ(詩・易の専門家)、「太傅の陳蕃、太尉の楊秉、長楽少府の李膺、太常の張奐」らに教授した(『後漢紀』桓帝紀・延熹四年六月の条)。兄の子皇甫嵩(?—一九五)は、黄巾の乱平定の立役者となる(『後漢書』列伝六十一・本伝)。

張奐(敦煌の人、のち弘農に籍を移す。一〇四—一八一)は梁冀に辟召され、安定属国都尉、使匈奴中郎将を歴任するが、梁冀が失脚すると(一五九年)、連坐して罷免される。皇甫規に推挙され、度遼将軍、護匈奴中郎将(「九卿の秩を以て幽并涼三州及び度遼・烏桓の二営を督し、兼ねて刺史・二千石の能否を察」する、事実上の西北方面最高長官)を歴任(一六三—一六八年)した後、少府として中央に召還される。太常に遷るが、党錮の獄に連坐し、下野した。曹騰恩顧の官僚でもあり、若い頃、「国家〔天子〕の為に功を辺境に立てる」ことを志した。書経の専門家としても知られている(『後漢書』列伝五十五・本伝)。なお、董卓(隴西の人、?—一九二)は張奐の部下となって頭角を現し、段熲にも評価され、黄巾の乱以降、東中郎将、破虜将軍、前将軍を歴任した(同・列伝六十二・本伝、『魏志』巻六・本伝)。

橋玄(梁国の人、一〇九—一八三)は、度遼将軍(一六七—一六九年頃)から河南尹に遷り、三公九卿、尚書令を歴任した(『後漢書』列伝四十一・本伝)。若き曹操を「命世の才」と評したのは有名な話である(『魏志』巻一・武帝紀)。橋玄も曹騰恩顧の官僚とみられ、曹操は、幼少の頃から、かれの私室に出入りし、家族同然の厚遇を受けたと記している(同・注引『魏武褒賞令』に載せられる「橋玄を祀るの文」)。

このほか、西羌・東羌を平定した段熲(武威の人、?—一七九。護羌校尉、破羌将軍を歴任(一五九—一七〇年)した後、河南尹に遷り、司隷校尉、太尉になる)、党錮の獄によって殺された李膺(穎川の人、一一〇—一六九。護烏桓校尉、度遼将軍(一五六－一五九年）を歴任した後、河南尹に遷り、司隷校尉になる。子の李瓚は東平相に至り、内戦勃発直前に死去するが、曹操を評価し、子どもたちに曹操を頼るよう遺言する）らも、「西北の列将」である。李膺、および張奐は党人であったが、荊州刺史の度尚（山陽の人、一一七－一六六。党人の幹部「八厨」の一人）、九真都尉の魏朗（会稽の人、？－一六九。同じく「八俊」の一人）など、江南の蛮夷を平定した官僚たちも、党人に名を連ねている。南北の辺境統治、ないし非漢人対策の強化は、党人に共通の政策課題だったように思われる。

霊帝が西園軍を編成すると（一八八年）、曹操は八校尉の一つ、典軍校尉に抜擢される。このとき曹操は、「征西将軍」となって「国家の為に賊を討ち功を立つ」、西北辺境における軍事的成功を熱望したと、のちに述懐している（『魏志』武帝紀注引『魏武故事』に載せられる「建安十五年十二月己亥令」）。曹騰恩顧の官僚である橋玄、張奐らの薫陶をうけ、「西北の列将」の後継者となるべく育てられたことを窺わせている。皇甫嵩が黄巾の乱の鎮圧に起用され、董卓が政権を握り（一八九－一九二年）、そして曹操が内戦期（一九〇－二二〇年）に勢力をのばしたのは偶然ではない。後漢帝国の最重要課題であった西方・北方政策、ないし非漢人対策から、生まれた人材だったからである（石井 二〇〇〇）。

当然、曹操は度遼将軍・四夷中郎校尉体制の維持を構想していたと推測されるが、管見の限り、これを裏付ける証拠はない。曹操は若手の参謀であった郭嘉（一七〇－二〇七）の早世を惜しみ、「諸君（荀攸らをさす）は私と同世代だが、奉孝（郭嘉の字）が一番若かった。天下統一の事業が終わったら、あとはかれに任せるつもりだった（諸君年皆孤輩也、唯奉孝最少。天下事竟、欲以後事属之）」と言っている（『魏志』巻十四・郭嘉伝）。この発言を信用すれば、曹操の政治目標は統一戦争に限定され、内戦終結後の国家体制の構築は、次の世代に託されたことになる。かつ魏晋政権の主要なメンバーは、党人の後継者を自認しており、西方・北方政策の重要性を認識していた。晋の七廟には、滇零の乱の際に活躍した行征西将軍の司馬鈞（司馬懿の高祖父。反乱軍が拠る丁奚城を陥落させるが（一一五年）、深追いして敵の伏兵にかかった諸将を見殺しにしたため、獄に下されて自殺した）が、始祖「征西府君」として祀られた（『宋書』巻十六・礼志三）。司馬氏もまた、後漢の西方・北方政策に関与した官僚の子孫をあることを喧伝しているかにみえる。

西晋の初め、河西鮮卑の指導者、禿髪樹機能が勢力をのばし、秦州刺史の胡烈(?―二七〇)を安定郡の万斛堆、涼州刺史の牽弘(?―二七一)を同じく青山、さらに涼州刺史の楊欣(?―二七八)を武威郡で討ち取り、朝廷を震撼させる(『晋書』巻三・武帝紀、『魏書』巻九十九・鮮卑禿髪烏孤伝など)。このとき、西晋の元勲にして外戚、かつ平呉派の領袖であった荊州都督の羊祜(二二一―二七八)は言う、「呉平らがば則ち胡自ずから定まる」と(『晋書』巻三十四・本伝)。大多数の朝臣も同意見であり(同・巻四十一・李熹伝)、あまつさえ胡烈らの敗戦を「綏辺の才に非ず」(同・巻三十五・陳騫伝)、「羌戎の和を失す」(同・巻五十七・馬隆伝)として、個人の資質の問題に矮小化しようとした。曹操を含む、魏晋政権の首脳部は、内戦が終結すれば、四夷中郎校尉、および度遼将軍の体制は簡単に再構築することができ、西方・北方の非漢人問題は自動的に解消されるはずだと、楽観視していたように思われる。江統(陳留の人)、郭欽(西河の人)らの徙戎論(『晋書』巻五十六・江統伝、同・巻九十七・四夷伝)は、呉平定の余勢を駆って(江統「兵威方盛」、郭欽「平呉之威、謀臣猛将之略」)、強制的に非漢人を故地に帰還させせよ、と主張している。後述するように、単車刺史(領兵しない刺史)と四夷中郎校尉による地方統治を構想した、西晋の武帝司馬炎(二三六―二九〇、在位二六五―二九〇)も、かれらの列に加わっている。

二、魏晋政権による四夷中郎校尉の新設と「軍州分離」政策

後漢末、四夷中郎校尉、および度遼将軍の軍事行動が確認されるのは、破鮮卑中郎将の田晏(夏育と共に段熲の元部下。護羌校尉を罷免されるが、鮮卑遠征を提案し、当該官に起用される)が、使匈奴中郎将の臧旻(後漢末の群雄臧洪の父)、護烏桓校尉の夏育と共に、鮮卑を攻めて大敗した事件(一七七年)が最後である(『後漢書』列伝八十・烏桓鮮卑伝)。以後、

情報は断片的になり、関西の反乱(一八四年)によって殺された「護羌校尉の泠徴」(同・董卓伝)、張純・張挙の乱(一八七年)によって殺された「護烏桓校尉の箕稠」(同・列伝六十三・劉虞伝)など、反政府勢力の攻撃目標にされたのがわかるぐらいである。また、賈琮(交趾の反乱を平定し、冀州牧に抜擢される)は度遼将軍に遷るが(一八九年)、まもなく病死した(同・列伝二十一・本伝)。その後任とみられる「度遼将軍の耿祉」は、反董卓派の挙兵に加わるが、南単于の於扶羅、および張楊に襲撃され、兵員・物資を奪われる(『魏志』巻八・張楊伝)。

内戦が本格化すると、閻柔(広陽の人)は烏桓・鮮卑と結び、「烏丸校尉の邢挙」を殺害し、これに代わる(『魏志』巻三十・烏丸鮮卑東夷伝。同・巻八・公孫瓚伝によれば、鮮于輔、斉周など、幽州牧劉虞の元部下たちは、公孫瓚に報復するため、閻柔を「烏丸司馬」に推挙したとされる)。のちに正式に任命されるが、その実態は甯県(護烏桓校尉府)に割拠した群雄である。左度遼将軍の鮮于輔(漁陽の人)も、幽州の割拠勢力である(『魏志』公孫瓚伝)。このほか杜畿(一六三―二二四)が護羌校尉(同・巻十六・本伝)、牽招が護烏桓校尉(同・巻二十六・本伝)に任命されるが、詳細は不明である。内戦期の四夷中郎校尉、および度遼将軍は、ほとんど機能を停止していたと言ってよい。

魏が成立すると、閻柔は度遼将軍に遷るが、領兵せず、朝位に列するだけの散官であった(『魏志』公孫瓚伝、『隷釈』巻十九・魏公卿上尊号奏)。また、呉の孫楷は西晋に降って車騎将軍を授けられるが、呉が平定されると、度遼将軍に降格される(『呉志』巻六・宗室伝注引傅暢『晋諸公賛』)。以後、度遼将軍は散官としても用いられなくなり、消滅する。これに対して、①護烏桓校尉は後漢の伝統に則り、一時的に併設された「護鮮卑校尉」とともに、烏桓・鮮卑の統治を担当する(『魏志』巻二十六・田豫伝、同・牽招伝、同・烏丸鮮卑東夷伝)。はじめ単独で任命されていたが、幽州刺史の王雄が「校尉を幷領」すると(二二八年頃)、幽州刺史(まれに幽州都督)の兼任官になる(同・巻十六・杜畿伝附杜恕伝、『晋書』巻三十六・張華伝、『八瓊室金石補正』巻八・景元甎文「使持節・護烏丸校尉・幽州刺史・左将軍・安楽郷侯清河張普先君之墓」など)。②護匈奴中郎将は、太和五年(二三一年)「再置」され(『魏志』巻三・明帝紀)、并州刺史が兼任した(同・巻二十二・陳群伝附陳泰伝、同・巻二十四・孫礼伝など)。③護羌校尉は、魏の初め、蘇則(?―二二三)が任官するが(同・巻十六・本伝)、まもなく、涼州刺史が兼任するようになる(同・巻十五・温恢伝、同・巻二十七・徐邈伝)。後漢の度遼将軍・四夷中郎校尉は、数少ない領兵の地方官であったが、後漢末以降、州牧・州都督のみならず、州刺史・郡太守も領兵し、将軍などの武官職を兼ねるのが一般的になる。魏晋の四夷中郎校尉が州刺史の兼任官になるのは、領兵官としての価値の低下を示している。非漢人を含む、地方の騒乱に、州刺史ないし郡太守が対処できるなら、四夷中郎校尉は不要というわけである。

だが、そのいっぽう、魏晋政権は四夷中郎校尉の新設に熱心であった。まず、公孫氏の滅亡(二三八年)後、④護東夷校尉が襄平県(遼東郡)に置かれる(『晋書』巻十四・地理志上)。平州が新設されると(二七六年)、平州刺史の兼任官になったらしい。たとえば、「東夷校尉・平州刺史の崔毖」は慕容廆の攻撃を受け(三一九年)、高句麗に亡命した(同・巻六・元帝紀)。ただし、太康(二八〇―二八九年)中、護東夷校尉に任ぜられた文鴦(二三八―二九一)は、平州刺史を兼任していなかった可能性がある(『魏志』巻二十八・諸葛誕伝注引『晋諸公賛』)。ついで、洮水の戦い(二五五年、雍州刺史の王経が蜀の姜維に敗れる)後、安西将軍の鄧艾(?―二六四)が、⑤護東羌校尉に任命される(同・巻二十八・本伝)。秦州が設置されると(二六九年)、秦州刺史の兼任官となるが(『晋書』巻三十四・杜預伝)、太熙の初め(二九〇年)、西平太守の馬隆が護東羌校尉を兼任した(同・巻五十七・本伝)。太康三年(二八二年)、秦州は雍州に併合され、同七年(二八六年)再置される(同・巻十四・地理志上)。この間、護東羌校尉は秦州刺史から分離して(後述の「軍州分離」)、独立の官になったと推測される(同・巻四十五・何攀伝、同・巻六十・孟観伝)。三国鼎立が固定化し、政治情勢がいちおうの安定を見せるなか、後回しにされていた西方・北方政策に、魏晋政権が取り組み始めたことを窺わせている。

なかでも、西晋の司馬炎は、「南蛮校尉を襄陽、西戎校尉を長安、南夷校尉を寧州に置く。……また平越中郎将を置き、広州に居し、南越を護るを主らしむ」(『晋書』巻二十四・職官志)とあるように、四夷中郎校尉の新設に積極的だったとされる。⑥護南蛮校尉は、管見の限り、王戎（二三四―三〇五）が荊州刺史に任命された際に「領」した（二七〇年代後半。『太平御覧』巻二百四十二・職官部四十・南蛮校尉に引かれる『晋諸公賛』）のが最初の事例である。はじめ荊州刺史が兼任するが、東晋中期以降、荊州都督府の副長官職とみなされ、単独で任命されるようになる（『晋書』巻七十三・庾亮伝、『南斉書』巻二十二・豫章文献王嶷伝など）。宋初（四二九年頃）の事例であるが、劉湛（三九二―四四〇）は「使持節・南蛮校尉・撫軍長史・行府州事」に任命され、荊州刺史の江夏王劉義恭（武帝劉裕の子）を補佐した（『宋書』巻六十九・本伝）。⑦護西戎校尉は、高密王司馬泰（司馬懿の弟の子、？―二九九）が鎮西将軍・都督雍涼二州諸軍事に任命された際に「領」した（二八六年。『晋書』巻三十七・宗室伝）のが最初の事例である。はじめ雍涼二州都督が兼任するが、唐彬（二三五―二九四）が「使持節・前将軍・領西戎校尉・雍州刺史」（二九一年。同・巻四十二・本伝）に任命されると、雍州刺史の兼任官になる。東晋では廃されるが、義熙（四〇五―四一八年）中に再置され、梁南秦二州刺史（漢中に駐屯する）が兼任した（『宋書』巻四十・百官志下）。宋の初め（四二四年）、吉翰（三七三―四三二）は「督梁南秦二州諸軍事・龍驤将軍・西戎校尉・梁南秦二州刺史」に任命されている（同・巻六十五・本伝）。⑧護南夷校尉は後述する。⑨平越中郎将は、荊州都督の劉弘が嵇含を「平越中郎将・広州刺史」に推挙した（三〇六年頃、赴任せず。『晋書』巻八十九・忠義伝）のが最初の事例である（現存史料は司馬炎在位中の任官者の記録を欠いている）。東晋南朝に至るまで、広州刺史の兼任官であった。たとえば、東晋の初め、阮孚（二七八―三二六）は「都督交広寧三州諸軍事・鎮南将軍・領平越中郎将・広州刺史」（同・巻四十九・阮籍伝）に任命された。このほか、⑩護西夷校尉については後述する。

魏晋の四夷中郎校尉は、後漢の三倍以上の数にのぼる。かつ後漢では西北辺に偏在していたのに対して、長江以南にも置かれている。魏の遼東ないし高句麗遠征、呉のいわゆる山越討伐、蜀の南中（現在の雲南省一帯）遠征など、この時期、中国の勢力は南北に拡大した。非漢人との関係が多様化、かつ深化したことが主な理由である。ただし、四夷中郎校尉が所期の機能を発揮するには、胡漢ないし蛮漢の棲み分けが前提となる。この問題を解決するのが、先に触れた江統、郭欽らの徙戎論である。徙戎論の主旨は、時計の針を後漢初期にまで戻すことにある。

太康の初め（二八〇年頃）、すなわち統一直後、司馬炎は、「刺史の内に民事に親しみ、外に兵馬を領するは、此れ一時の宜なるのみ。……諸州の事なき者は、其の兵を罷め、刺史分職し、皆な漢氏の故事の如く、出でて詔条を頒ち、入りて京城に奏事せよ。二千石（郡太守・国相をさす）治民の重きを専らにし、監司（州刺史をさす）上に清峻たるは、此れ経久の体なり。其れ便ちに州牧を省け」という詔を下した（『続漢書』百官志五・州刺史の条・劉昭注）。いわゆる軍備縮小策であるが、その骨子は領兵刺史の廃止にあった。司馬炎に言わせれば、後漢末以来の領兵刺史（もしくは州都督）は「一時の宜」でしかない。かれが理想としたのは「漢氏の故事」、良二千石によって統治される中国である。

晋護羌校尉彭祁碑（『金石録』巻二十）に、「詔あり軍・州を以て始めて分つや、……君に節蓋を授け、護羌校尉に除し、涼土を統摂せしむ（有詔以軍州始分、……授君節蓋、除護羌校尉、統摂涼土）」とあるように、彭祁（隴西の人、二四一頃―二八九）は州職ないし郡太守などを歴任した後、護羌校尉に起用され、太康一〇年（二八九年）死去した。かれが任官したのは、明らかに、独立の護羌校尉である。本碑によれば、令狐豊が敦煌に割拠した頃（二七二―二七六年。『晋書』巻三・武帝紀）、彭祁は酒泉太守から略陽太守に遷り、その後、母の喪に服したとされるから、太康の初め頃、護羌校尉に任命され、官に卒したと推測される。

本碑の「軍州始分」は、太康詔の「刺史分職」に対応しているとみてまちがいない。司馬炎は何の代替案もなく、州の軍備を撤廃しようとしたわけではない。州刺史の兼任官に成り下がっていた四夷中郎校尉に、再びスポットライトを当て、地方の治安維持を委任しようとしたのである。司馬炎の念頭にあったのは「漢氏の故事」、そしてその具体的施策が「軍州分離」、および四夷中郎校尉の新設だったことがわかる（ただし、両晋交替期の史料は零細であるため、他の四夷中郎校尉について、「軍州分離」を確認するのは難しい。唯一の例外は、旧蜀領に置かれた⑧護南夷校尉、⑩護西夷校尉であるが、『華陽国志』が詳細な記録を残していることによる）。

徙戎論が実行に移されることはなかったが、後漢末以降、各地に発生した流民の処遇は、まさしく徙戎論の世界に属する。西晋末(三一〇年)、関中から南陽に避難していた流民たちは、強制送還の決定に憤慨し、責任者であった荊州都督の山簡らを襲撃すると、郡県を寇掠し、守令(郡太守・県令)を殺戮した(『晋書』巻百・王如伝)。流民を故郷に戻そうとするだけで、この騒ぎである。まして本国を離れて数十百年、中国に生活基盤をもつ非漢人が、(たとえ武力で脅されたとしても)おとなしく帰還に応じるとは思えない。後漢末、劉翊は陳留太守に任命され、長安を出立するが、道中、飢え苦しむ難民に遭遇するたび、物資を分け与え、とうとう自らも餓死してしまう(『後漢書』列伝七十一・独行伝)。何千何万の人々が一斉に移動すれば、かかる危険性はさらに高まる。江統らが唱えた徙戎論は、机上の空論というほかない。司馬炎が想い描いたであろう、四夷中郎校尉による胡漢・蛮漢の分割統治は、結局のところ、徙戎論と同様、画餅にすぎず、その破綻は必至であった。

三、西晋末の益州と護西夷校尉・護南夷校尉

蜀平定の翌年(二六四年)、袁邵(東郡の人)が益州刺史に任命される(以下の記述は、とくに注記しない限り、『華陽国志』巻八・大同志による)。同年、梁州が新設され、解脩(済南の人)が刺史に起用される(『晋書』巻六十・解系伝)。さらに、南中四郡(建寧・雲南・永昌・興古)を分割して寧州を設置し(二七〇年)、南中監軍(蜀が南中統治のために設置した通称「庲降都督」の後身)の鮮于嬰が刺史に遷る。白馬胡を討伐するために出陣中(二七二年)、部下の諸将に暗殺された皇甫晏のように(繋年は『晋書』巻三・武帝紀による)、平呉以前の益州、および梁州・寧州の刺史は領兵していた。

広漢太守の王濬(弘農の人、二〇六—二八五)は皇甫晏の事件を処理し、「軽車将軍・益州刺史」に遷り、平呉戦役の直前(二七九年)、「監梁益二州諸軍事・龍驤将軍」を加えられ、翌年二月、荊州を突破し、「都督・平東将軍」に進

められる（『晋書』武帝紀、同・巻四十二・王濬伝も参照）。これよりさき、下邳王司馬晃（司馬懿の弟司馬孚の子、？―二九六）、ついで司馬泰（前出）が「使持節・都督寧益二州諸軍事・安西将軍・領益州刺史」（司馬晃は二七三年、司馬泰は二七五年頃。官号は同じ）に任命されるが、二人とも病気を理由に出鎮しなかった（同・巻三十七・宗室伝）。これに対して、王濬の場合は戦時体制の性格が色濃く、平呉戦役が終了すると、都督を解任される。武帝はかれを輔国大将軍に進め、五校尉（屯騎・越騎・歩兵・長水・射声校尉）を兼任させようとするが、欠員がなかったため、翊軍校尉を新設し、「梁・益（二州）省く所の兵を以て営を為」り、「輔国営」と称した（『晋書』巻三・武帝紀・太康元年六月丁丑の条、同・王濬伝、『太平御覧』巻二百四十二・職官部四十・翊軍校尉に引かれる王隠『晋書』）。

まもなく、益州と梁州も、「単車（刺史）」に改められる（二八二年）。領兵しない刺史である。代わりに成都に「西夷府」を置き、王濬の軍司であった張牧を校尉に任命する。これが⑩護西夷校尉である。同年、寧州も廃され、⑧護南夷校尉（東晋以降、「鎮蛮校尉」という）が置かれる（『華陽国志』巻四・南中志、『晋書』巻十四・地理志下）。統一後、司馬炎は旧益州の軍備を回収するとともに、護西夷校尉・護南夷校尉――二つの蛮府を新設した。「軍州分離」が実施されたことがわかる。呉の旧領を除き、最も遅く魏晋政権の版図に入った益州は、統一後の支配体制を試行する、実験場だったように思われる。

太康一〇年（二八九年）、司馬穎（二七九―三〇六）が成都王に封ぜられ、蜀郡太守は「成都内史」と改められる。「呉・蜀の旧領に皇子を封建し、士民を安堵させる」という劉頌の建言（『晋書』巻四十六・劉頌伝、『南斉書』巻十五・州郡志下）に沿った施策である。しかし、成都王の出鎮が実現しないまま、益・梁二州は領兵刺史に戻され（二九六年）、趙廞（巴西の人、？―三〇一）が「折衝将軍・益州刺史」、栗凱が「材官将軍・梁州刺史」に任命される。まもなく護西夷校尉の麴炳（西平の人）が胡・羌の紛争に軍事介入し、失敗して更迭され、江夏太守の陳総が後任となる（二九九年）。翌年、趙廞の召還も決まり、成都内史の耿滕（中山の人）が「折衝将軍・益州刺史」に遷る。趙廞は刺史・校尉交代の間隙をつき(趙廞は趙王司馬倫の元部下であるが、「賈后の姻戚」でもあったため、召還後、粛清されるのを恐れたといわれる)、「略陽・天水六郡流民」の軍事力を利用して、耿滕、陳総らを殺害し、独立を図った(三〇一年)。

このとき、梁州刺史の羅尚(義陽の人、?―三一〇)は趙廞の討伐を命ぜられ、「使持節・平西将軍・護西夷校尉・益州刺史」(『晋書』巻五十七・羅憲伝附羅尚伝は、護西夷校尉を「(護)西戎校尉」に作るが、もちろん誤り)を授けられ、中央軍・地方軍、「凡て七千余人」(同・巻百二十・李特載記)を率いて入蜀した。羅尚は平西府・西夷府・益州、合わせて「三府」の官僚集団を統率した。州刺史と四夷校尉の兼任は、「軍州分離」の放棄を意味する。さらに言えば、「三府」は、事実上、都督府である。にもかかわらず、羅尚がただちに益州都督に任命されなかったのは、西晋の首脳部には、なお「軍州分離」を支持する意見があり、そうした一派とのぎりぎりの妥協だったのだろう。

しかし着任前、趙廞は流民の指導者であった李特(もと巴西の人。板楯蛮の末裔。後漢末、略陽に徙され、巴氐と呼ばれる)に討たれ、羅尚の主要な任務は六郡流民の強制送還にシフトする。秦・雍二州は、斉万年(氐人。氐族・羌族の反乱軍に推戴され皇帝と称する)の反乱(二九六―二九九年)などによって荒廃し、多数の流民が発生した。六郡流民「十万余口」(『晋書』李特載記)は、李特に率いられて漢中に避難し、さらに蜀に入ることを許されていたのである。羅尚および側近の辛冉らは、期限を切って帰還を迫り、これに反発した六郡流民は、李特を「鎮北大将軍・益州刺史」に推戴し、「三府」と対決する。李特はいったん成都に入城するが、羅尚の反撃を受けて戦死し(三〇三年)、弟の李流、ついで子の李雄(成漢の武帝、在位三〇三―三三四)が継ぐ。李雄は成都を奪還し、成都王と称した。羅尚は江陽郡に落ちると(三〇四年)、軍司の辛宝を洛陽に派遣し、「統巴東・巴郡・涪陵三郡」、巴地方に対する督軍の権(もしくは三郡太守の兼任)を許され、その年のうちに巴郡に撤退する。

永嘉元年(三〇七年)、南陽王司馬模(司馬泰の子・司馬越の弟、?―三一一)は「都督秦雍梁益四州諸軍事・征西大将軍」に任命され、長安に駐屯する(『晋書』巻五・懐帝紀・永嘉元年三月庚辰の条、同・宗室伝)。東海王司馬越(?―三一一)

が自身の藩塀とすべく、弟たちを重鎮の長官に起用した人事(高密王司馬略は都督荊州諸軍事、新蔡王司馬騰は都督司冀二州諸軍事に任命されている)の一環である。複数州都督の一部ではあるものの、益州が都督制に組みこまれたのである。

「三府」が失敗に終わりつつあるなか、西晋の首脳部は益州都督の設置を真剣に考えはじめたことを意味する。

　前述した李特の敗因は、成都地方の村塢の離反、もしくは裏切りである。太安二年(三〇三年)正月、李特は蜀郡太守の徐倹を降し、成都の小城(蜀郡の治所)に入り、大城(益州の治所)を守る羅尚と対峙する。李特は兵士を分散し、周辺の「諸村堡」に駐留させた。食糧不足の解消と、諸村を統制下に置くためである。この情報をつかんだ益州従事の任叡は羅尚に進言し、密かに諸村と連絡を取り、二月一〇日、一斉に蜂起させる。成都でも羅尚が兵を挙げ、李特を殺害した。この頃、三蜀(蜀郡・広漢・犍為の三郡)は「保険結塢、城邑皆空」(『晋書』巻百二十・李流載記)、住民の大部分が村塢に拠って自衛し、都市は空っぽだったというのである。さらに、その一部は流民になり、東は荊州・湘州(『資治通鑑』巻八十五・晋紀九・懐帝永嘉五年(三一一年)正月の条によれば、杜弢が挙兵したとき、「巴蜀の流民四五万家」が湘州に寄留していた)、南は寧州北部に避難した。この状況に対して、羅尚は「諸村参軍」を置くとともに、「施置郡県、就民所在」、流民の現住地に僑郡県を仮設し、村民・流民の掌握につとめた(『華陽国志』大同志・永嘉元年(三〇七年)春の条)。僑郡県の統制は、都督制の特徴である(安田 二〇〇三)。永嘉二年(三〇八年)、羅尚は「散騎常侍・都督二州」、すなわち「都督寧益二州諸軍事」を加えられる。本格的な益州都督の誕生であるが、これが機能するのに十分な時間は残されていなかった。

　永嘉四年(三一〇年)七月、ⓐ羅尚が巴郡で死去すると(三〇四年から駐留)、長沙太守のⓑ皮素(下邳の人)が「揚烈将軍・西夷校尉・益州刺史」に拝し、「平西将軍営を領」する。西晋の首脳部は都督府ではなく、既存の「三府」を継続させることを選択したのである。しかも同年一二月、皮素は巴郡に着任すると、暗殺されてしまう(羅尚の子羅宇らの犯行とされている)。「三府の官属」は巴東監軍のⓒ韓松(南陽の人)を「西夷校尉・益州刺史」に推挙し、巴東に移駐する(巴東監軍＝監巴東軍事は、白帝城に駐屯する都督の一つ。蜀滅亡時の巴東太守羅憲(羅尚の叔父)が任命されたことに始まる)。翌五年(三一一年)二月、建平都尉のⓓ暴重(建平郡は荊州の西端にあり、益州東端の巴東郡と隣接する。これよりさき、荊州都督の劉弘は羅尚の援軍要請に応じ、治中従事の何植を巴東に進駐させる。暴重はこのとき随行した荊州の武官だろう)が韓松を殺害し、「三府の事を領」する。三月、「三府の文武」は暴重を逮捕すると、巴東太守のⓔ張羅(河南の人)を「行三府事」に推挙し、枳県(巴郡。長江と涪陵江の合流点)に移駐する。要するに、「三府」は外部からの府主の受け入れを拒み、府内の有力者を府主に推戴したのである(ⓒ韓松は魏の司徒韓曁の孫とされるから、賈后の姻戚、かつ賈謐の一族である。ⓔ張羅と共に、中央から派遣された、「三府」の高級幕僚であろう)。

「三府」の迷走は、さらに続く。同年、張羅が氐人の反乱を討ち敗死すると、「三府の文武」は平西司馬のⓕ王異(蜀郡の人)を「行三府事・領巴郡太守」に推挙する。しかし、翌六年(三一二年)、江陽太守のⓖ張啓(犍為の人)、広漢太守の羅琦(羅尚の子弟か)らが王異を殺し、張啓が「三府の事を領」し、羅琦が「行巴郡太守」となる。まもなく張啓は死去するが、「三府の文武」は涪陵太守のⓗ向沈(義陽の人)を「行西夷校尉」に推挙し、涪陵郡に移駐する。建興元年(三一三年)春、向沈が死去すると、「蜀郡太守の程融、宜都太守の楊芬、西夷司馬の常歆、都安令の倉弘ら」は汶山太守のⓘ蘭維(涪陵の人)を「西夷校尉」に推挙し、巴東に下るため枳県に出たところで、李雄の軍に迎撃され、降伏する。「三府」の敗滅によって、魏晋政権による益州の統治体制は崩壊した。

羅尚の死後、わずか二年半のうちに、八人の府主が交代している。正式に「除拝」したのは、ⓑ皮素だけであり、以後の府主たちは、ⓓ暴重とⓖ張啓がクーデターによって位を奪ったほか、「三府」の文武官僚による「表請」(皇帝への請願)、つまり、府内の輿論によって選出されている(ⓖ張啓も府内の多数派工作に成功し、それらの支持のもとにクーデターを決行したのだろう。また、最後のⓘ蘭維は「蜀郡太守の程融」らに推戴されるが、かれらの前身も「三府」の幕僚であろう)。唐末の「河朔の旧事」を想起させる話である。洛陽も永嘉の乱のさなかにあり、益州の人事に手が回らなかったことにもよるのだろうが、図らずも、方鎮(魏晋南北朝の都督、唐の節度使、元の行中書省、明清の総督・巡撫など、各地域の行政・軍事に関して強大な権限を付与された、政府の出先機関の総称)が本質的に自律的な組織であることを暴露するかたちになった(有力な都督府を起点にした政変は、東晋南朝政治史の特徴である)。

羅尚が入蜀した頃、寧州でも西南夷の反乱が拡大し(三〇二年)、護南夷校尉の李毅(広漢の人、?—三〇六)が、再置された寧州刺史を兼任し、龍驤将軍を加えられる(以下の記述は、『華陽国志』巻四・南中志による)。「三府」と酷似する、方鎮の誕生である(少なくとも、寧州と南夷府が合体し、二府が成立したのは確実)。李毅は反乱軍に包囲され、州城内で死去するが、寧州・南夷府の「文武」は李毅の娘李秀を「領州事」(夫の王載が護南夷校尉になる)、ついでその兄弟の李釗(三〇八年、洛陽から帰還)を「領州府事」に推戴する。李釗はこれを拒み、朝廷に刺史の派遣を嘆願し、王遜(魏興の人、?—三三三)が「南夷校尉・寧州刺史」に任命される(三一〇年)。王遜はさらに「平西(将軍)・益州刺史」を兼ね、元帝司馬睿が即位すると(三一七年)、「散騎常侍・安南将軍」(『晋書』巻八十一・本伝)に進められる。前者は「三府」の地位を継承したことを意味し、後者には「都督寧益二州諸軍事」が含まれていた可能性が高い(侍中・散騎常侍の加官は、都督・四征将軍クラスの大官に限られる)。この頃、成漢の李雄は寧州への侵攻を本格化させていたのである。王遜の死後、尹奉(南陽の人)が「安西将軍・南夷校尉・寧州刺史」に任命されるが(まさしく「三府」の再現)、咸和八年(三三三年)、成漢に降り、魏晋政権による寧州支配はいったん幕を閉じる。

益州の「三府」、ならびに寧州・南夷府の壊滅は、「軍州分離」政策の失敗、ないし後漢以来の四夷中郎校尉による地方統治体制への回帰が不可能であることを知らしめる結果になった。と同時に、これに代わる統治システム——都督制の拡大を加速させる。すでに述べたように、益州は益州都督府の成立に先立ち、まず雍涼二州都督府の管轄下に置かれた。その後、荊州刺史の陶侃(二五九—三三四)が「都督荊江雍梁交広益寧八州諸軍事」(『晋書』巻六十六・本伝)となり、後任の庾亮(二八九—三四〇)も「都督江荊豫益梁雍六州諸軍事」(同・巻七十三・本伝)であったように、東晋の初め、荊州都督府の長官が益州の都督を兼ねるようになる。いっぽう、益州刺史は監巴東軍事(宜都ないし巴東に駐屯)によって兼任された(同・巻七十・応詹伝など)。桓温が成漢の李氏を平定すると(三四七年)、益州刺史の周撫(?―三六五)が「都督益寧二州諸軍事」として成都に駐屯する。益州都督府の始まりである。以後、益州刺史、ならびに護西夷校尉は益州都督府に吸収され、益州統治の中心に返り咲くことはなかった(護西夷校尉は、梓潼太守もしくは巴西梓潼二郡太守が兼任し、益州都督府の副長官職と位置付けられた。ただし、東晋末(四一三年)、朱齢石(劉裕の部下)に従って蜀の譙縦(四〇五年、益州を制圧して成都王を称する)を平定した沈叔任(『宋書』巻六十三・沈演之伝)以降、任官者が確認できず、宋の初め頃、廃止されたらしい)。なお、升平の初め(三五七年頃)、毛穆之(?―三七九頃)が「督寧州諸軍事・寧州刺史」に任命され、寧州にも都督府が開かれる(『晋書』巻八十一・毛宝伝)。

四、都督制の発達と流民・非漢人、村塢

都督制は、黄初の初め(二二〇―二二二年頃)に創設され(『宋書』巻三十九・百官志上、『晋書』巻二十四・職官志、『通典』巻三十二・職官典十四など)、車騎将軍の曹仁が「都督荊揚益州諸軍事」、鎮西将軍の曹真が「都督雍涼州諸軍事」、鎮南将軍の曹休が「都督(揚州)諸軍事」、征南将軍の夏侯尚が「都督南方(荊州をさす)諸軍事・領荊州刺史」、鎮東将軍の臧覇が「都督青(徐)州諸軍事・領徐州刺史」を兼任した(『魏志』巻十・諸夏侯曹伝、同・巻十七・臧覇伝)。歴代王朝が設置した地方政府「方鎮」の一つである(呉廷燮『歴代方鎮年表』叙録)。

方鎮の始まりは、中平五年(一八八年)、後漢の霊帝が地方統治を立て直すため、九卿・尚書を州牧として派遣した、いわゆる牧伯制である。州牧と州刺史は厳密に区別され、陶謙は「徐州刺史」に任命された後、長安の朝廷に遣使貢献し、「安東将軍・徐州牧・溧陽侯」に進められた(『魏志』巻八・本伝)。孫策が曹操と結んだとき(一九七年)、呂布は

「使持節・平東将軍・領徐州牧・温侯」(『呉志』巻一・孫討逆伝注引『江表伝』に載せられる「建安二年詔」)、袁紹は三郡烏桓の首長に単于号を授けたとき(一九九年頃)、「使持節・大将軍・督幽青并(三州諸軍事)・領冀州牧・邟郷侯」(『魏志』巻三十・烏丸鮮卑東夷伝注引『英雄記』に載せられる「大将軍府版文」)であった。また、劉鎮南碑(『蔡中郎集』巻六。ただし蔡邕の作品ではない)から復元される、劉表の極官は「使持節・鎮南将軍・開府儀同三司・督交揚二州・領荊州牧・成武侯」だったと推定される。以上の事例から、「州牧=州刺史+督当該州」という解答が導かれる。州刺史に「督軍」を兼任させ、将軍を加官したものが、権力機構としての州牧の実体であった。

魏公卿上尊号奏(『隷釈』巻十九)によれば、前述の曹仁は「使持節・行都督督軍・車騎将軍・陳侯臣仁」と署名し、都督諸軍事は「行都督督軍」と言い換えられている。曹真以下も同じである。のちに設置される大都督は、「大都督・督中外諸軍事」(『晋書』巻五十九・趙王倫伝)、「大都督・督青徐兗豫荊揚六州諸軍事」(同・巻六十一・苟晞伝)などとあるように、「大都督・督軍」が正式な官称である。州都督も「都督+督軍」だったと推定される(石井 一九九二)。州牧・州都督共通の構成要素であった「督軍」とは何か。

『宋書』百官志上によれば、州都督の起源は、前漢時代、皇帝の命を帯びて派遣される使者が「持節」したこと、さらに光武帝による統一戦争の際、臨時に設置された「督軍御史」、もしくは「督軍の諸使」(『太平御覧』巻二百五十一・職官部四十九・都護に引かれる沈約『宋書』)にある。督軍御史の始まりは、武帝が派遣した「繡衣直指」の侍御史である。地方の鎮撫、疑獄事件の捜査を担当し、常置の職ではない(櫻井 一九三六)。九卿や中郎将、中散大夫、丞相長史なども派遣されるから、「使者」「直指使者」という方が正確である。直指使者の任務を一言で表した言葉が、「督趣逐捕」(『漢書』巻十・成帝紀・永始三年(前一四年)十二月の条)、「督課郡国」(同・巻七十一・雋不疑伝)、「使督大姦」(『後漢書』列伝十六・伏湛伝)、すなわち「督」である。

泰山・琅邪に派遣された「直指使者の暴勝之」らは、「刺史・二千石以下」を誅した(『漢書』巻六・武帝紀・天漢二年

（前九九年）秋の条）。当時、関東には無数の反政府勢力があり、郡県を攻めて守令を殺害したり、兵糧などを供出させていた（『史記』巻百二十二・酷吏伝）。このとき被陽令の王訢は処刑されるところ（賊に協力した?）、土壇場で暴勝之を説得し、助命される。暴勝之は「軍興を以て従事し、二千石以下を誅（以軍興従事、誅二千石以下）」（『漢書』巻六十六・王訢伝）し、「軍興を以て命に従わざる者を誅（以軍興誅不従命者）」（同・雋不疑伝）していたのである。鄭玄によれば、官が物資を徴発することを「興」、もしくは「軍興」という（『周礼注疏』巻十六）。建初七年（八二年）九月、大赦がおこなわれ、死刑囚は罪一等を減じて「辺境の守備（辺戍）」に就かせ、家族も同行を許される。ただし（期日どおりに）到着しないものは「乏軍興を以て論じる」とされた（『後漢書』本紀三・章帝紀）。「乏軍興」は軍事もしくはこれに準拠して、官が人員・物資を徴発する際、期日に遅れた者を「斬」に処する律である（『唐律疏議』巻十六・擅興・乏軍興の条に、「乏軍興には斬、故・失等し（乏軍興者斬、故失等）」とある）。

つまり、直指使者が行使した「以軍興従事」「以軍興誅不従命者」は、派遣地域を戦争状態とみなし、乏軍興の律によって官民を統制し、命令違反者を処刑することであった。これが「督軍」の原義であり、『宋書』百官志上に、「使持節（都督諸軍事もしくは監諸軍事、督諸軍事。以下同じ）は、二千石以下を殺すことができる。持節は無位無官の人を殺せるが、軍事であれば使持節と同じく二千石以下を殺すことができる。仮節は軍事においてのみ軍令を犯した者を殺すことができる」とあるように、「使持節・都督諸軍事」固有の職掌でもあった（南北朝の都督は資歴（任官資格の高下、および経験年数ないし年齢）に応じて、都督・監・督の三階級が使い分けられ（位の高下を示す）、同じく節も、使持節・持節・仮節に分かれ、権限の強弱が定められていた。ただし、かりに仮節の都督であっても、「軍事」だと主張すれば、使持節の都督と同等の権限を執行できるから、節の三階級にも、さほど差異はなかったとみるべきである）。もちろん、実力行使を伴わない死刑宣告には意味がないから、兵を動かす権限を併せもつのは、自明の理である。州都督が常に将軍・中郎将など、軍司令官の職とセットで任命された理由である。

州都督は乏軍興の律によって、支配地域の官民に、(本来、郡県の主要な任務である)人員・物資の供出を強要できる。ゆえに、郡県の民だけでなく、流民ないし村塢の民、非漢人にも、容易に支配の網を被せることが可能になる。後趙が滅亡すると(三五一年)、その幷州刺史であった張平は、幷州六郡の「塁壁三百余の胡・晋十余万戸」を領有し、前燕・前秦と鼎立する構えをみせた(以下、『晋書』巻百十・慕容儁載記による)。前燕の攻撃によって張平の政権は崩壊するが(三五八年)、このとき、「征西(将軍。以下同じ)の諸葛驤、鎮北の蘇象、寧東の喬庶、鎮南の石賢」は「塁壁百三十八」を率いて前燕に降った。張平は平陽郡に逃れるが、再起はならず、「銅壁」で前秦に降伏する(三六一年)。張平は村塢を権力基盤とし、都督・四征将軍(寧東将軍もその一種)を署置して統治させていたことが読み取れる。諸葛驤らは多数の胡人・漢人を支配する、有力な塢主であろう。山西地方では、後漢末以来、胡・漢が雑居し(『魏志』巻十五・梁習伝)、それぞれ村塢を築いて割拠した(同・巻二十三・常林伝、『晋書』巻百四・石勒載記上、『魏書』巻四十二・薛辯伝など)。ある地域の村塢が(有力な村塢を中心に)連合体をつくるのは、一般的に見られた現象である(宮川 一九五六、石井 二〇〇三)。このような村塢連合をさらに統合し、都督制による支配を援用したのが、張平の政権だったと考えられる。

都督制は、後漢末以来の社会変動に対応し、「人」の直接把握を狙った統治体制である。しかも、軍法(乏軍興の律)のもと、官民のみならず、定住民と流民ないし村塢の民、さらには漢人と非漢人すら区別しない、ある意味、平等な制度と言える。魏晋南北朝のみならず、唐に入ってもなお、「波斯(ササン朝の亡命政権をさす)都督」「鶏林州(新羅をさす)都督」(『冊府元亀』巻九百六十四・外臣部・封冊二など)などのように、羈縻州都督として東アジア全域に広がり、あるいは、「使持節・都督広州諸軍事・守広州刺史・兼御史大夫・充嶺南節度観察本管経略等使」(八〇二年。『文苑英華』巻九百七十六・嶺南節度使徐公行状)などのように、節度使の兼官として用いられ、北宋まで残存する。魏晋の都督制が普遍的、かつ完成度の高い政治制度だったことを物語っている。

おわりに

赤壁の戦い後、曹操は布告を出し、あらためて漢朝護持の決意を表明して言う、「もし陛下の側に私がいなければ、何人の輩が皇帝や王を僭称したかわからない（設使国家無有孤、不知当幾人称帝、幾人称王）」と（『魏志』武帝紀注引『魏武故事』に載せられる「建安十五年十二月己亥令」）。呂布も言っている、「君（琅邪相の蕭建をさす）は郡ごとに皇帝がいて、県ごとに王がいるような乱世を望んでいるようだ（君如自遂以為郡郡作帝、県県自王也）」と（同・巻七・本伝注引『九州春秋』。呂布が劉備から徐州を奪った際、日和見を決めこむ蕭建に、協力を求めて送った書状）。かれらにとって、漢の秩序は絶対であり、群雄割拠の中国など、あってはならない世界であった。漢人中華帝国の維持という点で、漢末の群雄、ないし三国政権の政治目標は一致している。

四分五裂の情勢が整理され、内戦が小康状態になると、西北辺を含む、帝国の中心部を継承した魏晋政権は、四夷中郎校尉による統治体制の復活を試みる。①護烏桓校尉（幽州）、②護匈奴中郎将（并州）、③護羌校尉（涼州）が活動を再開するとともに、漢人の勢力拡大、もしくは浸透に応じて、④護東夷校尉（平州）、⑤護東羌校尉（秦州）、⑥護南蛮校尉（荊州）、⑦護西戎校尉（雍州）が新設される。さらに統一後、蜀の旧領に⑧護南夷校尉（寧州）と⑩護西夷校尉（益州）、呉の旧領に⑨平越中郎将（広州）が設置され、四夷中郎校尉によって全土が被われる。このとき抜かれた伝家の宝刀が、司馬炎の「刺史分職」、もしくは「軍州分離」政策――単車刺史と四夷中郎校尉の二本立てによる地方統治である。

しかし、基層社会の状況は後漢とは大きく異なり、結局、「軍州分離」は、実効をあげることなく、うやむやのうちに撤回される。『晋書』職官志に、「元康（二九一―二九九年）中、護羌校尉もて涼州刺史と為し、西戎校尉もて雍州刺史と為し、南蛮校尉もて荊州刺史と為す」とあるのは、「軍州分離」が元の木阿弥になったことを言っている。いっぽう、都督制は都市から農村への人口移動、および胡漢の雑居を前提に運用される政治制度である。流民を現住地で掌握するとともに（たとえば、東晋南朝の襄陽（後漢時代は荊州南郡の領県）には北中国の各地から流民が押しよせるが、初めは梁州、ついで司州、最後に雍州（宋の大明土断によって実土化する）、いずれも僑州の都督府が置かれ、僑郡県に登録された流民を統治した）、村塢の民、さらには非漢人すら、郡県民と同様に支配することが可能だった。両晋交替期における都督制の完成は、四夷中郎校尉、および度遼将軍による胡漢の分割統治をめざした漢人中華帝国の終焉を意味した。

しかも、魏晋政権が実施した四夷中郎校尉の増設は、帝国を支える基幹的な制度としては致命的な、価値の低下を招来する。すでに述べたように、後漢の四夷中郎校尉は三公九卿に昇進できる、エリートコースに位置付けられていた。かかる希少性は失われ、都督制を支える機関の一つにすぎなくなる。東晋の義熙（四〇五―四一八年）中、襄陽に⑪寧蛮校尉が置かれ、雍州刺史の魯宗之が兼任する（『晋書』職官志）。宋は豫州蛮を鎮撫するため、⑫安蛮校尉を置き（四四五年）、豫州刺史の南平王劉鑠（文帝劉義隆の子、四三一―四五三）に兼任させる（『宋書』巻七十二・文九王伝）。また、白帝城に⑬護三巴校尉を置き（四六九年）、三峡の蛮夷を鎮撫させるが、南斉の初め（四八〇年）、巴州都督府に改められる（『宋書』巻八・明帝紀、『南斉書』巻二・高帝紀下、同・巻十五・州郡志下、同・巻十六・百官志、同・巻二十八・蘇侃伝など）。南斉は益州都督府の副長官職として、⑭平蛮校尉を新設する（四八五年。『南斉書』巻十六・百官志、『南史』巻四・斉本紀上）。

八王ないし五胡の諸政権も盛んに設置し、⑮護赤沙中郎将（河間王司馬顒が置く。赤沙は匈奴、もしくは烏桓の部族名。『晋書』巻百二・劉聡載記）、⑯護南氐校尉、⑰寧羌中郎将、⑱平羌校尉、⑲寧戎校尉（前涼が置く。河州刺史を兼ねる。『魏書』巻九十九・私署涼州牧張寔伝）、⑳護西胡校尉（前涼が置く。沙州刺史を兼ねる。同上）、㉑平呉校尉（前秦が置く。揚州刺史を兼ねる。呉は東晋治下の漢人をさすと考えられる。『晋書』巻百十三・苻堅載記上）、㉒南巴校尉（前秦が置く。寧州刺史を兼ねる。『資治通鑑』巻百四・晋紀二十六・孝武帝太元五年十月の条）、㉓護西域校尉（前秦が置く。『晋書』巻百十四・苻堅載記下)、㉔滅羌校尉(前秦が置く。同・巻百十五・苻登載記)、㉕護東夷中郎将(北魏が高句麗を冊封する際に用いられた。『魏書』巻百・高句麗伝)などが確認できる(三﨑 二〇〇六)。

以上のような増設、もしくは濫造によって、四夷中郎校尉は急速に散官化し、国家体制を支える要職の地位から転落する。しかし、皮肉なことに、散官化は官職としての延命につながった。たとえば、前涼の張氏(三〇一―三七六年)、および西涼の李氏(四〇〇―四二一年)は護羌校尉・涼州牧(もしくは刺史)を世襲し(『晋書』巻八十六・張軌伝、同・巻八十七・涼武昭王李玄盛伝など)、北涼の沮渠蒙遜(三六八―四三三、在位四〇一―四三三)は宋の冊封を受け、「使持節・侍中・都督秦河沙涼四州諸軍事・車騎大将軍・開府儀同三司・領護匈奴中郎将・西夷校尉・涼州牧・河西王」と称した(『宋書』巻九十七・氐胡伝)。また、仇池国の楊難敵(?―三三四)は前趙の冊封を受け(三二二年)、「使持節・侍中・仮黄鉞・都督益寧南秦涼梁巴六州隴上西域(雑夷?)諸軍事・上大将軍・益寧南秦三州牧・領護南氐校尉・寧羌中郎将・武都王」(『晋書』巻百三・劉曜載記)と称し、さらに楊初(難敵の族子、?―三五五)が東晋の冊封を受けてから(三四七年)、梁に至るまで、仇池国の当主は平羌校尉を世襲した(『宋書』氐胡伝など)。

元来、度遼将軍は前漢の范明友(?―前六六)が任命された故事(『漢書』巻七・昭帝紀・元鳳三年(前七八年)冬の条)にさかのぼり、護烏桓校尉と護羌校尉は武帝のときに設置されたといわれ(『後漢書』列伝七十七・西羌伝に載せられる班彪の上言)、宣帝(在位前七四―前四九)期には護羌校尉の活動が確認できる(『漢書』巻六十九・趙充国伝)。四夷中郎校尉が由緒ある「漢官」であった歴史的事実は、東晋・南北朝時代、地方に割拠する政治勢力にとって、自らの支配の正当性を主張するのに、恰好の宣伝材料になったのである。

参考文献

櫻井芳朗(一九三六)「御史制度の形成(上・下)」『東洋学報』第二三巻第二・三号。

和田清（一九四二）『支那官制発達史』中央大学出版部。

那波利貞（一九四三）「塢主攷」『東亜人文学報』第二巻第四号。

西嶋定生（一九五六）「魏の屯田制」『東洋文化研究所紀要』第一〇号。

宮川尚志（一九五六）『六朝史研究――政治・社会篇』日本学術振興会。

宮崎市定（一九五六）『九品官人法の研究――科挙前史』東洋史研究会。

宮崎市定（一九六〇）「中国における村制の成立」『東洋史研究』第一八巻第四号。

越智重明（一九六三）『魏晋南朝の政治と社会』吉川弘文館。

永田英正（一九六五）「後漢の三公にみられる起家と出自について」『東洋史研究』第二四巻第三号。

濱口重國（一九六六）『秦漢隋唐史の研究（上・下）』東京大学出版会。

多田狷介（一九六八）「黄巾の乱前史」『東洋史研究』第二六巻第四号。

田村実造（一九八五）『中国史上の民族移動期――五胡・北魏時代の政治と社会』創文社。

小林聡（一九八九）「後漢の少数民族統御官に関する一考察」『九州大学東洋史論集』第一七号。

船木勝馬（一九八九）『古代遊牧騎馬民の国』誠文堂新光社。

石井仁（一九九二）「都督考」『東洋史研究』第五一巻第三号。

谷口房男（一九九六）『華南民族史研究』緑蔭書房。

石井仁（二〇〇〇）『曹操　魏の武帝』新人物往来社。

小尾孟夫（二〇〇一）『六朝都督制研究』渓水社。

石井仁（二〇〇三）「黒山・白波考」『東北大学東洋史論集』第九輯。

安田二郎（二〇〇三）『六朝政治史の研究』京都大学学術出版会。

三﨑良章（二〇〇六）『五胡十六国の基礎的研究』汲古書院。

渡邉義浩（二〇一〇）『西晋「儒教国家」と貴族制』汲古書院。

唐長孺（一九五五）『魏晋南北朝史論叢』生活・読書・新知三聯書店。

厳耕望（一九六三）『中国地方行政制度史（乙部）魏晋南北朝地方行政制度』中央研究院歴史語言研究所専刊四五B。

周一良（一九六三）『魏晋南北朝史論集』中華書局。
金發根（一九六四）『永嘉乱後北方的豪族』台湾商務院書館。
譚其驤（一九八七）『長水集（上）』人民出版社。

焦　点 | *Focus*

集点｜*Focus*

漢代地方官吏の日常生活

髙村武幸

はじめに

漢の統一を支えた要素の一つとして、官僚機構の存在が挙げられよう。官僚機構に属した官吏の人数は、前漢一代の正史『漢書』の百官公卿表に「吏員は佐・史（最下級官）より丞相（首相）に至るまで、一二万二八五人」とあるが、その大半は郡や県などの地方行政機構に属した地方官吏が占める。地方官吏は、中央政府が任用する長官・次官級官吏と、長官の人事権により現地で任用された下級官吏に大別される。ここでは、地方官庁の主役ともいえる下級官吏とその上司であった地方長官に焦点をあて、彼らの日常生活と、それが漢の統一と崩壊に与えた影響を考えてみたい。

一、漢代官僚機構の概観――地方行政機構を中心に

地方官吏を考える前提として、前漢後半期から後漢の状況を中心に、地方行政機構の基本的状況を確認する（厳 一九六一、紙屋 二〇〇九）。漢の官僚機構の基礎が戦国期から発展した秦の官僚機構であることはよく知られているが、

若干の変化もあり、それも踏まえて概観したい。

地方行政機構

漢代の地方行政機構は、郡と県から構成される[図1]。郡は戦国秦で恐らく前四世紀末までに設置されたと考えられ(土口 二〇一一:一二三―一六四頁)、長官を太守、次官を太守丞と称し、複数の県を管轄下に持った。前漢前半期まで県行政の監督を主要業務とし、官吏も三〇名程度であったが、前漢後半期頃から行政実務に携わるようになり、それに伴い官吏数も数倍に増加した。

漢代の県の直接的起源は、睡虎地秦簡(湖北省出土)の記載による限り、戦国秦で紀元前四世紀半ばに行われたとされる「商鞅変法」で設置された県と考えられる。長官は県令(小県は県長)、次官に県丞、治安担当官に県尉が配置された。県は前漢前半期までは地方行政実務の大半を担ったが、のち郡の行政実務が増加するにつれ、郡・県が連携して行政にあたった。郡・県の長官・次官は中央政府の任命による官吏が赴任した。この他、漢では皇族や功臣が封建された諸侯王国・列侯国が存在した。このうち諸侯王国は漢初、高度な自治が認められており、漢と天下を共有したとの説もあるが(阿部 二〇〇八)、紀元前一五四年の呉楚七国の乱の鎮圧以後は自治権がほぼなくなり、行政的には諸侯王国は郡、列侯国は県と大差ないものへ変化した。

県以下の機構としては郷と里がある。郷は責任者を郷嗇夫(大きな郷は郷有秩)といい、郷嗇夫は県、郷有秩は郡による任用であった(大庭 一九八二:四九七―五二三頁)。主要業務は戸籍を用いた民衆の把握と徴税である。嗇夫の補佐に郷佐、郷の保安官として游徼がおり、他に民衆の教化を掌る者として郷三老がいた。郷三老は民衆のまとめ役で、正規の官吏ではない。里は数十―一〇〇戸を単位に編成され、責任者は前漢初期の張家山漢簡「二年律令」(湖北省出土)では里典と里正、『後漢書』では里魁とするが、やはり正規の官吏ではなかった。

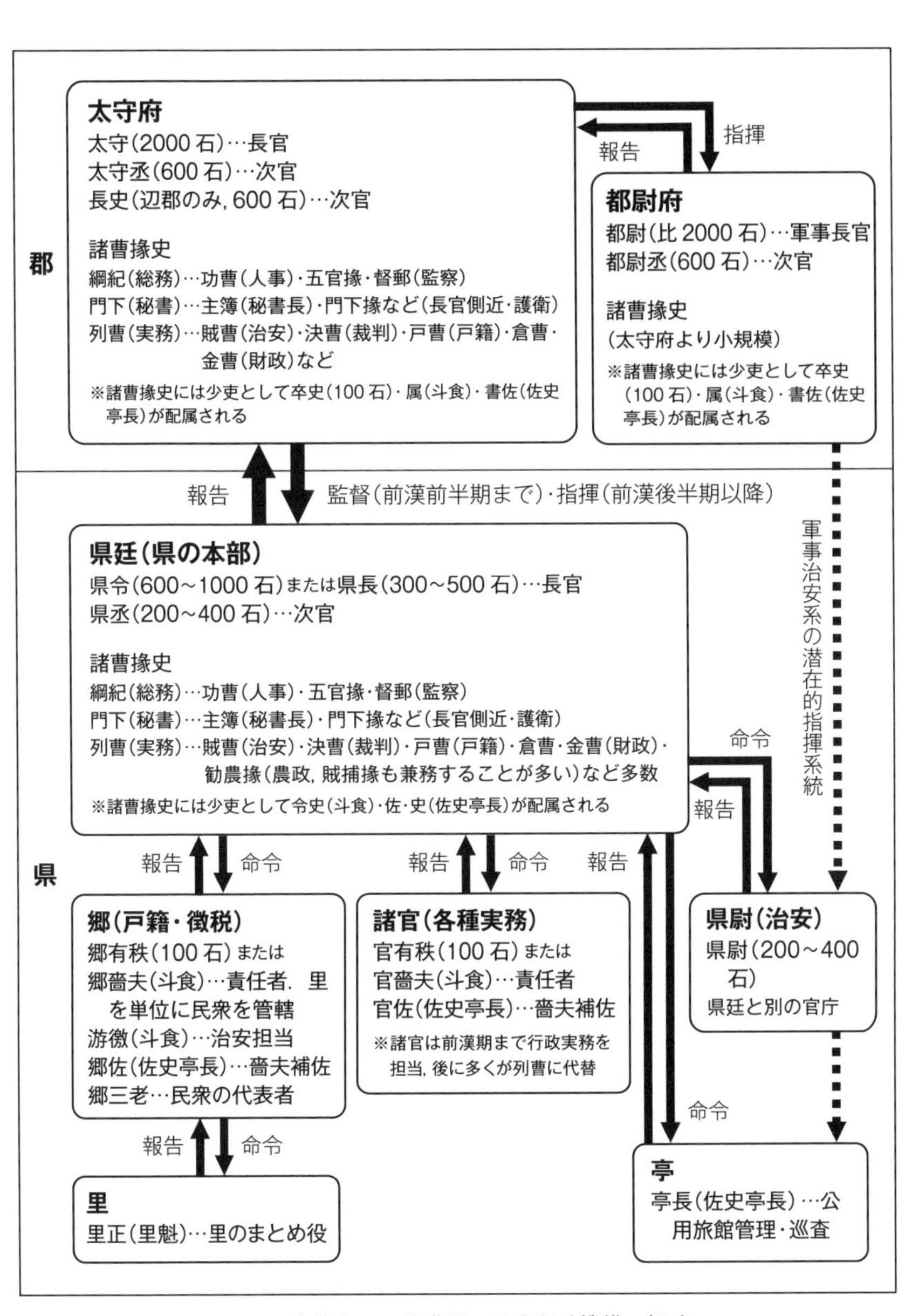

図1　前漢末から後漢期の地方行政機構の概略

なお、前漢武帝(在位前一四一—前八七)の前一〇六年、全国が一三の州に分けられ、それぞれに地方有力者や太守の不正などを取り締まる監察官である刺史が派遣された。この州が後に広域行政機構化したか否かについては、議論が分かれている(小嶋 二〇〇九：第Ⅱ部、紙屋 二〇〇九：七二三—七七四頁)。ただし、後漢期に入ると州の刺史が軍事指揮官として活動する事例がみられ、州の範囲が地域の単位として認識されるようになったことは認めてよいと思われる。

地方少吏を中心とした官僚制度の概略

漢の官吏の地位の高低は官秩という等級で示された[図2]。等級の数値が大きいほど地位が高いという原則は変化しなかったが、比秩という官秩(図2の比〇〇石)が生じたり(森谷 二〇〇八、閻 二〇〇九：八八—一二三頁)、等級が省かれるなどの変動があった。百石以下の下級官吏には百石(有秩)—斗食—佐史亭長の三段階の序列があった。比二百石から上の官吏が基本的には中央政府による任用となり、地方官就任時には前漢後半期以降は原則的に本籍地を回避し任地に赴任した(濱口 一九六六：七八七—八〇七頁)。百石以下の下級官吏は「少吏」(属吏とも)と称され、各官府長官が任用するもので、基本的に郡県少吏はその郡県中から任用された。なお、秦・前漢初期では郡県の枠を超えた任用や、パートタイムで就任する下級官吏の存在など(廣瀬 二〇一〇：一六九—三三一頁、宮宅 二〇一二)、これらの原則から外れた事例があるが、それは戦国秦の遺制と考えられている。

少吏となるために必要な条件については不明点も多いが、衣冠や車馬など官吏としての身分を示すために必要な物品を自弁でき、ある程度の文字知識も期待できる(濱川 二〇一三、邢 二〇一三)、経済的に中流以上の層の出身者が多く、経済的条件が存在したと推測される(高村 二〇〇八：二二—五六頁)。実際、必要物品が自弁できずに罷免された事例もある。ただし必ずしも単純な経済力のみで任免が決定されたわけではない。前漢後半期以降、地域有力者層、いわゆる豪族の出身者が少吏に増加したといわれる。彼らは先に述べた経済的要件を満たすという点で有利であり、また地域社会に様々な面で影響力を持っていた。これは秦でも同様で、任侠として一定の影響力を持った漢の高祖劉(りゅう)邦(ほう)はその好例といえる。彼らを任用する側の長官・次官らは、本籍地を回避して派遣されるため地域事情に詳しいとは限らず、結果的に地域に影響力を行使できる人物を任用する傾向が強くなる。すなわち秦代から経済力のほかに社会的影響力が重んじられており(佐原 二〇〇二：五二二―五五七頁)、地域社会の有力者は任用されやすいのである。

一方、地域有力者らにとって少吏となることの利点としては、官吏として行政機構の一部に入り込むことで、国家による弾圧の対象とされる危険性を減らせる点が挙げられる。彼らは他の地域社会構成員を圧迫する存在にもなりうるため、国家から地域社会の不安定要因とみなされる危険がある。そこで国家と協調しつつ自らの地位を保全するために、行政機構の一員となることを選ぶのである。行政機構に入り込めば地域社会の代表者として行政に地域社会の利害を反映させることもできる。また、下級とはいえ官吏となれば社会的地位が得られる。中には郡県トップクラスの豪族が就任する官職もあり、そうなればさらなる社会的地位の上昇も期待できる。さらに前一三四年に地方長官の推薦による高級官僚予備群への登用制度、孝廉制(こうれんせい)が始まると(福井 一九八八)、推薦を得るには少吏として活動し長官に知られることが近道となった。推薦に際しては学問的素養がある方がよく、それを学ぶため

二年律令秩律(前186年)	
万石？	長吏
二千石	長吏
千石	長吏
八百石	長吏
六百石	長吏
五百石	長吏
四百石	長吏
三百石	長吏
二百五十石	長吏／少吏
二百石	長吏／少吏
百六十石	少吏
百廿石	少吏
百石？	少吏
斗食？	少吏
佐史亭長？	少吏

前漢武帝期以降(前1世紀頃)	
万石	長吏
中二千石	長吏
二千石	長吏
比二千石	長吏
千石	長吏
比千石	長吏
八百石	長吏
比八百石	長吏
六百石	長吏
比六百石	長吏
五百石	長吏
比五百石	長吏
四百石	長吏
比四百石	長吏
三百石	長吏
比三百石	長吏
二百石	長吏
比二百石	長吏
百石	少吏
斗食	少吏
佐史亭長	少吏

前漢成帝期以降(前23年)	
万石	長吏
中二千石	長吏
二千石	長吏
比二千石	長吏
千石	長吏
比千石	長吏
六百石	長吏
比六百石	長吏
四百石	長吏
比四百石	長吏
三百石	長吏
比三百石	長吏
二百石	長吏
比二百石	長吏
百石	少吏
斗食	少吏
佐史亭長	少吏

図2 漢代官秩の概略(二年律令・『漢書』に基づく)．事例は少ないが「真二千石」の官秩もあり，位置づけについて議論がある．

には経済力を有する方が有利である。こうした諸点から、豪族が少吏へ任用されていったと考えられる。ただし、全ての少吏が豪族で占められたわけではなく、最下級官職の中には賤役視されて豪族に忌避されてしまう官職もあった。また後漢期には豪族も階層化が進み、中央官僚への道が開けやすい役職へ就ける豪族と、そうではない豪族とに分かれた（東 一九九五：二六三―二八五頁）。

地方少吏の日常勤務

では少吏は地方官庁でどのように勤務していたのだろうか。

漢代の官吏は基本的には勤務先官庁に設置された官舎で起居し、五日に一度の休暇の際に帰宅したとされる（大庭 一九八二：五六七―五九〇頁）。文献史料では、漢の高祖が亭長（巡査）時代に休暇をとって自宅の耕地に行ったところ、人相見に貴い人相だといわれた話や（『史記』高祖本紀）、祝日にも仕事をして帰宅しない少吏を太守が諭して帰らせた、という話（『漢書』薛宣朱博伝）が伝えられている。しかし、後に詳しく紹介する尹湾漢墓簡牘（江蘇省出土）によれば、前一世紀末頃、少吏が職場と官舎や自宅を適宜往来していたと考えられる事例があり、実際には業務に支障がなければ帰宅しても問題なかったようである。昇進は基本的には「労」と称される勤務日数を重ね、一定の年限を問題なく勤めるとそれが「功」として認定され、功に応じて前掲の官吏の等級を昇る仕組みであった（大庭 一九八二：五四六―五六六頁）。無論、特別な功績を挙げれば功とされ、抜擢もされた。また、秦代から最低を「殿」、最高を「最」とする成績評価が課せられ、「殿」が続くと罷免された。このように功を積み重ねることで、少吏から比二百石以上の長吏への道も開けていたが（西川 二〇〇〇）、前漢後半期以降は特別な功績を挙げるか、孝廉などによって推薦されないと高官への道は厳しいものであった。なお、「長吏」とされる官秩の範囲は史料により若干のゆれがあるが、本章では比二百石以上、中央政府による任用の官吏を指すものとする。

次に、少吏らがどのような機構に配置されていたのか、県を例にみる（仲山 二〇〇一、髙村 二〇一四）。里耶秦簡（湖南省出土）によれば、秦では県令・県丞に直属する令史ら少吏が、県の本部である「県廷」の中において県令・県丞のもと、複数の「曹」と称する組織（倉曹・司空曹・金布・戸曹など、担当する職務名を冠しており、「諸曹」と総称される）を形成した。また各行政実務を実行する県令指揮下の各組織（倉・司空・田・少内など、担当する職務が組織名となっており、「諸官」と総称される）には、責任者として官嗇夫、補佐役として佐・史などが配置された。各曹にはそれぞれ担当があり、その名称上、関連の深い諸官と県令らとの報告・命令のやりとりが円滑になるよう公文書を処理した。諸官の中で倉を例にとると、倉嗇夫が実務の責任者として公文書により実務について県令へ報告したり指示を受けたりするが、その間に立つのが倉曹で、倉曹の令史らが県令の指示の草案を作成したり、倉からの報告を取りまとめて県令に上申したりしていた。組織的には、県令からみて諸官が実務を担当する「ライン(line)」、諸曹が県令を補佐する「スタッフ(staff)」の関係にある。その後、前漢後半期以降になると本来はスタッフであった曹の機能が拡大し、行政実務をも担うように変貌していった。これが諸曹掾史制といわれるもので、以後の郡県行政機構の基本となった。諸曹は、裁判・治安軍事・監察・人事・財政・産業など、様々な行政に対応したものが存在し、地域の特質や各官庁の慣習により名称も数も様々であった。また諸曹の部局責任者を〇曹掾、部局員を〇曹史と称した。後漢中期（二世紀初め）の長沙五一広場漢簡（湖南省出土）によれば、長沙郡臨湘県では「勧農賊捕掾」などの掾が日常的に県廷外で実務にあたっている様子が確認できる（髙村 二〇二〇）。この状況は郡でも同様で、郡と県とで同様の業務を担当する曹同士が連携するようになり、後漢期には郡と県との行政が有機的に連動するようになった。

このように、時期による変化はあるものの、漢代の地方官庁では、中央政府から赴任する、権限は大きいが地元事情に詳しいとは限らない長官・次官のもとで、官吏としての身分は低いが、地域社会の構成員として地域の状況に詳しく、また地域に影響力を持つ者も少なからず含まれる少吏が実務に従事していたのである。

二、地方官吏の日常生活と漢帝国の統一

「名謁」からみた少吏の人間関係

さて、少吏らが就く諸曹掾史の中でも重視される役職の一つが「功曹」である（仲山 二〇〇三）。『漢官儀』という史料に「督郵・功曹は郡の極位」とあり、名称の通り、「功」すなわち人事考課を担当した。地域有力者も多い少吏らの考課を担当するため、長官としても重視すべき役職で、地域で一目置かれる人物があてられることが多かった。例えば前漢末頃のこと、後に光武帝に仕えた寇恂は上谷郡の功曹となったが、彼の一族は代々「著姓」と称された郡でも有力な一族であった。若き日の曹操の才能に注目した後漢後半期の橋玄は、若い頃に県の功曹となったが、祖先が学者として名を成して中央政府の大鴻臚（対外交渉担当大臣）となり、祖父・父ともに郡の長官を務めた名門の子弟であることがその背景にあろう。

一九九三年、江蘇省連雲港市尹湾で、前漢末（前一世紀末）の東海郡（江蘇北東部から山東南部）の功曹であった人物の墓が発見された。姓は師、諱は饒、字を君兄というこの人物は、自らの業務に関係する人事記録や社会生活を反映した「尹湾漢墓簡牘」と命名された簡牘群を副葬していた。それによれば、師饒には血縁者と思われる同姓の知人が複数おり、そのうちの一人とかなりの額の金銭の貸借を行ったり、別の一人は師饒が長安へ出張する際に一般的な額と比べ高額の餞別を贈ったりしており、東海郡でも経済的余裕のある有力な一族、すなわち豪族の出身であっただろう。しかもその餞別リストには、多くの人が名前を連ねており、郡内でも相当の影響力を有した一族であったことを推測させる。

師饒は前一一年の暦に自らの行動をメモした記録を副葬していた。秦漢官吏の墓で同様の記録を作成・副葬した事

例が複数知られており、こうした記録は秦漢時代には「質日」と称されていた（李 二〇〇八）。これによれば、師饒はこの年に短期・長期あわせて琅邪郡（山東南東部）や楚国（安徽東部）など、東海郡の近隣郡国へ合計六回の公務出張を行った。残念ながらその業務内容は不明だが、こうした機会に先方の郡の長官をはじめ、主要な官吏らと面識を得ていたと考えられる。その推測を裏付けるのが、副葬品の中に含まれていた一〇枚の名謁である。現在の名刺と類似する役割を果たした名謁は、生前の師饒がどのような人々と関係を有したかを明らかにしてくれる。まず東海郡内に封地がある列侯（主に皇帝の縁戚や重臣が有する爵位）からのもの二枚があるが、これは師饒が地位としては下級官吏でしかないにもかかわらず、功曹という役職や有力者としての立場からか、東海郡内では知られた存在であることを示している。さらに東海郡以外の近隣郡国長官からのもの三枚の存在は、功曹クラスの少吏は近隣郡国の長官にも知られていたことを示す。長官らにしても、何らかの折に近隣郡国の有力者であり少吏中の主要役職に任じられた者の助力を得られるに越したことはなく、普段からそうした人間関係の構築に努めていたのであろう。

さらに勤務先の東海郡太守（長官）からのもの一枚は興味深い内容で、師饒がまだ功曹ではなかった時期に、太守が功曹を彼のもとに派遣して送ったものだが、その目的は「謁者」（賓客担当官）・「中郎」（皇帝近衛官）・「丞相史」（首相秘書官）など、中央官僚らを師饒に紹介するためと考えられるのである。謁者や中郎、丞相史などは、中央政府から地方へ様々な任務を帯びて派遣されることも多く、その地域に関わる任務であれば、地域有力者と良好な関係を築けた方が有利である。また彼らの出身地は不明であるが、東海郡や近隣地域の出身であれば、こうした機会に地域有力者と交流を持っておくことは無駄ではない。東海郡太守が仲介の労をとるのもうなずける。師饒としても地方長官や中央官僚らとの交流は、自らの地位を保全し高めていくために歓迎すべきものだった。これに関連して師饒が首都の長安県令に宛てた名謁もある。これは師饒が長安で渡したはずのものなので、明らかに複製品ではあるが、先の餞別に関する史料とあわせ、師饒が確実に長安を訪れたことがあり、長安県令とも交流を持ったことがわかる。実は、長安

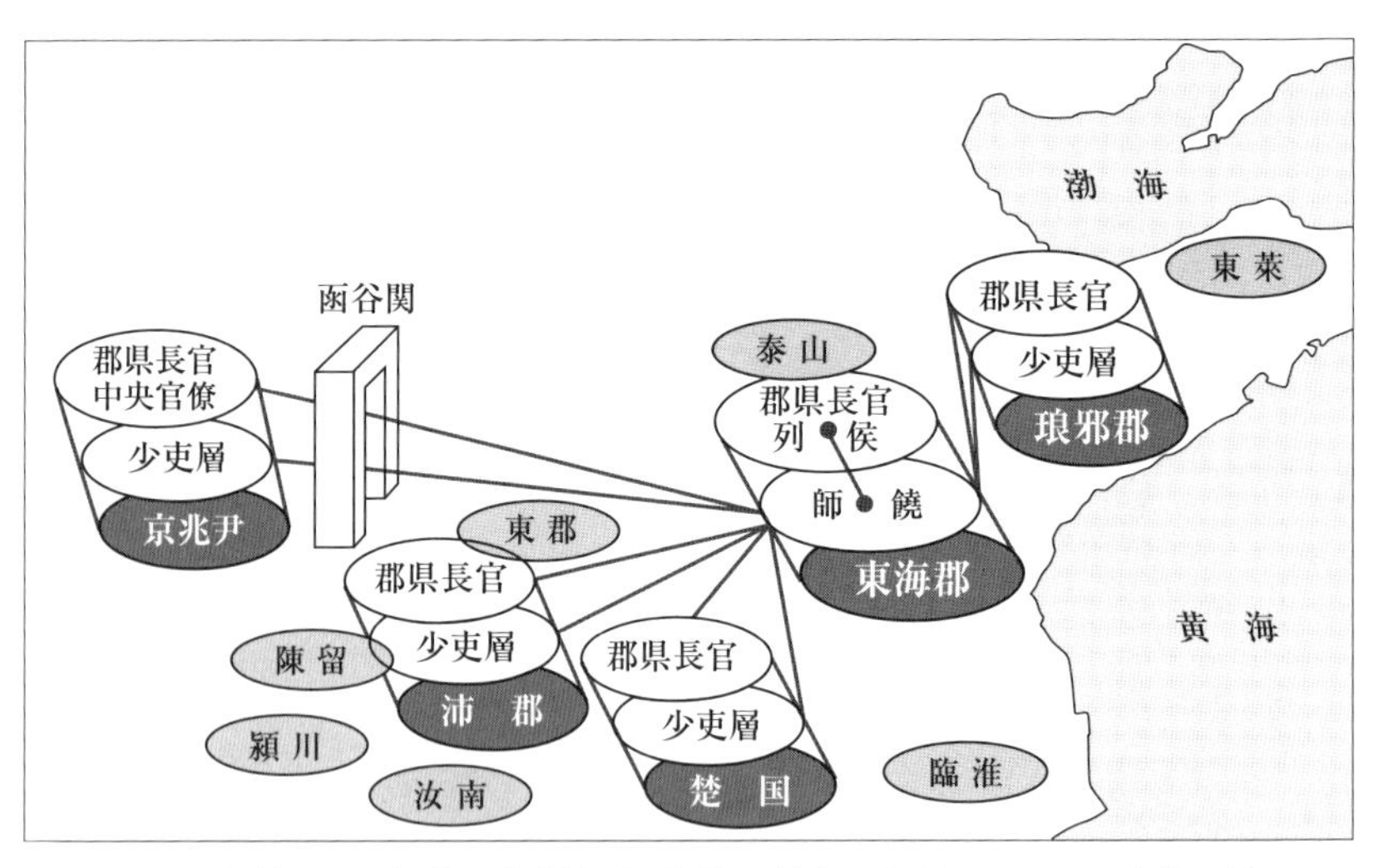

図3　名謁による師饒の交流範囲　師饒に対する名謁の送り主と実際の持参者や紹介された者，師饒が差し出した名謁の宛先と実際の受領者を実線で結んだもの（髙村 2008：239頁を改変）．

県令宛以外のものも含め、副葬された名謁は筆跡がほぼ同じで、師饒が実際に受け取った事実のあるものを、葬儀の場などで故人の生前の名誉を示すものとして副葬するために、複製を作ったのではないかと考えられる。

これらの史料から、東海郡の功曹である師饒の人間関係がかなりの拡がりを持っていることが明らかとなる［図3］。中央から赴任した東海郡太守や、郡内に封地を持つ列侯らとの交流がある一方、近隣郡国の長官とも交流がある。さらには首都の官吏との関係も有していた上、上司から中央官僚らを紹介されるなど、郡県少吏でも有力な一族の出身でかつ主要役職に就いている者の交流の幅は、漢の領域内に大きく拡がるものだった（髙村 二〇〇八：一九九―二三六頁）。無論、現代でも相手の名刺を持つことが即、相手との密接な関係を示すものではないが、それは漢代でも同様である。師饒の場合、官吏としての日常業務や地域有力者としての立場で接触することが多い東海郡太守や、東海郡ならびに近隣地域の少吏層とは、密接な関係を保持したが、近隣地域の長官や中央官僚などとは薄いつながりであったろう。しかし同時に、同様の交流は他の郡県少吏も有していて、地域の有力者が郡県少吏としてそれぞれ交流関係を構築しており、それらが幾重にも重複・融合して漢全体を覆っていたことは容易に推測できる。このように、地域有力者は少吏となった後、日常業務としての公務出張などの機会に他地域の長官や少吏らとも同じ官吏層に属する者同士としての交流を持ったと思われる。それは同時に各地域社会の有力者としてその地域の代表という性質も持つ地方官吏を通じて、漢の支配下の多様な地域社会が結合し、複数郡国にまたがる広域地域社会意識を生みだすことにもつながったとみられる。

なお、師饒の墓には他に文学作品が副葬されており、出土遺物にはなかったものの『管子』弟子職篇などの典籍も副葬品リストに掲載されており、彼のような地方豪族が知識人としても成長していたことをうかがわせる(山田 二〇〇〇)。後漢後期(二世紀後半)に入り、全国的な規模で外戚・宦官らの政権独占を批判する運動を繰り広げた清流派知識人らの動きは広く知られているが、漢の知識人層一体化の背景に、前漢期以来、地方官吏・地域有力者・知識人を兼ねた人々による無数の交流の重なりと融合が存在したとみるべきであろう。

前漢後半期以降の地方長官

次に郡太守など、地方長官が行政を通じて漢の統一維持に与えた影響について考えたい。彼らは本籍地を回避して赴任する上、数年で郡国を転任したが、その転任という点に注目してみたい。

呉楚七国の乱の鎮圧後、漢の中央政府が諸侯王国の自治権を回収して全国的な地方行政を展開するようになった結果、各地を転任していく地方長官が多数あらわれた。前漢宣帝(在位前七四―前四八)の頃には、優れた地方長官が多かったとされ、『漢書』趙尹韓張両王伝に彼らの伝記が残されている。その中の一人、張敞(ちょうしょう)という人物の官歴をみると、複数の州刺史(地方監察官)や郡国守相(地方長官)を歴任している。

郷有秩→太守卒史(以上、地方小吏)→察廉(さつれん)を経て甘泉倉長→太僕丞→豫州(よしゅう)刺史(河南南東部・安徽北西部)→太

中大夫↓函谷関都尉↓山陽太守（山東南西部）↓膠東相（山東半島中部、相は太守とほぼ同じ）↓京兆尹（陝西中部）
↓罷免↓冀州刺史（河北南西部）↓太原太守（山西中部）

このように各地を転任する地方長官は、前任地で効果があった行政手法を新任地でも実施していた。宣帝期の召信臣は、南陽太守（河南南部）となった際にはかつて県長を務めた上蔡県でのやり方と同様の統治を行い（『漢書』循吏伝）、同じく尹翁帰は、首都圏長官の右扶風（陝西西部担当）となった際、前任地の東海郡でのやり方を踏襲するなど（『漢書』趙尹韓張両王伝）、赴任先各地で似たような行政を行った。また彼らは他の太守の手法を意識したり、助言を与えたりしていた。張敞も、京兆尹時代には以前の京兆尹であった趙広漢の手法を取り入れ、逆に韓延寿は潁川太守（河南中部）として趙広漢が太守であった頃の苛烈な措置で生じた地域社会内の不信感を取り除くなどしている（『漢書』趙尹韓張両王伝）。また張敞は、仲のよい河南太守の厳延年の手法が酷薄すぎることを懸念し書簡で諫めた（『漢書』酷吏伝）。こうした模倣や助言の結果、各地の長官らの行政手法が似てくることになる。

さらにそうした手法は後世にも影響した。召信臣は南陽太守として灌漑設備の整備を実施して生産力を向上させ、水争いを防ぐ約束を石に刻んで耕地の脇にたてるとともに、華美をいましめ倹約を勧めて長く南陽の民衆に慕われた（『漢書』循吏伝）。その約八〇年後の三一年に同じく南陽太守となった杜詩も、同様に農具の製作や灌漑設備の整備による生産力の増強を行って、召信臣に並び称されたというが（『後漢書』郭杜孔張廉王蘇羊賈陸列伝）、当然、召信臣の施策などは意識したであろう。また杜詩と同時期に武威太守（甘粛西部）となった任延は、降水量の少ない地域ということを念頭に、水資源管理官を設置した上で灌漑設備を整備した（『後漢書』循吏列伝）。地域を超えて似たような施策がなされている事例ともいえるが、注目すべきは、任延が校官（公立教育施設）を作って少吏の子弟などに学問を教授した結果、武威郡に儒学を身につけた人士があらわれたということである。これも、景帝（在位前一五七―前一四一）の末年に蜀郡太守（四川成都一帯）であった文翁に始まるとされ（『漢書』循吏伝）、韓延寿も潁川郡で学官を修治したとあって、任延の独創ではない。このような施策の結果、前漢武帝の頃に領土となった武威のような新たな西北辺郡でも、内郡（辺境ではない郡）と同様に学問的素養のある人士が増加したということは、地方長官らの施策が各地域社会の価値観などの面も含めた均質化や、知識人層の全国的出現へ影響した事例といえる。

前漢後半期の太守たちの経歴をみると（厳　一九九三）、宣帝の頃には、各地の郡で治績を挙げた太守が統治の難しい郡へ転任し、成功すると「三輔（さんほ）」と称された京兆尹・右扶風・左馮翊（さひょうよく）のいずれかの首都圏の長官を任され、大過なく務めれば中央政府の高官へ、というルートがある程度形成された形跡がある。宣帝期に優れた地方長官の伝記が多いのは、宣帝が地方行政に力を入れたことに加え、中央政府任用の地方長官が増加し、宣帝の頃までに昇進ルートが形成され、昇進を望む地方長官が成功例を参考としつつ行政に尽力した結果であろう。

これが戦国以来の地域性を混淆・希釈し、均質化へ向かわせる原動力の一つとなったと考えられる。琅邪郡では斉の地域性からか官吏らが万事ゆったりした気風であったが、朱博（しゅはく）が太守として数年間執務した結果、楚や趙の官吏のような気風になったとされる（『漢書』薛宣朱博伝）。誇張もあろうが、各地の地域性が混淆する事例といえる。

三、地方官吏の日常生活がもたらした遠心力

これまで見てきたように、漢代では地域有力者は少吏となって漢の統治に協力するとともに、官吏としての公務を一つの契機として地域間交流の一翼を担った。これが広域地域社会の形成や知識人層としての官吏層の全国的一体化にも寄与したことは疑いない。また、各地を数年で転任していく郡太守ら地方長官が、各地で似たような行政を実施したことも、漢の全国的均質化に影響した。

しかし一方で、地方長官は本籍地を回避して赴任するため、地域の事情に必ずしも詳しいわけではないということ

は、部下の地方少吏らが地域社会や自らの利害を優先してもそれを抑えられないケースが多々生じたことを意味する。『漢書』等の列伝に記された敏腕長官は、多くが赴任地の少吏や地域有力者を抑えて治績を挙げた。しかし彼らを当時の多数派であったと考えるわけにはいかない。むしろ、少吏や地域有力者らの反発を買って地域社会を把握できずに治績が下がることを恐れ、彼らの論理を黙認するような凡庸な長官が多数派だったからこそ、そうではない事例を特に記録したとみるべきである。

先にも掲げた尹翁帰が東海郡太守として赴任する際、中央で廷尉(法務大臣)であった東海郡出身の于定国が、同郷の若者二名を引き立ててもらおうとしたことがある(『漢書』趙尹韓張両王伝)。結果的に于定国は尹翁帰が優秀であり、個人的な頼み事などでわずらわすべき人物ではないとして断念するが、この話は赴任地の有力者でもある中央政府の高官から色々と頼まれれば、多くの長官はそれを聞き入れていたことを逆説的に示している。各地域の間である程度均質化が進んでいるとはいえ、地域社会の利害を優先する論理が消え去ったわけでは全くない。また、本籍地こそ回避されるものの、県の長官・次官クラスについては、本籍地近隣の郡国出身者が多いことが指摘されている(廖 一九九八:八七―一二〇頁)。先にみた通り、近隣郡国の少吏層同士に交流があれば、少吏から昇進して近隣郡国の県に赴任した者も多いので、赴任先の県の少吏らに知己がいて、郡国の枠を超えて結託する可能性は低くない。複数の郡国からなる広域の地域社会意識は、統一に寄与する反面、県令クラスの長吏も含めて地域の利害を優先する論理を地理的に拡大するという側面も持っていた。

こうした地域の利害を優先する論理に、地方長官も積極的に乗った部分がある。それを象徴的に示すのが「故吏」という語句である。元来は「もとの官吏」という意味だが、「もとの部下」という意味もあり、後漢期には後者の意味が重要になる。官吏にとって部下だった人々が、直接の上司ではなくなった後も自分を「もとの上司」として関係を維持し続けてくれることは、人脈・派閥という観点で考えれば、自らの力とみなせる。要するに親分と子分の関係であるが、こうした関係を維持・強化したければ、地方長官としても少吏らが代弁する地域社会の利害にある程度沿った形で行政を行い、恩を売った方が得策である。後漢中期以降に増加する石碑にも、地方長官を顕彰すべく任地の故吏らが醵金(きょきん)し石碑をたてる事例が知られている(永田 二〇一八:四三七―四八七頁)。こうした顕彰碑は地域社会として長官の功績を称揚するものであるが、同時に立碑した側、すなわちその地域の少吏を輩出する地域有力者層の意向を長官が斟酌したからこそ良好な関係を築けたという証明にもなる。

この関係の中で、郡県の少吏が長官の推薦で昇進したり、長吏になったりすれば、推薦者と被推薦者の関係はさらに強固となる。後漢期に入り、外戚の鄧氏政権(一〇五―一二一年)・梁氏政権(一三五―一五九年)が倒れた際や、外戚・宦官を中心とする政権に批判的な清流派知識人に対する弾圧の党錮(とうこ)の禁(一六六年、一六九年)において、権力闘争に敗れた側の中心的人物のみにとどまらず、その故吏も排斥の対象となるのは、その人物の派閥構成員であるからに他ならない。党錮をはじめとする中央政府における政争の詳細には立ち入らないが(東 一九九五:二九一―三二六頁)、派閥ができる要因は、地方長官と地方少吏らの関係にもあったことは間違いなかろう。これらの政争の最大のものが党錮の禁であるが、これも各地の地方長官による学官などの整備を背景にした各地の学問的水準のある程度の均質化、また知識人化した地方官吏によってもたらされた全国的一体化が背景の一つであろう。地方官吏や地域有力者らと概ね出身を同じくする知識人の中で影響力の強い者が、漢の統治に批判を行うようになれば、その人物の出身地域や、地方長官として赴任した地域の有力者・地方官吏層、そしてそこから出世した中央官僚らにも共有され、地域を超えた影響を及ぼすことになる。政争というほどではなくとも、中央政府などの姿勢に反感を持った知識人が仕官を拒絶した事例は後漢後半期以降全国的にみられ、これが一因で地方行政の人材不足につながったともされる(紙屋 二〇〇九:六八〇―七二二頁)。これらは、地方官吏の日常的行動が寄与して形成された一体化が、状況によっては逆に遠心力として働く二面性を示している。

さらに、前漢以来広域地域社会が成立してきたことも、漢の統治が緩むと遠心力としての働きを示す。二世紀以降、西北辺境地帯の涼州（甘粛）・幷州（寧夏・山西）において、異民族の羌との戦闘が頻発した。この地域の郡県長官には内郡出身者も多く、戦意不足で、郡県の一時後退を要請し、それが受け入れられたこともあった。後に回復はされたものの、これ以降も断続的に続く戦乱の軍事費や復興費の負担に苦しんだ中央政府は度々涼州放棄を検討するほどになったが、これに反発したのは涼州出身人士たちであった。二世紀前半頃、涼州安定郡出身の知識人王符は、その著作の『潜夫論』救辺篇の中で、被害を受けていない内郡人士による、涼州を放置して様子をみようという無責任な論調に対して激しい批判を加えた。ここには涼州と内郡とが別の地域であり、利害を異にしているという意識や、さらに元来は複数の郡国をまとめて監察するための単位であった州が、郡国を包摂する広域の地域社会単位として認識されつつあることもみて取れる。

こうした状況下、安定を欠いたり、統治能力に疑問を抱かせたりするなどして漢が地域社会や地域有力者の利益と一致しない存在になればどうなるか。すでに秦代、沛県の地方官吏であった蕭何や曹参は、陳勝・呉広の乱（前二一〇年）の勃発に際して、地域有力者たちとともに県令を排除し、劉邦を迎え入れて反乱を起こした。また、東陽県の地方官吏であった陳嬰も、県の若者が県令を殺害した後で彼らに一時的に推戴される形で地域のリーダーとなった。これらは、秦が各地の地域社会が従うには不利益の大きい存在となったばかりか、反乱の勃発で地域社会を抑える力そのものが低下したことを受け、秦の地方官吏たちが秦の官吏であることよりも地域の利害を優先する地域有力者であることを選んだ結果である。

無論、この時期には秦に滅ぼされた旧戦国諸国の遺風が色濃く残り、旧戦国諸国の復興運動という形での遠心力が働きやすかったことは確かであるが、その四〇〇年後、一体化が進んでいたはずの漢が、複数の地域に分裂することになる。すでに後漢の後半期、「涼州」と「それ以外」は利害を異としているとの意識が垣間見られたが、黄巾の乱

(一八四年)以後、漢の統治能力が著しく低下した段階になると、州を単位とする地域意識が史料上に顕在化する。例えば董卓殺害の背景に、政権内での幷州人・涼州人の反目があったとする説や(『後漢書』董卓列伝。方 一九九二)、劉備が周囲の敵の侵攻を懸念した徐州人士の推戴によって徐州牧になるなどの例(『三国志』先主伝)が挙げられる。後漢末の群雄が州を単位とした領域を有したのも、このような前漢後半期以来の変化が関係しているのではないか。

おわりに

これまで、地方官吏の日常生活と、それが漢の統一維持とその崩壊に果たした役割をみてきた。前漢後半期までに成立した地方長官の昇進ルートは、中央官僚への異動もその中に含んでおり、中央政府による全国的な一元的管理が可能で、人事面における中央集権を確立した。またそのことが各地の均質化を生じさせるとともに、儒学を中心とした知識人層をも生み出し、価値観などの面での均質化ももたらした。長官のもとで実務にあたった少吏も、日常的に地域を超えた職務を遂行していたが、少吏には地域有力者出身の者が多いため、結果的に各地の地域社会の交流と結合とを促進し、広域地域社会の成立や、漢全体の統一の維持に寄与した。しかし、統一の維持と各地の均質化をもたらしたこれらの要因は、状況が変わると遠心力となる要素も含んでいた。一元的人事制度により派遣された地方長官は、行政を大過なく実施するため地域有力者でもある少吏の意向を無視できず、均質化の裏面で各地域社会の個別の利害に即した行政へ傾斜し、その中で地域有力者とも密接な関係を築くことになった。こうした関係は党派として機能し、二世紀以降の不安定な世相の中で知識人による全国的な中央政府批判を生み出す。しかし、それも均質化によって全国的に生み出された知識人層の存在があってのことであり、また異民族の反乱を契機に表面化した州を単位とした地域の利害の不一致も、広域地域社会の成立が一面で生み出したものといえる。

参考文献

阿部幸信（二〇〇八）「漢初「郡国制」再考」『日本秦漢史学会会報』九。

閻歩克（二〇〇九）『従爵本位到官本位　秦漢官僚品位結構研究』生活・読書・新知三聯書店。

大庭脩（一九八二）『秦漢法制史の研究』創文社。

紙屋正和（二〇〇九）『漢時代における郡県制の展開』朋友書店。

邢義田（二〇一三）「秦漢平民的読写能力――史料解読篇之一」邢義田・劉増貴主編『第四届国際漢学会議論文集　古代庶民社会』中央研究院。

厳耕望（一九六一）『中国地方行政制度史　甲部　秦漢地方行政制度』中央研究院。

厳耕望（一九九三）『両漢太守刺史表』中央研究院。

小嶋茂稔（二〇〇九）『漢代国家統治の構造と展開――後漢国家論研究序説』汲古書院。

佐原康夫（二〇〇二）『漢代都市機構の研究』汲古書院。

髙村武幸（二〇〇八）『漢代の地方官吏と地域社会』汲古書院。

髙村武幸（二〇一四）「里耶秦簡第八層出土簡牘の基礎的研究」『三重大史学』一四。

髙村武幸（二〇二〇）「長沙五一広場後漢簡牘の概観」伊藤敏雄・関尾史郎編『後漢・魏晋簡牘の世界』汲古書院。

土口史記（二〇一一）『先秦時代の領域支配』京都大学学術出版会。

仲山茂（二〇〇一）「秦漢時代の「官」と「曹」――県の部局組織」『東洋学報』八二―四。

仲山茂（二〇〇三）「両漢功曹考」『名古屋大学東洋史研究報告』二七。

永田英正（二〇一八）『漢代史研究』汲古書院。

西川利文（二〇〇〇）「尹湾漢墓簡牘よりみた漢代の長吏」『中国出土資料研究』四。

濱川栄（二〇一三）「秦・漢時代の庶民の識字」『史滴』三五。

濱口重国（一九六六）『秦漢隋唐史の研究』東京大学出版会。

東晋次（一九九五）『後漢時代の政治と社会』名古屋大学出版会。

廣瀬薫雄（二〇一〇）「張家山漢簡『二年律令』史律研究」『秦漢律令研究』汲古書院。

福井重雅（一九八八）『漢代官吏登用制度の研究』創文社。

方詩銘（一九九二）「董卓対東漢政権的控制及其失敗」『史林』一九九二年二号。

宮宅潔（二〇一二）「漢代官僚組織の最下層――「官」と「民」のはざま」『東方学報』八七。

森谷一樹（二〇〇八）「皇帝に宦えるもの――張家山漢簡『二年律令』と典籍資料をてがかりに」『古代文化』六〇―二。

山田勝芳（二〇〇〇）「前漢時代の地方「文人」のあり方――東海郡功曹師饒の場合」村上哲見先生古稀記念論文集刊行委員会編『中国文人の思考と表現』汲古書院。

李零（二〇〇八）「視日・日書和葉書――三種簡帛文献的区別和定名」『文物』二〇〇八年第一二期。

廖伯源（一九九八）『簡牘与制度――尹湾漢墓簡牘官文書考証』文津出版社。

コラム｜Column

簡牘について

高村武幸

簡牘（かんとく）は、主に文字を記すために加工された竹木製品（木簡・竹簡）である。一部に文字を記さなくても機能する木製品の性質が強いものも含まれるが、基本的に文字を記すために使われたものを指すことが多い。二〇世紀初頭の発見から一世紀余り、簡牘は中国古代史の研究に不可欠な史料となっている。戦国中期（前四世紀）から西晋期（三世紀）のものが多く発見されており、西晋ごろまで主要な書写材料として用いられたことがわかっている。本コラムでは日本における中国古代簡牘を用いた研究の潮流を簡単に紹介したい。

史料としての簡牘は、内容から大きく書籍類（書物、個人のノートなど）・文書類（発信者と受信者が存在する意思表示手段、命令書や報告書、書信など）・簿籍類（帳簿）・その他（封緘（ふうかん）・証明・表示等の機能をもたせたもの）に分けられるが、広く研究者に利用されるのは墓から副葬品として出土した書籍類が多い。書籍類は複数の簡牘を紐で編んだ「冊書（さっしょ）」の形態をとるものが多く、発見時には大抵、紐が失われて本来の簡牘の順序が乱れているが、墓中に入れられていたこともあり原型が復元しやすい。復元できれば元々が書物であるため典籍文献と同様の利用が可能である。日本での簡牘研究の急速な拡大も、律や法律関連の内容を中心とした典型的な書籍類である睡虎地（すいこち）秦簡（一九七五年、湖北省出土）の公表からであった。

一方、文書類、特に官庁の公文書や簿籍は元々廃棄されたものが多く、多数の相互に関連性の薄い簡牘がまとめて発掘される。そのため、数千から数万の簡牘群の中から同種の簿籍や文書をまず集めて、帰納的に史料を分析してから議論に移る必要性がある。また、文書には受信者と発信者が存在するという性質上、公文書は官僚機構に関する知識がないと理解が難しい面があり、特有の常用語句が使われていることも多い。さらに、当初は漢の西北辺境出土の簡牘しかなかったこともあるのか、日本における簡牘研究は文書類や簿籍類からはじまったにもかかわらず、これらを用いる研究者は多くなかった。ただし、公文書や簿籍は全国的にある程度共通性があるため、出土地の個別的状況を勘案すれば広く利用できる上、帰納的な研究手法や常用語句の知識も研究が進むにつれて研究者の間で一般的なものとなり、今では公文書・簿籍類を多数利用した研究は珍しくなくなった。

簡牘を用いた研究では基本的に簡牘に記された文字情報から読み取れる事柄を中心に検討する。簿籍の研究などでは書式のような視覚的情報も重要要素として検討対象とされてきたが、大半の研究では記載内容のみが検討される。歴史学である以上、文字情報を中心とした研究が主流となるのは当然で、この流れは今後とも変わらないであろう。一方、墓に副葬された簡牘であれば墓の規模や他の副葬品からわかる文化的背景、遺跡からの出土であれば遺跡の性格と出土位置や層位など、文字情報に出土遺跡の状況や他の出土遺物の情報などの考古学的視角を加えた検討も、比較的早い段階から行われていた。二〇世紀末からは簡牘の実見をも踏まえ、簡牘の多様な形状に当時の人々が込めた意味を読み取ったり、簡牘の視覚的効果を論じたりする研究が行われ、モノとしての簡牘そのものが持つ機能や情報にも注目するようになった。「考古遺物としての簡牘」への意識が、簡牘の史料としての可能性を拡大しているといえる。こうした潮流も今後発展していくと考えられる。

簡牘の史料としての魅力は、典籍文献にはない情報が多数含まれていることにある。秦律・漢律の記録が典籍文献にはほとんどないところに公開された睡虎地秦簡秦律や張家山漢簡(二四七号墓、一九八三―八四年、湖北省出土)漢律が好例で、秦漢法制史研究は簡牘史料の出現で空前の活況を呈した。こうした法制史や制度史の他、簡牘史料の出現で研究が進展しつつあるのが社会史などの分野である。もともと典籍文献には民衆や下級官吏が形成した社会とその日常をうかがえる史料は極めて限られていた。ところが、睡虎地秦簡に含まれていた占書『日書』や、尹湾漢簡(一九九三年、江蘇省出土)の名謁など、社会を研究するのに有用な史料が簡牘には豊富に含まれており、こうした研究も一気に活性化している。簡牘の存在で研究が進展したり、新たに開拓されたりした分野は少なくない。

なお近年、考古学的発掘によらずに公開される簡牘が増加している。これらは盗掘されて流出した後、研究機関に買い戻される経緯をたどったものが多く、鑑定を経て公開されるため真贋が問題になる例は少ないが、真贋が論争になったものもある。買い戻し簡牘には出土遺跡の情報はほぼ期待できず、文字情報中心の研究や、簡牘そのものの形状の検討にはよいが、遺跡などと併せて考察する「考古遺物としての簡牘」を意識した研究には向かない。買い戻し簡牘の研究へのよりよい利用については、簡牘研究の今後の課題の一つとなろう。

一九三〇年代出土居延漢簡(五七・一A)
複数の簡牘を紐で結んだ冊書で、官吏の忌引休暇取得に関する公文書(簡牘整理小組『居延漢簡』壹、中央研究院歴史語言研究所、二〇一四年)

焦点｜*Focus*

漢魏晋の文学に見られる華と夷

釜谷武志

本章では漢代から晋代にかけての文学作品、主には西北方の異民族とかかわる詩歌を題材にして、中華と夷狄がどのように描かれているのかについて考えてみたい。はじめに断っておかなければならないのは、文学はあくまでも虚構の産物であって、その内容が事実のある一面を映し出すことはあっても、事実そのものではないということである。

一、李陵と蘇武

まず漢代における中華意識をうかがう際の作品といえば、李陵と蘇武のあいだに交わされた詩を思いつくであろう。六朝梁・昭明太子の編にかかる『文選』では巻二九「雑詩」の部に、李陵「蘇武に与う三首」と蘇武「詩四首」を収める。そのうち蘇武「詩四首」の其の一を次に引いてみよう。

骨肉縁枝葉　結交亦相因　骨肉の兄弟が同じ幹の枝葉であるように、友人も支え合うもの。
四海皆兄弟　誰為行路人　四海のうちはみな兄弟、通りすがりの他人などではない。
況我連枝樹　与子同一身　ましてや我は連理の木のように、君とは一心同体の関係。
昔為鴛与鴦　今為参与辰　昔は鴛と鴦のつがいの鳥、今は参と辰の星のように離ればなれ。

昔者常相近　邈若胡与秦　昔はいつも身近にいたのに、今は胡と秦のごとく遠く離れる。
惟念当離別　恩情日以新　離別に当たり思うのは、友情が日々新たに感じられること。
鹿鳴思野草　可以喩嘉賓　鹿が野の草を思って鳴く。よき賓客をもてなすかのように。
我有一罇酒　欲以贈遠人　この一樽の酒を、遠くに旅立つ人に贈ろう。
願子留斟酌　叙此平生親　どうか足をとどめて酒を酌み、これまでの交誼を語ってくれ。

これから遠くへ旅立とうとする友との友情を確かめ、はなむけの宴を設けて見送ろうとする詩である。第九・一〇句「昔者常相近　邈若胡与秦」で、かつては常にそばにいたのに、これからは北方の胡と中原の秦のようにかけ離れることになると、懸隔するたとえとして「胡」と「秦」を対比している。これはもちろん異民族と中華民族との隔たりを明確に認識しているのである。

ところで蘇武はいつ、旅立つ李陵を見送ったのであろうか。匈奴の王単于によって北の果てバイカル湖畔での生活を余儀なくされた蘇武は、しかし屈することなく節を守りとおしていた。そこに降伏するように説得に赴いたのは李陵であり、説得は功を奏することなく、李陵はすごすごと退くはめに陥る。その時に蘇武が送別の宴を張るほどの余裕はなかった。のちに蘇武だけが漢に帰国できることになり、李陵は宴席を設けて蘇武を送ったとされる。その場で作られたのであれば、状況と一致しないでもないが、旅立つのは蘇武であり、蘇武が作った詩としてはそぐわない。じっさい『文選』や『芸文類聚』巻二九では蘇武の作とするが、『初学記』巻一八や『太平御覧』巻四八九では李陵が蘇武に贈った詩として収録している。たしかに内容からすると李陵の作と考える方が、状況と合う。

蘇武「詩四首」のうち、本詩と其の二、其の四は旅立つ人との別離をうたうが、其の三は「成人して髪を結う年に夫婦となってから、愛情は互いに揺らぐことはなかった（結髪為夫妻　恩愛両不疑）」から始まるように、出征する夫を妻が見送る夫婦の別れのうたである。蘇武が作ったとは考えられない。

そういえば、李陵「蘇武に与う三首」も、李陵が蘇武に与えた詩として読めなくもないが、とくにこの二人に限定する必要もなく、天の片隅に離ればなれになる二人の男が、別れにあたっての宴で作ったという設定に過ぎない。つまりこれらの詩群は、匈奴にとらわれた李陵と蘇武の二人の間に交わされた詩という枠組みを与えられて、その中で解釈されているけれども、枠組みをはずせば、いかようにも読むことができるのである。

ならばこれらの詩群は、本当に李陵と蘇武が作ったものだろうかという疑問が起こってくる。そうした疑問は中国でも古くからあって、たとえば梁・劉勰（りゅうきょう）の文学理論『文心雕龍（ぶんしんちょうりょう）』ですでに提起されている。詩について論じた「明詩篇」で「漢の成帝の時になって、当時の詩を採集整理させると、三百余篇があった。朝廷や地方のすぐれた詩も備わったという。しかし詩人がのこした詩に、五言の作は見当たらない。李陵・班婕妤（はんしょうよ）の詩が、後世その真偽のほどを疑われるのはそのためである」という。

李陵の五言詩が後世の偽作であるとすでに疑われていたのである。李陵と並んで名が挙がっている班婕妤は、漢の成帝期の宮女で、その作とされる「怨歌行（えんかこう）」は『文選』巻二七などに収められている。とすれば、梁代にあって、李陵の詩は真偽が問題となっていたが、編者の蕭統（しょうとう）はそれを李陵の作として『文選』に収録したことになる。班婕妤の「怨歌行」は、皇帝の寵愛を失った後宮の女性の悲しみをうたう宮怨（きゅうえん）詩で、不遇をかこつ妻の気持ちをうたう閨怨（けいえん）詩につらなるものである。いわゆる徒詩（とし）ではなく音楽との関連性をもつ楽府（がふ）詩であるが、同様に偽作であるという。その根拠は五言詩だという点にある。つまり前漢末期において五言詩はまだ成立していなかったから、班婕妤には作り得ない、ましてや李陵が作るはずがないということである。一般に五言詩は後漢、しかもその後半になって出現すると考えられているから、これらの整った五言詩はそれ以降の作である。班婕妤のは楽府詩であって、前漢の終わりにはあるいはその形体が確立していたのかもしれないが、後漢以降の作と判断するのが無難であろう。

では李陵の詩はいつごろ作られたのか。後漢以降、梁以前と考えられるが、もう少し範囲を限定することが可能である。南朝宋を代表する詩人の一人である顔延之が言及しているからである。家訓の一種である彼の「庭誥」の断片(『太平御覧』巻五八六)に次のようにいう。

「李陵の一連の作は、ごちゃごちゃしていてよくない。これは仮託されたものであって、すべてが李陵の作というわけではない。ただ佳篇は心に訴えかけて悲しくさせるところがある」。

顔延之は、李陵作とされる詩のすべてが李陵の作とまでは言えず、後の人が李陵に託して擬作したと述べていて、李陵の真作がまじっている可能性もほのめかせているが、いずれにせよ五世紀前半の南朝宋の時点ですでに、李陵の作として伝わっていたことになる。とすると後漢から東晋末の間に、李陵の作として擬作されていたことになる。

『漢書』は蘇建伝に附してその子蘇武の伝を記すが、なるほど李陵・蘇武間に交わされたという詩は見当たらない。詩らしきものが収められているのは、蘇武が漢に帰還することが決まって、送別の宴を開く場面である。「李陵は立ち上がって舞いながらうたった。「一万里もの遠くへ沙漠を渡って行き、君主の将軍となって力を奮い匈奴と戦った。前途は断たれて矢も刃も折れ、兵士たちは死んで名声は費えた。老母はもう亡くなり、天子の恩に報いようとしてもかなわず、帰国するわけにはいかない」と。涙が流れ落ち、かくして蘇武と訣別した(陵起舞、歌曰、径万里兮度沙幕、為君将兮奮匈奴。路窮絶兮矢刃摧、士衆滅兮名已隤。老母已死、雖欲報恩将安帰。陵泣下数行、因与武決)」。

「□□□兮□□□」の句を基調としながら、それに合致しない変則的な四字句+七字句で最後を結ぶこの歌は、『漢書』に載っている以上、後漢の前半までにはすでにできあがっていたわけで、李陵が作った可能性もある。ただ、別れを前にして自らの来し方をふりかえり、涙ながらにうたうのは、いかにも芝居がかってはいないか。四面楚歌の場面で項羽が虞美人を前にして「悲しい歌で心を高ぶらせ、自身で歌を作ってうたった」とされる「力は山を抜き……」で始まる「垓下の歌」と同様に、クライマックスでもちだされる歌は、場面を盛り上げるのに恰好の素材である。李陵と蘇武の物語が演じられていて、その一幕としてこの歌が挿入されれば、観客の心はいやましに高まるであろう。そうした劇中歌を撰者の班固は李陵の作として『漢書』に取り入れたのかもしれない。ちなみに「垓下の歌」も「□□□兮□□□」を繰りかえす。

二、漢代の詩

では漢代に漢民族と異民族のことを題材にした詩歌はないのであろうか。異域とのかかわりをうかがわせる詩は「郊祀歌十九章」(『漢書』礼楽志)の中に見られる。第一〇章「天馬」がそれである。「天馬」の歌は二首あって、一首目は、元狩三年(前一二〇)に渥洼水なるところから馬が現れた時のもの。二首目が太初四年(前一〇一)に武帝が宛王を誅殺して大宛の馬を手に入れた時の作である。『漢書』張騫伝に「烏孫の良馬を手に入れて天馬と名づけた。大宛の汗血馬を獲ると、より強壮なので烏孫の馬を西極馬に改名し、大宛の馬を天馬と称した」と記される時のことを指すのであろう。同・武帝紀では、弐師将軍の李広利が大宛王の首を斬り、汗血馬を獲て、「西極天馬の歌」を作ったと記される。

天馬徠　従西極　天馬がやって来た。西方の果てから。
渉流沙　九夷服　沙漠をわたって、遠方の異民族が服従した。
天馬徠　出泉水　天馬がやって来た。湧き出る泉のあるところから。
虎脊両　化若鬼　虎の背の模様をした二頭で、物の怪のごとき力をもって。
天馬徠　歴無草　天馬がやって来た。草も生えない地を経て。
径千里　循東道　千里をわたって、東へ向かう道に沿って。
天馬徠　執徐時　天馬がやって来た。干支が辰の年に。

将揺挙　誰与期　高く飛びあがろうとするが、それがいつかは分からない。
天馬徠　開遠門　天馬がやって来た。遠方の門を開き、
竦予身　逝昆侖　我が身をそびやかして、崑崙(こんろん)山まで行こう。
天馬徠　龍之媒　天馬がやって来た。龍の仲立ちとなって、
游閶闔　観玉台　天門の閶闔(しょうこう)に行き、上帝の住まいである玉台を見たいもの。

はるか西方の大宛を討ってわが漢王朝に服従させ、名馬を二頭したがえて来たことをうたう。さきの『漢書』の記載にある太初四年、庚辰の年の天馬獲得を歌にしたもので、大宛は漢王朝に服すべき遠方の夷狄ととらえられている。もっともこれら一連の郊祀歌は、武帝が郊祀のまつりを実施し、ひいては封禅(ほうぜん)の儀式を行って、仙界に昇り不老長生を獲得するという願望を実現するために作られたものである。天の馬という名にあやかって龍の引く車で天上世界へ行きたいという願いでしめくくられている。

うたわれた歌ではあるが、三字句で隔句押韻、四句ごとの換韻など、整然とした詩の形式を採っている。このころ、三字句は歌詞としてはごく普通であった。

さて前漢の詩歌として伝わるものに烏孫公主の歌がある。『漢書』西域伝下に載せるが、その経過について同書はかくいう。元封年間(前一一〇―前一〇五)に江都(こうと)王劉建(りゅうけん)のむすめで細君(さいくん)なる者を天子のむすめであるとして、今のイリ川流域にあった、西域の烏孫国王に嫁がせる。王の昆莫(こんばく)により細君は右夫人とされ、宮室を造って住んだが、一年に一、二度しか昆莫と会えず、「昆莫は高齢でことばも通じず、公主は悲しんで、自ら歌を作った」として、この歌を引く。

吾家嫁我兮天一方　わが家はわたしを天の果てに嫁がせ、
遠託異国兮烏孫王　遠く異国の烏孫王に託することにした。

穹廬為室兮旃為牆　ドーム状のテントが部屋で、フェルトが垣根、
以肉為食兮酪為漿　肉を食べ物とし乳を飲み物とする。
居常土思兮心内傷　いつも故郷を思って心が痛む。
願為黄鵠兮帰故郷　黄鵠（こうこく）となって故郷へ帰りたいものだ。

さきの李陵が蘇武を送る際に作ったという歌と近似した型で、「□□□□兮□□□」の八字を重ねる。毎句末で押韻し、毎句押韻は漢代の七字句の詩によく見られる。ここでは「穹廬（きゅうろ）」「旃（はた）」「肉」「酪」といった、中国の生活習慣と異なる住と食の例を挙げて、異国の情緒をかもし出す。『漢書』は続けて、「天子はこれを聞くと憐れに思い、一年おきに使者を遣わして垂れ幕や美麗な絹織物を送り与えた」と記す。この詩がまちがいなく烏孫公主の作であるかどうかは措くとしても、後漢にはすでにこの歌が彼女の作とされていたのだろう。

しかし、この歌は李陵の歌と似た構造をもっていることに気づかされる。李陵は匈奴遠征に赴くも成果を挙げられずにとらわれて、故国に帰ることができず失意のまま異国に身をとどめる。烏孫公主が嫁ぐのは、北方の匈奴ではなしに西方の烏孫国で、李陵と方角は異なるが、北西の異民族の地であることに変わりはない。李陵は親友の蘇武が帰国するのを送り、自らは帰れずに異域にとどまる。公主は異国の王と別れることができず、異国にとどまる。男同士の友情と別れの歌を女性に置き換えて、さらに女性が異国にとどまらざるを得ない理由を烏孫王への降嫁に求めれば、同類型の別れの歌になるのではないか。李陵の物語が語り継がれていたのであれば、烏孫公主の故事も、もとは史実として存していたにせよ、恰好の歌ができあがるのは、公主の物語が継承されていく中で整えられたと推測できる。

三、王昭君をめぐって

烏孫公主に関連して、王昭君（晋の文帝司馬昭の諱を避けて「王明君」とも称される）をめぐる物語が想起される。『漢書』元帝紀によれば、「竟寧元年（前三三）春正月に、匈奴の虖韓邪単于が来朝し、（漢に叛いていた匈奴の郅支単于を討ったので、辺境地帯が安寧になることを願い）竟寧に改元して、虖韓邪単于に待詔掖庭（後宮の宮女）であった王檣を賜って閼氏とする、との詔を出した」。後宮で待詔の身分であった王檣なるむすめを匈奴王呼韓邪単于（「虖」は「呼」に通じる）の妻（閼氏）としたのである。このことは同・匈奴伝下にも記載があり、「単于は、漢の女婿となって親善関係をもちたいと、自ら願い出た。元帝は後宮の良家の子王牆、字昭君を単于に賜った」とする。「牆」は「檣」に通じる。『漢書』元帝紀の注は文穎の「（王檣は）もともと南郡の秭帰の人である」というのを引く。それによれば、今の湖北省、長江三峡の西陵峡のあたりの出である。

匈奴伝下の記載では、匈奴にわたった後、王昭君は寧胡閼氏と号し、男子一人を産む。呼韓邪単于の死後は、その子の復株累若鞮単于に嫁して二女を設けたという。

王昭君のその後の事跡については、匈奴が弱体化して南北に分かれた後のこと、南匈奴について記す『後漢書』南匈奴伝に見える。「単于の弟である右谷蠡王伊屠知牙師が、順序によれば左賢王となるべきであった。左賢王は単于の儲副すなわち皇太子にほかならない。しかし単于は息子に王位を継がせたくて、知牙師を殺害した。知牙師とは、王昭君の子である。昭君は、字が嬙（「檣」に通じる）で、南郡の人である。これより先、元帝の時に、良家の子として選ばれて後宮に入った。このころ呼韓邪が来朝して、帝は宮女五人を呼韓邪に賜う詔を出した。昭君は後宮に入って数年になるが、お目通りがかなわず、悲怨がつのっていたので、自ら後宮に願い出て、単于のもとに行こうとした。

呼韓邪が帰国せんとする際の宴席で、天子が五人の女を呼んで登場させた。昭君は姿うるわしく華やかに着飾り、後宮で光りかがやいていた。周囲を圧倒してしずしずと歩を進め、まわりの者を驚かせた。天子はそれを見てびっくりし、彼女を後宮にとどめておきたいと思ったが、単于の信頼を失墜することをはばかり、かくて匈奴に嫁がせた。二子を産み、呼韓邪単于の死後に、昭君の前の閼氏であった女性の子が即位して、昭君を妻にしたいとした。昭君は天子に書信をたてまつって帰国を願い出たが、成帝は胡の習俗に従うようにとの詔を出して、そのまま後の単于の閼氏となった」。

『漢書』の記述と比べてみると、五人の宮女が選ばれたことや呼韓邪との間に設けた子が一人から二人になっていること等の相違もあるが、最も大きな違いは王昭君が匈奴に嫁する経緯がこと細かに記されている点である。王昭君が数年間天子の寵愛を受ける機会がなかったこと、ために自ら志願して匈奴に赴こうとしたこと、彼女の姿を目にしてその美しさに天子が驚いて、下賜を後悔しかけたこと、さらには元帝の跡を継いだ成帝が王昭君の帰国の願い出を認めなかったという後日譚までが記されている。まるで小説を読むかのごとき臨場感にあふれている。

『後漢書』撰述に当たって、『漢書』に使われなかった史料を、南朝宋の范曄(はんよう)が用いた可能性もあろう。しかしながらあまりにも小説的な場面を見ると、王昭君をめぐる物語がどんどん肥大化していって、興味深い内容に改変され、それを范曄が採用したと考える方が自然ではないだろうか。

江都王のむすめを天子のむすめとして西方の烏孫国へ嫁がせた烏孫公主の物語と、天子の後宮にいた女性を北方の匈奴へ嫁がせたという物語は、ともに異民族に嫁することを余儀なくされ、望郷の念にかられながらも異国で生涯を終える悲劇として同一の類型に属する。江都、のちの揚州が長江下流域の地であり、秭帰が長江中流域の地であることも、中原からすると南方の辺地であり、さらに北方の沙漠と対照的な水量豊富な地であることも何かの因縁をうかがわせる。

よく言及されるように王昭君の物語は、『西京雑記』巻二ではさらに複雑で興味を引く内容になっている。それによると元帝の後宮は女性が多かったので、画工に似顔絵を描かせて、それにもとづいて天子は寵愛する女性を選んだ。宮女たちは画工に多額の賄いをしてうまく描いてもらったが、王嬙だけは頼まなかった。それでお声がかからず、匈奴が美人の閼氏を求めたときに、天子は肖像画をもとに王昭君に行かせることにした。いざ出立という段になって召してみると、後宮一番の美女で受け答えにすぐれ、挙措も端正であった。後悔した天子ではあるが、既定の名簿を改めるわけにはいかず王昭君を行かせることにし、画工をすべて死刑に処し、彼らが蓄えていた巨万の富を没収したという。

画家に似顔絵を描かせ、さらに加えて袖の下をわたして美人に描いてもらうという、読者あるいは聴衆を楽しませる要素までが付与されている。物語としてかなり洗練されてきたというべきか。また王昭君が画工に賄賂を贈らなかったのは、節義を堅く守りとおすことであって、それが匈奴に嫁がされる結果を導くことで悲劇性を強調するとともに、匈奴の地にとどまった気概ある李陵とも一脈相通ずるところをもつことになる。

王昭君の物語は、金谷園（きんこくえん）で奢侈をきわめる宴席を開いたことで知られる、西晋の石崇（せきすう）、字は季倫（きりん）が「王明君の詞」と題する歌にしている。『文選』巻二七、『玉台新詠（ぎょくだいしんえい）』巻二などにも収録される。全三〇句からなる詩は王昭君の立場に立って、遠方の匈奴へ嫁ぐ身のつらさと悲しみをうたうことに終始している。うち第一一句から第一八句を引いてみよう。

延我於穹廬　加我閼氏名　わたしを円いテントに招き、閼氏という称号をつけ加えてくれた。
殊類非所安　雖貴非所栄　人ではないものとは心安まらず、身分は高くとも栄誉なことではない。
父子見陵辱　対之慚且驚　父と子とに辱しめを受け、これには恥じて驚くばかり。
殺身良不易　黙黙以苟生　自ら命を絶つのも容易ではなく、ひたすら堪えて生き延びるだけ。

「殊類」は、南朝において北方の異民族を指してよく用いられる語で、少数民族の謂いであるが、類を異にするもので、華人ではないもの、さらにいえば人ではないものという蔑称である。ちなみに李陵の書翰とされる「蘇武に答うる書」(『文選』巻四一)にも、匈奴を指してこの「殊類」と同義の「異類」なる語が用いられている。

匈奴王の習俗では、夫が亡くなると、妻はその子と再婚することになっている。そのことを本詩では「陵辱」されると表現し、それに驚き、かつ恥じるという。そして生き恥をさらしていると劇烈な表現をつらねる。ここには西晋時の漢民族の異民族に対する見方があらわれていると考えてよい。匈奴に代表される異民族は、人以外の動物に相当する生きものであったのだ。

ところで石崇の詩は、どうやらメロディに乗せてうたわれていたようである。古代から唐五代に至る歌謡詩を網羅した北宋の郭茂倩『楽府詩集』では、巻二九に本詩を載録して「右の一曲は、晋楽で演奏された」と注記している。少なくとも晋代には音楽をともなってうたわれていたのだ。それから本詩には石崇の自序が附されている。序では王昭君について説明してから、「元帝は後宮の中の良家の子女であった王明君を(匈奴の単于に)妻わせた。その昔、公主が烏孫に嫁いだとき馬上で琵琶を奏させて、道中の無聊を慰めた。明君を匈奴に送るときも、きっと同じようにしたのだろう」という。公主が烏孫に赴くとき旅の慰めに琵琶を演奏させたということは、『漢書』に記載されていなかった。これは西域伝来の楽器である琵琶を西方に嫁ぐ公主と結びつけ、異国情緒をいや増すという手法で、物語が伝わっていくうちに話がふくらんでいったのだろう。王昭君が匈奴に行く際にも、公主と同じように琵琶を奏でさせたのだろうと記すのは、公主の物語と王昭君の話が二重写しになっていることを、端なくも示している。

また『楽府詩集』の同所の題解では南朝陳の釈智匠の『古今楽録』から次のように引用している。「晋宋以来、「明君」は弦楽器で少しばかり習わせて上舞としただけである。梁の天監年間(五〇二―五一九)に、斯宣達が楽府令となって、楽工たちと清商の二調に間絃で「明君」上舞とし、今に伝わっている」。この一段は意味の判然としないところもあるが、石崇の歌は舞をともなって上演されていたことが知られる。また『琴集』なる書から「胡笳「明君」四弄は、上舞・下舞・上間絃・下間絃がある。「明君」三百余弄のうち、善いものは四つである。また胡笳「明君別」五弄は、辞漢・跨鞍・望郷・奔雲・入林がそれである」と引用して「考えるに琴曲に「昭君怨」があるが、これと同じである」と言う。この一段も必ずしも意味を詳らかにはしないが、「弄」が曲の単位であることからして、石崇「王明君の詞」は多くのヴァリアントを生み、漢代に北方の異民族から伝わったとされる胡笳という楽器で、舞をともなってうたわれたようである。「明君の別れ」と題する一変型は「辞漢・跨鞍・望郷・奔雲・入林」という、おそらくは王昭君が漢家に別れを告げ、馬の鞍に跨がり、望郷の念にかられつつ、雲中（今の内モンゴルの地）に赴き、林に入っていくという、それぞれの場面を歌舞に仕立てたものと推測される。

葦の葉を巻いて作ったともいわれる楽器「胡笳」には、のちに「胡笳十八拍」が蔡琰と結びつけられるように、さらに蔡琰の故事も与っているかもしれない。蔡琰、字文姫は後漢の文人蔡邕のむすめで、博学で才知にたけて弁舌が立ち、音楽にも詳しかった。衛仲道に嫁いだが、夫が亡くなり子もなかったので実家に帰っていた。興平年間（一九四―一九五）に世が乱れると、胡の騎兵に捕らえられて、南匈奴左賢王の妾となり、一二年間いて二人の子を産んだ。蔡邕と仲のよかった魏の曹操が、蔡邕に跡継ぎがないのを悲しんで、使者を胡に派遣して金玉で蔡琰を購い、董祀に再嫁させた。その後、董祀が罪に触れて死罪となった時、自ら曹操の前に出て夫のために命ごいをし、許されたことがある。のちに蔡琰は、戦乱で流離したことを回想して悲しみ、心を高ぶらせて二章の詩を作ったとして『後漢書』列女伝はその詩を載録する。第一章は一〇八句から成る長篇の五言詩であり、第二章は「□□□兮□□□」を三八句つらねる、いわゆる騒体の七言詩である。第一章は、後漢末の董卓の叛乱からうたい起こし、酸鼻をきわめる戦乱のさまを微に入って描いたあと、自らの経験に及ぶ。その第三五句から第四八句を引いてみよう。

旦則号泣行　夜則悲吟坐　朝には泣き叫びながら行き、夜には悲しく嘆きながら坐している。

欲死不能得　欲生無一可　死のうとしてもかなわず、生きようとしてもいいことは何もない。
彼蒼者何辜　乃遭此戹禍　あの青い天は何の罪があるとして、この災禍に遭わせるのか。
辺荒与華異　人俗少義理　辺境の地は中原と違って、習俗は人の道理を欠いている。
処所多霜雪　胡風春夏起　居る所は霜や雪が多く、北風が春夏に吹き起こる。
翩翩吹我衣　粛粛入我耳　ぱたぱたとわが衣を吹き上げ、ひゅうひゅうとわが耳に入ってくる。
感時念父母　哀歎無窮已　時節の移り変わりに父母を思い、嘆き悲しむのは已むことがない。

この後、帰国がかなうことになったが、異域で生まれた子とは離ればなれになること、胡地の別れの情景、帰国後に目にする荒廃した内地、新たな夫との生活に尽くそうとすることをうたう。別れのつらさを「わたしのつらさを思って馬までも歩みを止めて動こうとせず、馬車も車輪を転がそうとしない。見る者はみなすすり泣き、道行く者もむせび泣く(馬為立踟躕、車為不転轍。観者皆歔欷、行路亦嗚咽)」といい、最後を「人の一生はどれくらいあるのか、憂いを懐いたまま年が過ぎてゆく(人生幾何時、懐憂終年歳)」と結ぶのは、文人蔡邕のむすめの名に恥じない出来栄えと言ってもよい。

范曄が『後漢書』を撰する際に基づいた史料に、これらの詩があったから収録されているのであろうが、蔡琰の波瀾万丈と言っても差し支えないほどの劇的な生涯がここには凝縮されている。蔡琰が南匈奴に連行され、曹操が身請けの援助をしたのは事実であるにしても、蔡琰の起伏に富んだ生涯はかなり誇張されていよう。蔡琰自身がそのようにうたったのか、あるいはのちの人々が話をふくらませていったのか、決め手は見つからない。ちなみに『芸文類聚』ではこの詩の一部を『蔡琰別伝』から引いたとして載せる。蔡琰個人の伝が作られるほど、伝承が盛んであったことをうかがわせるではないか。

なお、ほぼ同趣向である第二章の七言詩は、毎句押韻で漢代の古い形態にのっとっているが、これも後世の擬作である可能性を否定するものではない。北方の地の陰鬱さ、生臭い肉を食らい、ことばの通じない人種の野蛮性、「胡笳」「辺馬」など異国情緒をかきたてる事物、こうしたものが北の異国で暮らさざるを得ない蔡琰の悲劇性を増幅し、読者の感慨は高まるばかりである。才気あふれる女性、嫁いだ後の夫の死、異民族による辺地への連行、長期にわたる異国での苦難の生活、にもかかわらずそれに堪え続けた気概、めでたく帰還できることになったよろこび、人々とのつらい別れ、それらのいずれもが物語に恰好の素材を提供しているのである。この二章を蔡琰自身が作ったとしても、のちの読者は内地から匈奴の地に赴いて劇的な人生を送ったヒロインの物語として受け入れていたにちがいあるまい。

なお王昭君の物語について附言すれば、韻文と散文を交互に用いる絵解き文学の変文に「王昭君変文」と呼ばれる作品があるのは、唐代にこの物語が絵画的要素を押し出しつつ展開していたことを示している。元代の馬致遠（ばちえん）の戯曲「漢宮秋」も王昭君の物語を劇化したものである。

四、北をうたう詩と歌謡詩

さきにも述べたように五言詩の形式は、後漢の後半に確立されたと考えられている。それに大きく関係するのが楽府詩とよばれる歌謡詩、なかでも相和歌なる分類に属する歌詩である。たしかに相和歌の詩は外見上、五言詩と見まがうものが多く、乱暴な言い方をすれば、相和歌からメロディを除くと五言詩になるような印象すらある。ことはそれほど単純ではないが、五言詩が相和歌と大きく関わっていることは首肯できよう。「相和は、漢代の旧歌である。糸竹が相和して、リズムを取る者がうたう」（『宋書』楽志三）、「楽章の古い歌詞で、今に伝わっているものは、いずれも漢代の街の歌である」（同・楽志一）というように、相和歌は漢代に流行した糸竹管弦の演奏をともなう俗曲であった。

物語詩的性格をもつ「陌上桑（はくじょうそう）」も相和歌に属するもので、五言で物語的内容をもつ歌詩が、漢代以降、民間でうたい継がれてきたことは容易に考えられる。

また楽府詩には「楽府題」と称される歌題があり、これは曲の形式をあらわす名称である。つまり、同じ楽府題でも歌詞が異なる数多くの歌が存する。さらにいったんできあがった歌に、別の歌詞をあてはめた場合、新たな歌の内容は楽府題と関係しないことが多い。すなわち楽府題がその歌の内容をあらわしているとは限らないのである。たとえば『宋書』楽志三の初めに録する魏・武帝、曹操の歌は「駕六龍乗風而行……」で始まるが、題としては「駕六龍気出倡」と記される。「気出倡」という曲の形式に乗せてうたわれる「駕六龍」の歌ということで、同じ「気出倡」の歌があまた存在することになる。「駕六龍」のように、便宜上、歌い始めの何文字かを歌の題にすることは少なくない。ちょうど『詩経』の詩題のように。

のちに楽府詩のメロディが失われて、記録されてのこった歌詞や楽府題だけが伝わることが多くなると、歌詞の一部や楽府題をもとに新たな楽府詩が制作されることもめずらしくない。その場合は楽府題と歌の内容が一致することが多く、一見したところ徒詩と同じようであるけれども、創作の発想を楽府題から得ているわけで、複数の人が詩会に参加してそれぞれが与えられた詩題に基づいて創作する、六朝後期の「賦得」という創作法に近い。

『楽府詩集』で「相和歌辞」の「瑟調曲」に分類される歌に「飲馬長城窟行」（「行」はうたの意）がある。この楽府題で漢魏晋の作としては、古辞・陳琳（ちんりん）・魏文帝・傅玄（ふげん）・陸機（りくき）の作品が伝わっている。古辞は『玉台新詠』巻一では後漢・蔡邕の作とされるが、『文選』巻二七により、古辞としてあつかう。後漢末の陳琳の作が五言を基調としながら七言句もまじえているものの、他は五言の斉言体である。全二〇句からなる古辞は、家を遠く離れた夫に思いをはせる妻の気持ちをうたう。

青青河辺草　綿綿思遠道　青々と茂る川辺の草、ずっと遠い地にいるあなたのことを思う。

遠道不可思　夙昔夢見之　遠い地は思うこともかなわず、昨夜、夢の中であなたに会った。
夢見在我傍　忽覚在佗郷　夢の中ではわたしの傍にいたが、ふと目が覚めるとよその地に。
佗郷各異県　輾転不可見　よその地では転々と、場所を替えて行って、会うことはできない。

……

客従遠方来　遺我双鯉魚　遠方から旅人がやってきて、わたしに二匹の鯉を届けてくれた。
呼児烹鯉魚　中有尺素書　童僕に鯉を煮させると、中から白絹に書かれた手紙が出てきた。
長跪読素書　書上竟何如　跪(ひざまず)いて絹の手紙を読む。手紙には何と書いてあるのか。
上有加餐食　下有長相憶　始めには、自愛するようにと、終わりには、いつまでも思っていると。

偶数句末の「遠道」「夢見」「佗郷」を、換韻直後の奇数句冒頭で繰りかえすように、民歌調の技法を用い、鯉を調理すると中から手紙が出てきたというユーモラスな展開が、いかにも楽府詩であることを思わせる。ただ「古詩十九首」に見える「青青河畔草」「所思在遠道」「客従遠方来、遺我一書札。上言長相思、下言久離別」などの句と酷似した表現があって、「古詩十九首」との親近をうかがわせる。「客従遠方来、遺我双鯉魚……中有尺素書」と魚に手紙を託するのは、魚と鳥の違いはあるものの、漢の昭帝が蘇武を帰還させようとした時、天子が上林苑(じょうりんえん)で雁を射ると、蘇武が無事でいることを記した絹の手紙が足にくくりつけられていたという話で、単于を説得した『漢書』の記述を連想させる。

後漢末の陳琳の作は楽府題をそのまま用いて「馬に長城の岩屋で水を飲ませる。水は冷たくて馬の身体を損なう（飲馬長城窟、水寒傷馬骨）」とうたい始める。長城造築に駆り出された兵士の辛苦を述べるが、妻との問答では無事には帰れぬであろう自身とは別れて再婚するように勧め、しかし夫のつらさをともに引き受けようとする妻のことばを載せる。魏の文帝の作は断片しか伝わらないが「舟を浮かべて大江に横たえる」「彼の荊(けい)を犯す虜を討つ」等の表現は、長江あたりでの戦乱をうたっていて、長城とは直接かかわらないように見える。ならばこの曲が存していてその音楽に乗せてうたったものか。

晋初の傅玄の作は「青青河辺草篇」(『玉台新詠』巻二)と題し、「青青河辺草、悠悠万里道」とうたい始めるが、もちろんこれは古辞の冒頭をそのまま用いている。「遠道」「夢」「覚」などの古辞に見える語を用いながら、遠く離れ生きては帰れないであろう夫を思う妻の気持ちをうたう。西晋を代表する詩人の一人陸機の作(『文選』巻二八)は、北方の征伐に動員された兵士の立場から、凍える冬のつらさ、戦功を挙げたいとの願望などをうたう。ただ「陰山」「燕(えん)然(ねん)(山)」「獫狁(けんいん)」「単于」など、漢代の匈奴とかかわる語彙が散見される。陰山山脈は内モンゴル自治区の南にあり、漢代は匈奴との戦いの境界に近かった。燕然山はモンゴル国の杭愛山(はんがい)で、後漢の車騎将軍竇憲(とうけん)が匈奴を伐ち、自らの戦功と漢王朝の徳を頌える銘を班固に作らせ、石に刻ませたところ。獫狁は、周代に北方にいた部族で、のちの匈奴。単于はもちろん匈奴の王の名称。

このように「飲馬長城窟行」は、後漢末から西晋において、歌曲の名称として用いられていて、楽府題とは関係のない内容の歌が制作されているのと同時に、楽府題と関係する内容の歌も制作されているのである。楽府題は歌の内容とは基本的にかかわりをもたないとはいうものの、やはり創作の際に想像力をかき立てる機能が古くからあったにちがいない。

南朝の梁には数多くの文人たちが楽府題をもとに、北方の地や民族を内容とする歌をたくさん制作している。すでに曲は失われているために、題名から想像力を刺激されて創作したものがほとんどである。その背景には北方の地を異民族から奪還したいと願いつつ、かなわぬ夢になりかかっている状況から、ノスタルジアを覚えるしかないという行きづまった現況があったのだろう。では、李陵や蘇武の詩も、似たような背景をもっていたのであろうか。たしかに東晋時期であれば、鮮卑族をはじめとする異民族に中原を支配されていて、失地を回復することは漢民族共通の悲願であったから、北方の匈奴に抑留されながらも、屈することのなかった蘇武の気概、匈奴のもとに入って結局帰国がかなわなかった李陵の悲劇は、以前にも増して切実に感じられたであろう。のちに北方の地を異民族の女真族などに奪われた南宋の漢民族は、陸游をはじめとする詩人たちが、徹底抗戦や失地回復をうたう詩を以前よりも多く書きのこしている。王朝の正統論が盛んに論じられるのも、そうした背景のもとに置けば理解しやすくなる。東晋以降に李陵や蘇武の詩が作られるのであれば、図式的に理解しやすい。しかし実際はそれほど容易ではない。

『文選』は李陵「蘇武に与う三首」と蘇武「詩四首」を収めるが、これらはさらに多くあった詩の中から選んだのである。『古文苑』巻八には、作者名を記さずに「録別詩」と題し、断片も含めると八首の詩を載せ、次いで蘇武「答詩」と作者名の無い「別李陵」の詩を載せる。このほかにも『文選』李善注には「李陵詩」として複数の断片を引用している。どうやら李陵・蘇武にまつわる詩はかなりの数にのぼったようである。

そもそも『文選』に載せる詩も作者として二人の名を挙げるだけで、詩だけを読めば二人と結びつく表現は見当らない。男同士の友情と別離をうたっていて、蘇武の第三首だけは夫婦の別れをうたっていると読める。もともとあった作者不詳の五言詩を李陵・蘇武の物語に併せて枠組みを作ったのか、あるいは物語をもとにして五言詩を作ったのか、いずれかであろう。

詩そのものの表現は、後漢の作とされる「古詩十九首」などの古詩や魏の詩と類似しているから、後漢期の作者未詳の古詩がまとめられていって、晋代に李陵・蘇武の物語と関係づけられた可能性が大きい。その場合、詩の文言に手が加わったとともに、新たに創作された部分もあるだろう。また男同士が詩、とりわけ五言詩を贈り合うのは、魏に始まって西晋以降に盛んになることも併せ考えるべきであろう。

「糸竹厲清声、慷慨有余哀」（蘇武「詩四首」其の二）、「乃命糸竹音、列席無高唱」（「録別詩」）の「糸竹」は琴と笛のことで、よく目にする語である。しかし古典詩に使用されるのは、魏・曹植の楽府「当車以駕行」が最初で、西晋以降、漸次用いられていく。無名氏の詩と詩人の詩とを同列にあつかうのは乱暴かもしれないが、李陵・蘇武作に二箇所見えるのは、これらが晋代に作られたか、手を加えられた可能性を示していよう。西晋に多くの擬古詩をものした傅玄や陸機といった大家が、李陵・蘇武に関する詩をのこしていないのは、李陵・蘇武と五言詩が結びつきつつある途上だったからかもしれない。匈奴や鮮卑の脅威は西晋期にすでに顕著であったのだし、晋の南遷後の作と断定するには、やはり決め手を欠いている。

（附記） 李陵と蘇武に関する詩については、早く逯欽立（りょくきんりつ）が「漢詩別録」（一九四五年八月に稿を草すという）（『漢魏六朝文学論集』陝西人民出版社、一九八四年）で論じている。逯氏は後漢の作であろうという。鈴木修次『漢魏詩の研究』（大修館書店、一九六七年）は、後漢から魏の作と推測している。

コラム｜*Column*

四六騈儷文（しろくべんれいぶん）

釜谷武志

後漢から唐代中葉まで盛行した文体の名で、対句を基調とする。「騈」は二頭の馬が並んで駆けて行くこと、「儷」は二人のつれあい、夫婦の意で、対句がつらなることをたとえる。「四六」は四字句と六字句のことで、四字と六字の対句が基本になっている。「文」は「詩」に対して用いるので散文を指すことになるが、事物の来歴を述べたり功績や徳行を書き記したりした銘（めい）や、死者への哀悼の意をあらわした誄（るい）など詩以外の押韻（おういん）するジャンルをふくむこともあり、その点では韻文であって、定義は明確でない。唐代中期にこの文体に反発した韓愈（かんゆ）らが、秦漢時期のいわゆる古文に回帰するように提唱した際、古文体に対して四六文、騈儷文などと呼んだことからこの呼称があらわれ始める。

もともと漢語は二字で一語になることが多い。漢字一字では同音異字、同音異義が多すぎて意味を確定しにくいので、二字で一語を構成して同音語を減らし理解しやすくするためであるとか、二字のリズムが心地よいためであるとかの理由が考えられる。現代漢語においても同様で、「国」と一字で言わずに「国家」と二字で表現するようなものである。

四字、六字、八字など偶数字の句のリズムは朗誦や暗記にも好都合で、先秦の文献においても偶数字の句が基本であった。それが後漢以降は儒学の確立とともに、文章創作時に経書をはじめとする古典籍の引用が増え、加えて四声の発見にともない音律面での工夫が重視されて、何を書くかよりもどのように書くかという表現面に、よりいっそう注意がはらわれるようになる。外見上、非常に整然として美麗ではあるが、内容が空疎な文体の代名詞として用いられるのはそのせいである。

偶数字からなる四字句や六字句の愛好と、奇数字からなる五言詩、七言詩の流行とは相矛盾するように見えるが、じつは同じことである。五言詩や七言詩はそれぞれ各句の六字目、八字目が休止であるため、リズムとしては六言であり八言なのである。日本語の五七調でも、五字プラス一休止、七字プラス一休止であって、六字あるいは八字の偶数字のリズムを基調としている。

南朝陳の徐陵（じょりょう）は古今の艶詩を集めて『玉台新詠（ぎょくだいしんえい）』という詩集を編纂したが、その序に次の一節がある。

1　天情○開朗●　　天情　開朗にして
2　逸思●雕華○　　逸思　雕華あり

3　妙解●文章○　妙に文章を解し
4　尤工○詩賦●　尤も詩賦に工なり

対になった四字句を四句引用したが、1と2、3と4がそれぞれ対になっているのが見てとれよう。

1と2では「天情」と「逸思」、「開朗」と「雕華」が対になり、1は自然の情感が壮大なスケールをもっていることを、2は卓越した思念が雕琢を凝らした美しさをそなえていることをいう。3と4では「妙」と「尤」、「解」と「工」、「文章」と「詩賦」が対になり、それぞれ類義語を相対して配置している。「文章」は文学作品全般を言い、「詩賦」はその中でも美しさを特徴とする代表的な韻文である詩と賦を指す。

さらに一句の中で、第二字と第四字の平仄が逆になっていることに気づく。南朝において漢語に平声・上声・去声・入声の四声の区別があることが明確に認識され、平声とそれ以外の三種の声調(あわせて仄声と称する)とを、交互に配置するのが、耳で聞いて美しいことに気づいたのである。文字の傍に○を附したのが平声、●を附したのが仄声である。1では第二字が平声、第四字が仄声、2はそれとは逆、3は1と逆で、4は3と逆になっている。すでに記したように漢字二字が一語を形成しやすいことを考えると、第二字と第四字の平仄を問題にするのは、一語の語尾に当たる部分の声調が異なることで、語の響きが変化に富むようにするしかけと言えよう。語尾に相当する部分にできるだけ同じ調子が続かないよう、手のこんだ細工が施されている。まるで唐代以降の近体詩に見られる、「二四不同」「二六対」(一句の中で第二字と第四字は平仄を逆にし、第二字と第六字は平仄を同じにする)のような厳密な平仄の組み合わせが、すでにここに見られるのである。

こうした音律面でのきまりに加えて、古典に淵源をもつ表現をちりばめる傾向が強くなり、すべての語に「典故これあらざるはなし」とまで言えそうな様相を呈してくる。典故を用いることでその表現が重層的、多層的になるのは、まだわれわれにも理解できるが、あまり見られぬ故事や典故を用いることで、知識の該博さを誇示しようとするような、技巧に走る傾向すら顕著になってくる。こうした弊害を克服しようとして、古文が提唱されてくるのである。

ただ四六騈儷文の特徴である、四字句の頻用や、声律面の顧慮、典故の使用は、いずれも唐代半ば以降も文章に通常見受けられる。問題になるのはそれが度を越していたという点である。また、これらは口語そのままではなく、あくまでも文語文である。唐代中葉まで盛行していたことが示すように、同時代になる奈良・平安時代に日本人が作った漢文は、そのほとんどが四六騈儷体である。

焦点 | *Focus*

礼秩序と性差

古勝隆一

序

礼秩序というと、儒教の教学体系の核心として語られることが多い。中国思想における儒教の重さを考えればもっともであるが、孔子が儒教を築くはるか以前から、礼の秩序は、殷・西周の王朝において形成され、東周時代を通じてそれが権力という毛細血管を通じ中華文明の細部にまでゆきわたり、さらに後世へと伝承されたと見る方が、より妥当であろう。殷・西周の礼が広まり、春秋時代の末、孔子とその学派によって精緻化され、その後、前漢武帝期に国家制度に組み込まれ、礼は中華文明の根幹をなすものとなったのである。

本章では、特に性差という観点から礼を論じるが、殷周以来の礼の実践を念頭に置き、春秋・戦国時代における礼思想の展開と、その秦漢帝国への継承、そして三国・西晋時代における受容を視野に入れることとする。

まずは第一節において殷周から西晋にいたる礼の歴史を概観し、次に第二節では『礼記』などの儒家の礼書が示す男女の差異を紹介し、そして第三節で歴史上の礼実践における女性の位置を検討する。

一、殷周から西晋にいたる礼の概観

岡村秀典は、殷以来の国家祭祀を説明し、「殷墟出土の甲骨卜辞をみても、殷王は多数の犠牲を用いた天神と地祇と祖先神の祭祀をひんぱんにおこなっていた。それが王朝祭祀の原点となり、祭儀国家から専制国家に進化したとき、儒家によって礼書にまとめられ、漢以後の歴代王朝に継承された」と言う(岡村 二〇〇八：二五四頁)。このように殷以来の礼制――特に国家祭祀の発展――を通時的にとらえるならば、孔子とその後継者たちは礼を革新して思想的に深め、後世へと引き渡した継承者であった。

殷王たちには「帝」に対する信仰があり、それが西周の王たちの「天」信仰のもとである、としばしば説明される。青銅器の銘文や、最古の文献資料である『尚書』『詩経』など西周の言説によれば、もと殷にくだされていた「天命」(天の意志)が殷の暴政のために失われ、「天」はあらためて周に命をくだしたとされ、天命を受けたがゆえに周王は王権を把持すると信じられた。天命こそ王の権力の源泉であり、王は臣下や諸侯たちに青銅器を下賜する儀礼を通じ、その命を再分配して権力を浸透させたが(小南 二〇〇六)、それら一連の儀礼体系が周の「礼」であった。

春秋時代について見ると、晋公の墓葬を代表とする考古学の知見は貴重だが(ファルケンハウゼン 二〇〇六)、一方、文献資料中の礼に関する議論は、『春秋左氏伝』『国語』を除けば多くない。一般に文献資料はそこに記された個々の言説の年代を確定することが困難であるが、両書が春秋期の資料であるならば、そこに礼の諸側面がうかがわれるので、本章では留保をつけたうえで議論に参照する。

孔子が主唱した儒教は、春秋時代後期までに蓄積された礼の実践および思想を基盤とし、「述べて作らず、信にして古を好む」(『論語』述而)という孔子の言葉は、礼の実態に即してもそうであったと言える。『論語』には礼の言説が多いが、礼は夏・殷・周三代にわたり受け継がれてきたと孔子は考えていた。子張が「十代後の王朝の様子を予知することは可能ですか」と質問したところ、孔子は「殷は夏の礼に因る。損益する所、知るべき也。周は殷の礼に因る。損益する所、知るべき也。其れ或いは周を継ぐ者、百世と雖も知るべき也」と答えた(『論語』為政)。礼は古から伝わるものであり、そこに創意工夫の余地はない。

ただしそこに孔子独特の礼理解が存在したことは否定できない。たとえば、孔子が魯の人であったがゆえに、西周の創始者(文王・武王・周公旦)たちのなかでも、魯に封ぜられた周公旦を特別視することなどが指摘でき、また、『論語』の記述を見る限り、王や諸侯の儀礼に孔子が精通していたわけではないらしい。そうした偏りを持ちつつも、周の礼を受け継ぐべく、孔子が弟子たちとともに礼を独自に深めていったことは、歴史事実として認められる(冨谷 二〇一六:I「中国古代の礼」、1『論語』に見える礼」)。

ただし春秋時代から戦国時代にかけて、礼は決して孔子とその後継者たちの占有物であったわけではなく、周のみならず諸侯国の支配層にも——つまり上は周王から下は諸侯国の下級支配層たる「士」クラスまでに——共通する基盤であった。戦国楚の墓葬においても他の中華諸国と同等の礼プロトコルが守られていた(ファルケンハウゼン 二〇〇六)。

しかし、戦国時代を通じて礼に関する思索を深めたのは、まぎれもなく孔子の後継者たちであった。現行の『礼記』四十九篇は、前漢時代の宣帝期(前七四―前四九)の学者、戴聖(たいせい)が編纂したものであり、最終的な文言の確定はその時期まで下るが、しかしそこに取り込まれた諸篇の内容の多くは、(諸篇の成立はそれぞれ異なっており、雑多であるものの)戦国時代から漢初にいたる儒家礼説を基礎とする。よって本章では同書を前漢末の礼説を反映した資料とは見ない。

儒家経典として伝承されてきた『儀礼(ぎらい)』十七篇も、おそらくは戦国時代の成書と考えられ、士の冠礼や婚礼、喪など、各種の儀礼の進行を記しているが、当時の支配層一般の規範を示したものであったと考えられる。なお、『儀礼』各篇の末尾には「記」と呼ばれる注釈がつけられており、これらは儒家なりの礼解釈と見てよい。

さらに戦国時代における儒家の礼説として、『礼記』におとらず重要な資料は『荀子』であり、同書こそ礼に関する思考に体系性を持たせ理論化したものとみなせる。もちろん、同書独自の思考であり、これにより殷周以来の礼を解釈するのは必ずしも妥当ではないが、礼に関する分析は明晰であり、漢以後の諸王朝の礼実践に与えた影響は甚大である。

戦国時代に終止符を打ち、紀元前二二一年に斉を滅ぼして中国を統一した秦は、周の天命を完全に断ち切ったという意味で（周の赧王はすでに前二五四年に崩御していたが）、礼においても画期となった。青銅器の下賜を通じ、「天命」を分配・再分配することで権力を維持する必要はなくなった。むしろ『史記』封禅書に、始皇帝が即位した三年目（前二一九年）、「東のかた郡県を巡り、騶の嶧山を祠り、秦の功業を頌う」とあるのをはじめ、始皇帝は東方の名山を経めぐり祭祀し、己の功業を知らしめその偉大さを伝えたが、これこそ礼による権力の誇示となった。また『史記』礼書には「秦、天下を有つに至り、悉く六国の礼儀を内れ、其の善きものを采択す。聖制には合せずと雖も、其の君を尊び臣を抑え、朝廷済済たるは、古より以来に依る」とあり、秦なりの朝廷儀礼も整えられた。

その秦の制度を引き継いだ漢は、高祖（劉邦）の初期においては礼に冷淡であったというが、秦の博士であった叔孫通が漢に仕え、高祖に助言して礼制を整備した。その後、武帝が「太初の元を以て正朔を改め（前一〇四）、服色を易え、太山を封じ、宗廟百官の儀を定め、以て典常と為し、之を後に垂るとしか云う」（『史記』礼書）と称される礼制改革を行い、継承された。その武帝期以降、儒教が大きく漢の制度に導入されることとなり、礼もさらに重視された。『史記』礼書に『荀子』の思想が吸収されたことから知られるように、前漢の礼制は、戦国時代における儒家の高度な礼論を取り入れつつも、青銅器時代の価値観から脱し、統一王朝にふさわしい制度として再構築されたものである。

前漢を簒奪した王莽は、儒教の教養を身につけて、即位前から儒教の「古文」学派を重視した国家制度改革を行い(「古文」学派は、官学であった「今文」学派と対立し、戦国時代以前の古い儒家経典を重んずる学派。川原 二〇二〇を参照)、新たな礼制を打ち出した(『漢書』王莽伝上)。これは周の初期に、「礼を制し楽を作り」(『礼記』明堂位の語)、周公旦が幼少であった成王の摂政となった故事を承け、王莽みずから漢帝を摂政する意図を込め、実力を誇示したものであった。始建国元年(後九)の新の建国後にも、その礼制が用いられた。

後漢は儒教を重視して今文学派を官学としたが、この時代、古文学派が勢力を強めており、建初四年(七九)、章帝は洛陽の白虎観に学者を集めて儒教の異説を議論させ、統一見解を得ようとした。その際の記録をもとに班固が『白虎通義』をまとめ、今に伝えられる。当時、同書は期待されるほどの影響力を持ちえなかったが(池田 一九九五)、やはり後漢の礼学に関する基本資料である。その後、鄭玄が登場し、経書と緯書の学を総合し、古文学と今文学を折中し、新たな学術体系を築き、『周礼』『儀礼』『礼記』に注を書き(いずれも現存する)、その後の礼学の基本とされた。また後漢における礼の規定を記録する、司馬彪『続漢書』礼儀志がある(現在は『後漢書』に収められている)。

魏・呉・蜀三国においても、儒教はそれぞれ引き続き重んじられ(古勝 二〇一七)、礼制もそれぞれ整備された(『三国志』魏書・蜀書・呉書それぞれの本紀に見える)。ただ礼制の充実により国家権力を確たるものにしようという国家側の意図とはうらはらに、特に魏においては儒教に対する士人層の反撥が顕著となり、礼に反する行いがしばしば観察されるようになったことも、付言しておかねばならない。

西晋の王権は、皇帝の司馬氏が儒教の教養を特に重んじ、国初に礼典の整備を行ったことが特筆される。すなわち、「文帝(=司馬昭)、又た荀顗に命じ魏代の前事に因り、撰びて「新礼」を為し、今古を参考し、其の節文を更えしめ、羊祜・任愷・庾峻・応貞をして並びに共に刊定し、百六十五篇を成さしめ、之を奏す」(『晋書』礼志上)というのがそれで、中国史上、国家が正式に公布したはじめての礼典とされる。そして西晋において整備された様々な礼制についての記録が、『晋書』礼志に見える。

総じて言えば、後漢から西晋にかけての諸王朝はいずれも礼制の整備に熱心であり、それぞれに特色があるものの、秦漢に作られた統一王朝的な礼制が引き継がれた。

二、性差はいかにとらえられたか――礼書が示す男女の差異

本節では、歴史的な文脈からいったん離れ、『礼記』を中心とする儒家の礼書に記された礼理念のなかで、性差がどのように現れたのか考察する。礼書に描かれた理念は、決して均質ではなく、それぞれ歴史的文脈に応じて登場した実践や思考が積み重なって書き記されたものであるが、ここではモデル的に示すにとどめる。「男女の別」、婚姻、婦・母、性別に与えられた役割をトピックとする。

前節にて述べた通り、文献資料の成書年代には、書物、篇、章ごとに多くの問題が存在するが、おおむね東周時代の実践や思想を反映すると考えられるものを中心として、秦漢のものを補足資料として用いるつもりである。

「男女の別」

『春秋左氏伝』荘公(そうこう)二十四年(前六七〇)によると、その年の秋、魯の荘公は斉から哀姜(あいきょう)(斉の桓公の妹)を迎え入れて縁組みし、荘公は宗婦(魯の一族の女性)に命じて「幣」(贈り物の絹。男性用)を礼物とさせたところ、魯の大夫の御孫がこう言った。

男性への礼物は、重要な場合は玉や幣帛(へいはく)、そうでなければ野鳥を用い、ものによって相手の貴賤を区別します。女性への礼物は、ハシバミ・栗・棗(なつめ)の実、干し肉にとどめ、〔それぞれのものの名にちなむ〕敬意を表します。とこ

ろが今回、男女で同じ礼物を使ったのは、その区別がないということです。「男女の別」は、国家の大いなるけじめであるのに、夫人についてこれを乱しました。まことによくないことです。

ここに「男女の別」という表現が用いられており重要である。これによれば、礼物に込められた意味は男女によって異なり、それを区別しない行為は「男女の別」を乱す、というのである。これが戦国時代以降の創作でないならば、春秋時代において「男女の別」は社会通念であったことになる。「男女の別」を強調し、両性を分ける思考は、孔子の登場を待たずに成立していた(なお『論語』にこの種の文言は見えない)。

孔子以後の儒家においては、『孟子』にもこの考え方が見えており(冨谷 二〇一六：一四七—一四八頁)、また、礼思想を表出する『礼記』にもこの「男女の別」が見える。先ほどの『春秋左氏伝』では、男女に対して用いる礼物の差異が重視され、「男女の別は、国の大節なり」とまで言われたが、それはなぜか。この区別を軽んずることがひいては国家や社会の混乱につながるから、軽微であっても無視できないという発想に基づくものと思われる。一方、『礼記』坊記は、その篇名自体に「坊」すなわち予防、そして水害を防ぐ堤防の意味を含むが、「男女の別」を婚姻と関わらせて次のように言う。

先生が言われた、「礼は、民が淫乱になるのを防ぎ、民の別(=男女の別)を明らかにし、民が(男女関係について)惑わぬようにと設け、民の規律としたものである」と。それゆえ男女は仲人なしに婚約しないし、礼物ぬきに会うことはないが、これは男女に別がなくなるのをおそれてのことである。

『礼記』の中庸・表記・坊記・緇衣(しい)は、孔子の孫の子思が書き留めたものとされ(王 二〇〇七：七〇—七九頁)、そうであるならば坊記篇の成立時期はかなり早いが、それでもこの言は孔子のものではなく儒家の後人の創作であろう。ともかくこれによれば、「男女の別」とは、「民の淫する所を坊(ふせ)ぐ」ために(おそらくは先王により)定められた礼だという。戦国儒家においては、婚姻を調えることで「男女の別」を守ろうとしたと分かる。

戦国時代の儒家に連なるテクストとして、『荀子』非相篇では、「弁」(弁別・わきまえ)なる概念を用い、その重要性を主張しているが、その「弁」は「別」とほぼ同内容で、やはり「男女の別」が言及されている。

> 人が人である条件とは、何か。思うに、「弁」があることによって、である。……野生の鳥獣には父子の関係はあっても父子の親しみはない。牝牡はあっても男女の別がない。こういう次第で、人の道にはすべて「弁」があるものなのだ。

なお戦国時代、儒家以外の諸子もしばしば「男女の別」を語った。『墨子』節用中には「宮牆(きゅうしょう)は以て男女の別を為すに足らば則ち止む」との墨子の言葉が見える。居住空間について男女を分けることを言う。儒家とは異なり礼を説いたものではないが、この観念が存在したことは分かる。なお『国語』魯語下にも、男女が直接の接触を避ける諸例について孔子が「男女を別(わ)かつの礼なり」と言ったとあり、真に孔子の発言かは未詳ながら、生活上、男女の接触を避けようとした風習は古いものであったらしい。この生活上の禁忌が、「男女の別」なる礼の規範のもととなったとも考えられよう。

成書年代未詳ではあるが、『列子』天瑞篇にある孔子の説話に「男女の別、男は尊く女は卑し」とあり、『孔子家語』六本篇も同じ説話を載せるが、これはどのような背景を持つのであろうか。正統的な儒家文献では「男は女より先んずる也」(『礼記』昏義)、「男子、親迎するに、男は女より先んずるは、剛柔の義也」(『礼記』郊特牲。婚礼の際の新郎・新婦の進行順を言う)程度の表現であるのからすると、『列子』天瑞篇のこの章などは、前漢時代以降の文である可能性もあろう。

前漢にも「男女の別」は強調され、より浸透したらしく、異民族への偏見としても「男女の別」の欠如が言われた。『春秋穀梁伝(こくりょうでん)』僖公三十三年は、秦が「狄」(蔑むべき異民族)に堕してしまったと非難し、「人の子女の教えを乱し、男女の別無し。秦の狄と為ること、殽(こう)の戦より始まる也」と言った。これは同書が成書した前漢後期の価値観を示すと見てよかろう。また『塩鉄論』備胡篇には、匈奴について「壇宇の居も男女の別も無く、……中国の麋鹿の如きのみ」と見え、さらに『後漢書』東夷列伝では、馬韓は「跪拝を知らず、長幼男女の別無し」と言い、中華の民との違いを言挙げする。

男女の別がないのは、異民族ばかりではなかった。『呂氏春秋』恃君覧にこうある。

むかし太古の時代、君主が存在しなかった。民衆は集まって暮らし、母が誰かは分かるが父は分からず、親族・兄弟・夫婦・男女などの区別はなく、上位下位・長幼の道もなく、進んだり退いたり挨拶するような礼もなく、衣服・靴や帯、住居や倉庫の便利もなく、器具や乗り物、城郭や戦いのそなえもなく、これが君主不在の問題点であった。だから君臣の義は、ぜひとも明らかにされる必要があった。

異民族がそうであるように、中国の太古にも「男女の別」がなかったとする思考が、秦代の思想家にはあった。しかしこの太古のあり方に問題があったからこそ、君主や礼が出現する必然性があり、「夫婦・男女の別」も大切だというのが『呂氏春秋』の主張であった。

婚姻

婚姻の意義を説く『礼記』昏義に「昏礼なる者は、将に二姓の好しみを合し、上は以て宗廟に事え、下は以て後世に継がんとする也。故に君子、之を重んず」とある。男性の家の祖廟を守り、男性の家に子孫をもたらすがゆえに、重要であるというわけである。明らかに男系の家を中心とした視点のもと、婚姻は礼において重視される(谷口 一九七八:四六一─四七頁参照)。

また、婚礼は、「男女の別」を明らかにするからこそ重要であるともされる。「士」身分の者の婚礼は『儀礼』士昏礼に詳述され、婚礼の意義について、『礼記』経解は、諸侯が天子に謁見する「朝覲」の礼、諸侯同士の「聘問」の礼、郷里の者が集まって酒を飲む「郷飲酒」の礼など他の礼と並べて、次のように言う。

> 婚姻の礼は、それによって男女の別を明らかにするためのものである。礼とは、乱がそこから生ずるのを防ぐものであり、ちょうど堤防が水の流れをさえぎるのと同じだ。それゆえ古い堤防を無用とみなして壊せば必ず水害が起こるように、古い礼を無用とみなして廃止してしまえば、必ず混乱や憂患が生ずる。

また『礼記』昏義にも、婚礼と「男女の別」とを関連させて次のように言う。

> 敬意・慎み・重々しさ・正しさ〔を婚礼によって実践し、そ〕の後に〔夫婦が〕あい親しむのが、礼の大枠であり、それ〔＝婚礼〕によって男女の別を完成させ、夫婦の義〔正しいあり方〕を明確にする。男女に別があってはじめて夫婦に義が生まれ、夫婦に義があってはじめて父子の間に親しみが生まれ、父子の間に親しみがあってはじめて君臣に正しい関係が生まれる。だから、「婚礼は礼の根本」と言われるわけだ。

この考え方は、つまり君臣関係・父子関係も夫婦関係を前提とし、さらにその夫婦関係は「男女の別」を前提とする、というものである。婚礼の意義を説く文脈であるせいで誇張があるわけではなく、『礼記』喪服小記にも「親に親しみ、尊を尊び、長(としうえ)を長(としうえ)とし、男女に別有るは、人道の大なる者也」との文言が見える。

以下に引用する『荀子』富国篇は、人間社会は「分」(分業)によって構成され、もし分業が破綻すれば、強者が弱者を虐げ、下の者が上の者に反抗し、労働を嫌い金儲けを好むようになり、人々が勝手にふるまい、さらには男女関係も混乱するという。

> 男女が結婚して夫婦が役割を分ける婚姻についても、結婚を申込み、結納して、新婦を送迎するという手順に礼がなくなれば、人々には結婚できないという困り事が生じ、欲望ばかり追求するという問題が生じる。だから知恵ある為政者は分業させるのだ。

男女の双方をまってはじめて成立する婚姻ではあるが、中国古代の礼では、夫婦のあり方は対等ではなく、夫が主導して妻がつき従うとされた。『礼記』郊特牲に言う。

婚礼は、万世の後に伝わる起点である。必ず〔男性と〕異なる姓の女性を娶るが、これは遠い血筋と結びつき、また同族との不婚をたっとぶからだ〔いわゆる同姓不婚。藤川 一九九三：五九―六二頁、久富木 二〇〇〇：一一八頁参照〕。〔婚約の〕礼物は必ず実のあるものとし、言葉づかいも立派にし、まっすぐで「信」〔＝誠実〕なるものとする。「信」とは人につかえることで、それは婦〔＝妻〕の徳でもある。いったん夫と盃を交わせば、一生涯、変わらない。だから夫が死んでも再婚しない。親迎の礼〔男性が女性を迎えに行く礼。『礼記』昏義に見える婚姻儀礼の一。藤川 一九九三：四六―五五頁参照〕の際、男性が女性よりも先に進むが、これは剛〔男性的なもの〕と柔〔女性的なもの〕の意味を込めたものだ。天は地よりも優先され、君は臣よりも優先されるが、男女の関係も同じである。……〔女性の実家の〕大門を出発して〔男性が〕先に行き、男性が女性をひきい、女性は男性に従う。夫婦の義は、ここに始まる。婦人は他者につき従う存在で、幼い時は父や兄に従い、嫁いでは夫に従い、夫の死後は子に従う。夫とは立派な男性のことだ。夫とは知恵により人をひきいる存在だ。

夫婦のうち、夫が婦を「帥（ひき）」いるべき存在であり、そして婦が夫に「従」うべき存在であると、この『礼記』郊特牲篇の一条は明言する。『礼記』のなかでもこの篇は雑多な内容・来歴を持つとされるが（任 一九八二：三八頁）、本章では、前漢時代の中期の成立と推測する王夢鷗・呂友仁らの説に従う（王 二〇〇七：二四六―二四八頁。ただし王鍔は、同篇を戦国末期頃の成立とする）。なおこの一条は『儀礼』士昏礼の解釈とみなされる。

上記の『礼記』『荀子』の婚姻観は後漢以降にも引き継がれた。班固『漢書』礼楽志に「人性に男女の情、妬忌（とき）の別有り、為に婚姻の礼を制（さだ）む、……婚姻の礼廃るれば、則ち夫婦の道は苦しむ」とあるのは、旧来の婚姻観の反映である。また『白虎通義』嫁娶篇には次のようにいう。

人の道に、嫁ぐことと娶ることが存在する理由は何か。思うに人の性情のうち最も重要なのは男女の関係である。

……人間は天地に力を受けて陰陽の気をもらっているから、〔陰陽の気を合する〕嫁・娶の礼を設けて人倫を重んじ、子孫を増やそうというのだ。

「天地」「陰陽」という『易』の語を用いる点で前漢の易学の洗礼を受けてはいるものの、『礼記』昏義の「後世に継ぐ」が、『白虎通義』の「継嗣を広む」へと継承されている。

婦・母として

礼においては、母としての女性の一面が強調された。先述の『礼記』昏義には「上は以て宗廟に事え、下は以て後世に継がんとする也」とあり、夫の家の家廟に奉仕すること、夫の家のために子孫をのこすことに他ならない。妻が出産の重圧にさらされたことは想像に難くないが、それ以外の妾（しょう）たちにも家の繁栄のため出産が期待された。「宗廟」も「後世」も、どちらも男系の家を続かせる目的のみ言われ、個々の人間は疎外されている。

『礼記』内則（だいそく）には、妻の出産について次の記述がある。

妻が出産する時、臨月になると、〔普段の居室から〕わきの部屋に移って住まう。夫は人をやり日に二度様子を尋ねさせ、胎動が始まれば自分で様子を尋ねる。〔それに対して〕妻はみずから出て行って会いはせず、世話役の女性にたのんで、服を着せてもらい答える。子どもが生まれると、夫はまた人をやり日に二度様子を尋ねさせる。夫が〔祭祀のため〕斎戒している場合は、わきの部屋の入り口に立ち入らない。

出産に先立ちあらかじめ部屋を分かち、また、夫が妻の様子を尋ねる際も、夫婦が直接に接しないよう配慮する時期が設定されており、当時の「士」クラスの習慣に基づき、テクスト化されたものであろう。

この内則という篇は、後漢の鄭玄の『礼記目録』によれば、「男女の居室、父母舅姑に事うるの法を記す」ものであり、「閨門の内の軌儀は則るべし」というわけで命名された。礼における男女の性差を把握するうえで重要な篇である。内則篇は『礼記』の他の篇に比べて整っており、(一)家庭内の規律、(二)養老、(三)食譜、(四)子育て、の内容から成る。成立年代は未詳ながら、王鍔はこの篇と共通する内容を持つ『儀礼』公食大夫礼・『周礼』天官との比較から、戦国時代中期の成立とする(王 二〇〇七:一九四—一九五頁)。右に引用した一条も、戦国時代の礼実践を基礎として儒家が明文化したものと見ておく。

しかし夫婦から生まれた子女の方から見れば、両親は両親、つまり「父母」である。『論語』には、子の立場から「父母」に言及した例が多い。孔子の発言に限っても、「父母は唯だ其の疾のみ之を憂う」(為政)、「父母在せば、遠遊せず」(里仁)、「父母の年は、知らざるべからざる也。一には則ち以て喜び、一には則ち以て懼る」(里仁)、「子は生まれて三年にして、然る後に父母の懐を免かる。夫れ三年の喪は、天下の通喪也。予や、其の父母に三年の愛有らんか」(陽貨)などと説かれ、そこに父と母との差は設けられていない。

また前漢以降になると、母性が強調されるようになり、前漢の劉向『列女伝』、南朝宋の范曄『後漢書』列女列伝、唐代『晋書』列女伝などにそれが見えることも付言しておく(下見 一九九七)。

性別に与えられた役割

『礼記』等の礼書からうかがえるのは、社会が各種の役割分担によって成り立っており、それぞれの人が己に与えられた立場(「分」)に応じて行動すべきであるという、礼の基本的な構想である。この考え方は、すでに『論語』顔淵篇の孔子の言葉、「君は君たり、臣は臣たり、父は父たり、子は子たり」に見える。それぞれの立場にある者がそれぞれの務めをはたせば世の中がうまく治まる、という発想である。

さらに溯れば殷周以来の墓葬にも身分に応じた差異が設けられており、立場を重視する礼の考え方は、来歴の古いものであると言える。先述の『荀子』富国篇に説かれた分業は、そのような社会的な種々の立場の重要性を、「群」

「分」などの術語を用いて、最終的に戦国時代において理論化したものであった。男女の役割分担もまた、何ら疑いを差し挟まれず当然視され、むしろその遵守が推奨された。『礼記』内則に女性の当為を説く。

女子は十歳になれば勝手に出かけない。女性の先生の教えには、おだやかに従う。麻糸や絹糸を紡ぎ、組み紐を編み、女性の仕事を習い覚えて衣服の用に供する。〔家廟の〕祭祀をよく観察し、酒や飲料、籩豆(へんとう)などの食器、漬け物や肉醤を届け、礼の実践にあっては捧げ物の手伝いをする。

なすべきことは家の内部に限られ、家廟祭祀でも手伝い〔助〕が強調されている。この条の直前には、男子の当為が記され、「六年にして之に数と方名を教う。七年にして男女、席を同じくせず、共に食らわず」と始まる。二つの条が男女の当為を分ける。女性の当為は家庭内に限られており、同じ内則篇に「男は内を言わず、女は外を言わず。……内の言は出でず、外の言は入らず」と言われる時、「内」は家庭内、「外」は家庭外に他ならない。

三、歴史上の礼実践における女性の位置

本節では、古代から西晋時代にいたる礼実践の歴史のなかで、性差について考える手がかりを提供したい。ただ紙幅の都合上、権力の上層部にある女性に関する事柄を主とする。

中国における新石器時代の文化は多様であるが、仰韶(ぎょうしょう)文化の集落である陝西省姜寨(きょうさい)遺跡には土器棺を有する墓群と有しない墓群があり、岡村秀典は「両墓群はともに成人の男性と女性の双方をふくむから、婚後は夫方居住と妻方居住を任意に選択する双系的な社会とみなされる」という（岡村 二〇〇八：三三頁）。前節で確認したような、男系中心の考え方とは異なる。考古学によって確認された墓葬や祭祀遺物は、礼の有用な資料となる。

前二〇〇〇年紀には今の河南省に二里頭文化が生まれ、二里頭遺跡の宮城跡では祭祀のため玉器が盛んに用いられ

た。岡村が「二里頭遺跡の発見は、その「礼制」の原初形態を明らかにした。……〔その宮殿は、〕西周金文や儒教経典にみえる宮殿、ひいては漢代から明清代にいたる宮殿と基本的に同じ構造をもっている。そこは王が臣下に謁見し、君臣関係を目にみえる形で表象する、宮廷儀礼の場であった」（岡村 二〇〇八：一〇一―一〇二頁）と言うのは参考になる。性差についても、後世のあり方から遡及的に推測すれば、二里頭文化の儀礼も男性中心のものであったかと想像される。

続いて初期国家の体制を敷いた殷だが、河南省安陽の殷墟からは、殷後期（そのうちの前半期）の貴族墓が多数発見され、婦好（殷王の武丁の王妃とされる）の墓は未盗掘であったこともあり重要である。王たちが王陵区と呼ばれる区域に埋葬されたのに対し、「武丁期の王妃や王族などの有力貴族たちは、西北岡の王陵区に葬られずに、宮殿宗廟区の近くに埋葬された」（岡村 二〇〇八：一六三頁）。当時、王妃を王に陪葬しなかったことが分かる。

西周については、山西省南部にある天馬・曲村遺跡にて、（周王と同族の）晋侯の墓地が見つかっており、岡村は「晋侯墓地では晋侯墓とその夫人墓が並列して組をなし、夫人墓の副葬品は晋侯墓よりやや格落ちするものの、墓はほぼ同格の待遇で造営されている。殷王陵区では王墓だけが単独で営まれ、武丁夫人の婦好墓が小屯の宮殿区に隣接していたから、夫人の地位が殷代より上昇したことが推測される」との評価を下している（岡村 二〇〇八：二二一頁）。しかしながら圧倒的な男性優位を示すことに変わりはない。

同じ晋の領域にあって、西周後期から春秋後期までにかけての墓葬をのこすのが、山西省侯馬の上馬遺跡であるが、その墓からうかがわれる男女の格差について、「葬具と副葬品については、女性に対する差別待遇は一槨二棺の一九基の墓において最もはっきりしており、それらの一一基（五八％）は男性のもので、六基（三一％）だけが女性のものであった（二基は性別不明）」という（ファルケンハウゼン 二〇〇六：一二六頁）。この墓地が運よく保存されたため、文字資料に拠らず、性差別の存在が明らかにされた。なおファルケンハウゼンは、西周前期から中期にかけての陝西省宝鶏の宝鶏墓地（竹園溝）につき、首長の墓室に「妾」が犠牲として葬られ、一方で正妻の墓は独立して設置された例を挙げており（ファルケンハウゼン 二〇〇六：八二頁）、この習慣が東周の楚墓にも見られると指摘している。

ここで文献資料に目を転じる。『儀礼』喪服には、死者と遺族の関係において喪服が細かく規定され、妻が亡くなった場合、夫の服喪期間は「期」（一年。服喪のランクは斉衰(しさい)）とされる。一方、『春秋左氏伝』昭公一五年（前五二七）に、周の景王が王妃のために「三年の喪」を行ったと解釈できる記事があり、両書に不一致があることが古くから認識されてきた。これにつき許子浜は、もともと春秋時代、夫は妻のために三年の喪に服したが、後に儒家によって、夫は妻のために一年、妻は夫のために三年と、性差を意識した形に変更されたものか、と推測する（許 二〇一二：三二一―三四頁）。『春秋左氏伝』を実録と考えるならばこの議論が成り立ち、ならば春秋時代の男女間の服喪規定は、後世と比較すれば対等に近かったと言えよう。

戦国時代から前漢にかけて主に儒家において形成され、最終的に前漢末において成書した『礼記』については前節にて検討したが、戦国時代における女性の礼実践につき、礼書を離れて再び考古学の知見を参照したい。戦国時代の夫婦墓は西周時代と比較すると、夫の墓に対して妻の墓が小さくなり、墳丘も女性のものは小さく、男女の墓の差異が顕著に増大したという（ファルケンハウゼン 二〇〇六：二八三頁）。

秦代以降については皇后の存在に着目したいが、秦では皇后の存在はなお曖昧で、皇帝と対をなす皇后の地位が確立するのは次の前漢を待たねばならなかった（保科 二〇〇二：三頁）。前漢時代、儒教は徐々に国家制度に組み込まれ、皇后に即して言うと、皇帝の嫡妻として皇帝と一体となり皇権の一翼を担ったが（谷口 一九七八：四五―四九頁）、武帝期後半頃の後宮制度改革を契機とし前漢後期にようやく地位が確立し、権威が高まった（保科 二〇〇二）。

後漢の皇后権威について、保科季子は、天子の「親迎」をすべきか否かという経学上の議論を取り上げた。後漢の『白虎通義』では、今文学説に基づき天子も他の身分の者と同じく親迎すべしとされたが、後には学説上も親迎不要説が主流となったという。ここには「正号皇后（死後に皇后の称号を追贈された「追尊皇后」と分けていう。藤川　一九八五：四四五―四六一頁参照）の権威は、徐々に皇帝権威に屈して相対的低下を余儀なくされて」いった経緯があるという（保科　二〇〇二：一九頁）。

魏において、景初元年（二三七）一〇月、圓丘（『周礼』では「圜丘」と表記）という天を祀る施設が造られたが、その際、（一）圓丘に皇皇帝天を祀り帝舜を配す、（二）方丘に皇皇后地を祀り舜妃の伊氏を配す、（三）天郊に皇天の神を祀り曹操を配す、（四）地郊に皇地の祇を祀り武宣皇后（曹操の妻、卞氏）を配す、（五）明堂に上帝を祀り曹丕を配すという、五種の祭祀が定められた（『宋書』礼志三）。「配」とは神とともに国家の先王を祀る、西周以来の定めだが、第二に舜の妻を、第四に曹操の妻を配した点に特色がある。なお西晋では天地の祭祀について、王肅（鄭玄の学に反対した魏晋期の学者）の説が採用され、圓丘と方沢（方丘）が廃された（『宋書』礼志三。狩野　一九六八：三〇八―三一二頁参照）。

西晋初めの泰始一〇年（二七四）、武帝司馬炎の皇后、楊艶が逝去した際、皇太子（司馬衷、のちの恵帝。楊氏の子）が、事前の取り決め通り、埋葬の直後に喪服を脱いだところ、博士の陳逵が、母のために「三年の喪」を行うべきことを主張して論争となったが、杜預が心喪（喪服は着用せずに心中で喪に服すること）でよいとの奏上を行い、採用された（『晋書』礼志中）。礼の実践を見るうえで興味深い。

以上、文献資料および考古学的知見により、古代から西晋時代までの、性差を考えることのできる儀礼に関わる例を紹介し、そこからうかがわれる礼の実践的・社会的な側面を考察した。

結び

孔子が「礼」を魯の宗廟の担当官に質問したというエピソードが『論語』八佾篇に見える。「先生は、宗廟に立ち入ると、物事ひとつひとつについて質問した。口さがない人が言った、「あの鄹の人の息子が礼を心得ていると言ったのは誰だ。宗廟に立ち入って、いちいち質問するそうだ」。先生はそれを聞いて言った、「これこそ礼なのだ」、と」。礼の実践は古い来歴を有し、孔子の認識では、彼は古くからある礼を継承したにすぎず、「事ごとに問う」という姿勢は、魯の役人たちが伝えた周の礼を摂取しようという意志の表れであろう。

しかし一方で、孔子の後継者たちが『礼記』などの礼書を書き、また同じく孔子を別の方法で継承した『荀子』という書物が思想としての礼を深めたことは疑いなく、さらにはそれらが漢帝国の国家権力に吸収され、後世へと甚大な影響を及ぼした。

性差の観点から礼の実践・思想を概観すると、そこに明らかなる男性優位の思想を看取できる。本章第二節では、戦国時代から前漢時代にかけて徐々に蓄積されて成書した、『礼記』などの礼書が、性差をどうとらえたかを検討した。礼書において強調された「男女の別」は、儒家以外の書物にもしばしば表れており、それを考慮すれば、儒家特有のものではなく春秋戦国時代の支配層に通有のものであった。礼は、男系の家族を永続させる目的を堅持するが、これは当時の男性中心的な社会が目指したところであった。しかしながら、孔子後の儒家は単なる「別」を超えて、さらに男性中心の思想を強めた。すでに見た通り、『礼記』郊特牲は、夫は婦を「帥」い、婦は夫に「従」うと明言しており、遅くとも前漢までに儒家によってこのような偏見が強化されたことは疑いない。

さらに第三節では、新石器時代から西晋にいたる女性に関わりのある礼の話題を取り上げたが、通観すると時代による起伏はあるものの、男性優位は一貫していた。

礼とは立場・身分にふさわしいふるまいを個別の人間に要求するものである。祭祀において青銅器を用い天とのつながりを確かめる儀礼の場は美しく厳かではあるが、そこでは個人が軽んじられる。殷周の王権のもと支配層全体に広まった礼は、その後、姿を変えて秦漢帝国に取り入れられ、万人が否応なく礼の教えに巻き込まれていった。魏晋にかけて反儒教の態度を示す個人が生まれたのは、それに対するせめてもの抵抗であった。

参考文献

池田秀三（一九九五）「『白虎通義』と後漢の学術」、小南一郎編『中国古代礼制研究』、京都大学人文科学研究所。

岡村秀典（二〇〇八）『中国文明 農業と礼制の考古学』、京都大学学術出版会。

狩野直喜（一九六八）『魏晋学術考』、筑摩書房。

川原秀城（二〇二〇）「今文・古文」、『漢学とは何か――漢唐および清中後期の学術世界』、勉誠出版。

久富木成大（二〇〇〇）「『春秋』における家族の思想――宗廟の祖霊祭祀と婚姻をめぐって」、『金沢大学文学部論集 行動科学・哲学篇』第二〇号。

古勝隆一（二〇一七）「魏晋期の儒教」、窪添慶文編『魏晋南北朝史のいま』、勉誠出版。

小南一郎（二〇〇六）『古代中国 天命と青銅器』、京都大学学術出版会。

下見隆雄（一九九七）『孝と母性のメカニズム――中国女性史の視座』、研文出版。

谷口やすよ（一九七八）「漢代の皇后権」、『史学雑誌』八七編一一号。

冨谷至（二〇一六）『中華帝国のジレンマ――礼的思想と法的秩序』、筑摩書房。

藤川正数（一九八五）『漢代における礼学の研究（増訂版）』、風間書房。

藤川正数（一九九三）『礼の話――古典の現代的意義』、明徳出版社。

保科季子（二〇〇二）「天子の好逑――漢代の儒教的皇后論」、『東洋史研究』第六一巻第二号。

王鍔（二〇〇七）『《礼記》成書考』、中華書局。

許子浜（二〇一二）『《春秋》《左伝》礼制研究』、上海古籍出版社。

任銘善（一九八二）『礼記目録後案』、斉魯書社。

ファルケンハウゼン、ロータール・フォン（二〇〇六）『周代中国の社会考古学』吉本道雅訳、京都大学学術出版会。

楽浪と「東夷」世界

——三世紀にいたる秘められた水脈

田中俊明

漢の武帝は、中国東北から朝鮮半島にかけて楽浪郡など四つの郡を設置した。すでに中国勢力の東方への進出は戦国時代に燕から始まり、遼河を越えて遼東郡を設置している。その後、朝鮮国の興亡もあった。しかし楽浪四郡の設置は漢帝国の直轄支配が朝鮮半島北部にまで及んだということであり、衝撃度は大きかったといえる。

楽浪四郡の設置を経て、漢の文化的・経済的・政治的影響は、朝鮮半島南部からさらに日本列島におよび、各地の民族の成長を促すことになった。特に三世紀におけるその地域全体の民族誌といえるのが『魏志』東夷伝である。本章ではそこに示される「東夷」世界の三世紀の状況と、それに至る中国勢力の東北フロンティア開発史を概観することにしたい。

一、遼東郡の設置と夫余

三世紀には中国東北から朝鮮半島にかけて魏の郡県支配がおよんでいた。遼東郡・玄菟郡・楽浪郡・帯方郡である。そのなかでいちはやく置かれたのが遼東郡であった。戦国時代、燕は将軍秦開の活躍によって東胡を北に追いやったあと、造陽より襄平に至る長城を築き、上谷・漁陽・右北平・遼西・遼東郡の五郡を設置したという（『史記』匈奴列伝)。昭王の時代(前三〇〇年前後)のこととみられる。造陽は河北省張家口市北部で燕都からすればほぼ北にあたる。そこからはるか東、遼河を越えた先の襄平は遼寧省遼陽。実際にその間の内蒙古の赤峰・敖漢旗を中心に、礫石を積み上げたような燕の長城が、内外二重に残る(遼寧省文物局 二〇一六)。ただし遼河以東で確認されたことがなく、おそらく初めから造られなかった。とうぜん襄平までおよんでいなかったことになる。こうした長城とその延長上の仮想ラインの内側に五郡が配置されたのであり、その東端が遼東郡であった。襄平は漢以後の遼東郡では郡治であり、燕が遼東郡を置いたのは襄平あたりと考えることができる。

上谷郡と考えられる河北省張家口一帯では、前五世紀代の狄族の墓に燕の青銅器も副葬され、燕の経営が見いだされる。それより東の漁陽・右北平・遼西諸郡にあたる地域でも、前四世紀には墓葬に燕と同様な副葬品・構造がみられ、燕の領域化がみられる。遼陽には、徐往子戦国墓のような燕そのものの墓葬があり、燕人入植の可能性がある(宮本 二〇〇〇)。つまり五郡設置以前から燕人の入植があり、その五郡はそれをうけて設置されたということになる。さらに鉄器の拡散を通して、清川江流域までの燕の進出がうかがえ(石川 二〇一七、小林 二〇一九)、燕の明刀銭が出土している。清川江流域の寧辺郡細竹里のように土着民と入植民とが混在する集落もある(田村 二〇〇一)。

『魏志』韓伝の注に引く『魏略』には、燕が「満潘汗に至るまでを界と為す」とある。漢の遼東郡には文県・番汗県があるが、満潘汗はその二県を指すと考えられる。文県は遼東半島、番汗県は朝鮮半島にある。そのため遼東半島方面には文県まで、朝鮮半島方面には番汗県までと、別の方向の先端を指すととらえる必要がある。燕の遼東郡には県はなかったので、後代の知識に基づくと考えられるが、番汗県は清川江の河口の博川にあたるとみられる。遼東郡について、そのように広がっていたという観念があったものと考えられる(田中 二〇〇七)。

こうした燕の東方進出に強く影響を受けたのが夫余であった。夫余の名が史上に現われた最初は、『史記』貨殖列伝の燕の地について述べた記事で、上谷から遼東までの状況を記したあと「北は烏桓・夫余と隣り合っている」とある。燕の東方進出で夫余が注目されるようになり、夫余もまたそれが刺激となって成長していったと考えられる。

夫余がいつ中国勢力と交渉を持つようになったのかは明文がないが、前漢代の夫余は、王の葬具として玉衣が下賜されていた。後述する玄菟郡にそれが預けられており、夫余は王が死ぬたびにそれを取りに行って葬ったという（『魏志』夫余伝）。玉衣が周辺民族にも用いられていた例としては、南越王（第二代）墓から絲縷玉衣が出土し、また滇王墓（雲南省石寨山漢墓六号墓）から玉片が発見されたことが知られているが、一定の評価をした関係のもとで下賜されたものと考える必要がある。また「いま、夫余の都の倉庫に玉璧・珪瓚など、数代にわたって伝わってきたものがある」「耆老（老人）は先代が賜わったものであると言っている」とある（同）。珪瓚は祭礼の際に神位の前で水を地に注ぐ玉器であり、『史記』晋世家に、春秋時代周が晋の文公に車や弓矢・酒とともに祭祀用に与えている例がある。祭祀を含めて下賜されたのであろう。

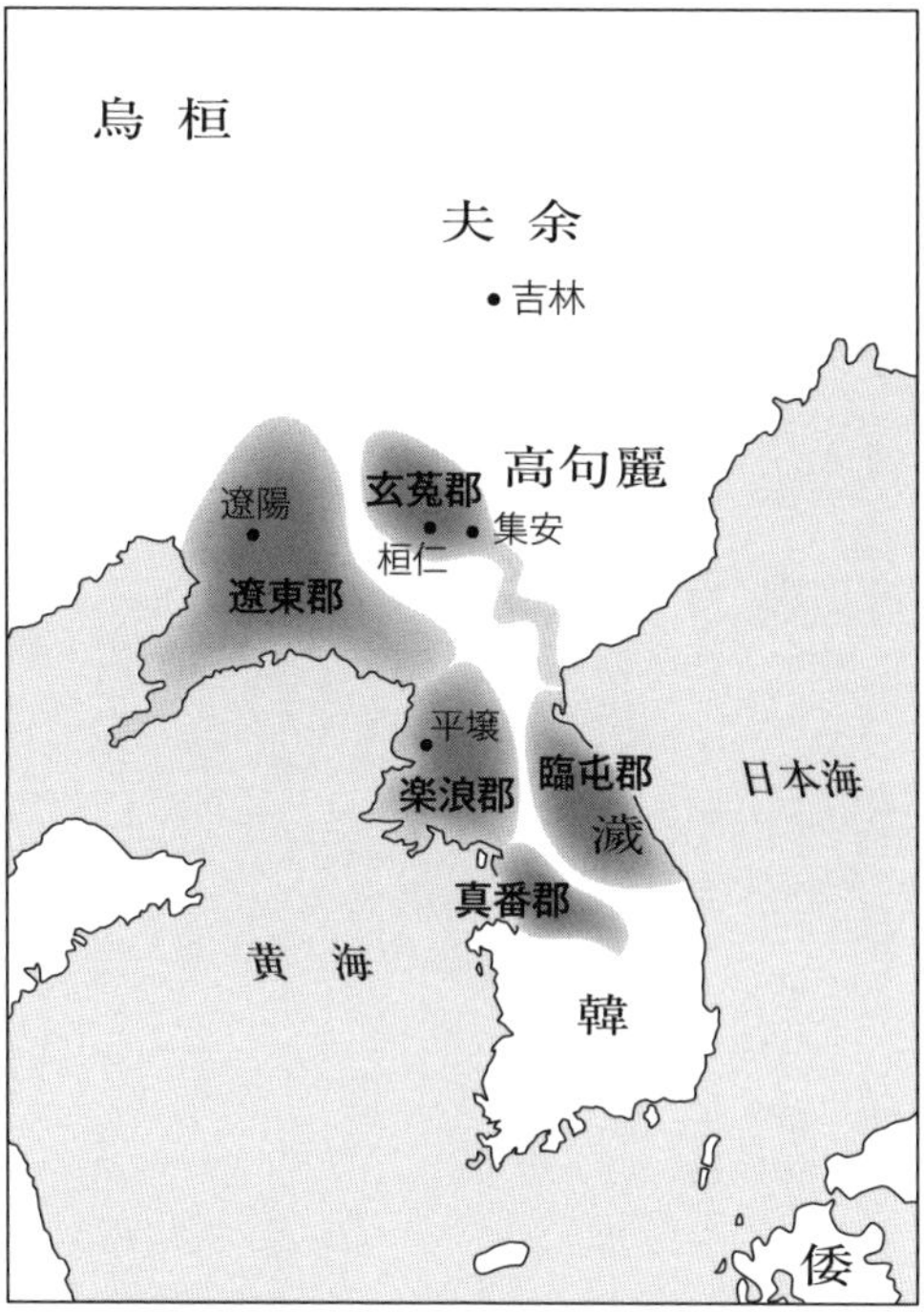

図1　遼東郡および楽浪4郡配置推定図

このような事情から、文化的影響も深かった。例えば、夫余では臘月（一二月）に大会し歌舞する祭りを行っていたが、それはほんらい狩猟民の冬祭りに由来する。しかしそれはすでに中国において臘月の祭りとなっていたものを受容したものと考えられる。夫余の建国神話は、北の国で生まれた王がそこから逃げ出して南の地で国を開くという構成で、高句麗の建国神話と同じといえるが、高句麗の建国者の生まれは日光感精型(母が日光に感応して妊娠し建国者を産む)・卵生型(建国者が卵で生まれる)であるのに対して、夫余の場合は感精要素(日光以外のものに感応する)しかないという大きな違いがある。殷・周の始祖神話は感精型であり、棄児譚も周の場合と似ている。そうした類似性は古くから指摘されながらも、単純な影響とみることは避けるべきであるとされてきた。しかし東北アジアにおいてほかと異なり、むしろ殷・周と近いありようは、何らかの影響を考えてもいいのではなかろうか。このように夫余は、「東夷」における先進民族となっていった(田中 二〇二一)。

夫余の発祥地であり中心地は「鹿山」(『資治通鑑』)で、現在の吉林省吉林市にあたる。北流松花江の東の東団山・帽児山一帯がその地で、以前から吉林省東部で漢魏遺物が最も多くみられるところとして注目されてもいた。帽児山墓群は一九八九―九三年に発掘され、土壙木槨墓と石壙木槨墓には副葬品も多く、時期は前漢から魏晋代という。

その後の夫余史の概略を述べておけば、二八五年に鮮卑族慕容氏の慕容廆の攻撃を受け、王が自殺し滅ぶ。子弟は沃沮(夭祖)に逃れた。その翌年、王子が晋の援助を得て国を復興したが、沃沮に逃れた一派と並立することになった(『晋書』夫余伝)。沃沮に建てた国が東夫余であり、本来の、そして復興した「鹿山」の国がのちに北夫余(旧夫余)と呼ばれるものである。その後、三四六年に慕容皝によって攻撃されるが、その時の本拠は、すでに鹿山ではなく、そこから西に移っていた。おそらく四世紀初めに高句麗の攻撃をうけて移動したものと考えられる。移った先についても異論があるが、吉林省農安説が有力である。五世紀末にその地で滅亡する。高句麗は四世紀初めに北夫余を獲得し、先進の夫余と同源であることを主張しはじめたのであろう。

吉林・農安の一帯において夫余の墓葬とみられるものが増えてきている。一九八〇年に発掘された楡樹老河深の中層を報告書で鮮卑の墓制としているが、当初から夫余説もあり、現在は夫余とみるのが主流である。ほかに類似の土器構成をもつ遺跡が夫余のものと考えられる。

二、衛氏朝鮮国の成立

燕の末期(前二二七年)に太子丹が秦王政(始皇帝)を暗殺しようとして失敗した逸話はよく知られている。そのあと秦が燕を報復攻撃し、遼東に逃げた燕王を捕らえ燕が滅ぶ(前二二二年)。こうして遼東も秦の領有下に入った。始皇帝は三六郡を統治するが、そこに遼東郡も含まれることになった。ただしその実態について伝える記録はなく、ただ朝鮮との関係について、『漢書』朝鮮伝に「遼東の外徼に属させた」と見えるのみである。秦は朝鮮に対してそこを境外と扱ったということで、逆に遼東郡は、国境の内側として、統治を進めたということである。

漢の高祖は、項羽に立てられた燕王臧荼を滅ぼし、同郷の友人盧綰を燕王としたが、諸侯国廃絶策が強まり、盧綰がそれに抵抗し討伐を受けた。劉邦の死後、盧綰は匈奴に亡命する。燕国は瓦解し、燕王に仕えていた満(後漢以後の記録では「衛満」)は、なかま千余人を集め、ともに朝鮮に逃げた。そのもとに真番・朝鮮の「蛮夷」すなわち土着民と、もとの燕・斉から逃げてきたものが集まったため、王となった。それが衛氏の朝鮮国の成立である。

朝鮮国は漢の外臣として認められた。前一九二―前一九一年ころのことであった(荊木 一九八五)。外臣として明確なのは、朝鮮と南越のみである。都は王険城で現在の平壌であると考えられるが、これまで、その痕跡が確認されていない。そのため朝鮮国も別の地域(清川江以北など)ではないかという意見もある。

この王権の構造について、満の孫右渠の時代に、外臣にふさわしくないという理由で漢の武帝によって滅ぼされたのであるが(前一〇八年)、世襲の王位であった。滅亡のころ『史記』朝鮮列伝に「朝鮮相路人・相韓陰・尼谿相参・将軍王唊」「右渠の大臣成巳」が登場する。また、『魏志』韓伝・裴注所引の「魏略」には「朝鮮相歴谿卿」もみえる。これらが朝鮮国の有力者で、支配層を構成していたと考えられるが、そうであれば、複数の相が合議するかたちで国政にあたったものと考えることができる。路人・韓陰という名からみれば、路・韓が姓で、すなわち流入中国人である可能性もある。『史記索隠』によれば、「路人は漁陽県の人」という。また尼谿相参は尼谿という地の相で土着の人であろう。そこには、王を中心に土着中国人と在地首長層が政治的に結集していたのである（木村 一九九二）。

朝鮮国に関わる遺構はほとんど確認されていないが、楽浪に特徴的な花盆形土器の原型は朝鮮国の時代に作られたとみられ（宮本 二〇一二）、楽浪土城付近の木槨墓にも、その時期のものが含まれている可能性がある。なお朝鮮国の存続時期である前一二八年に薉君南閭が二八万人を連れて降ったため、武帝が蒼海郡を設置したという記事がある。二年後に廃止されたが、それは朝鮮国を越えた東海岸のことと考えられる。

三、楽浪郡の設置と推移

朝鮮国を滅ぼした武帝は、その年に三つの郡を置いた。楽浪・真番・臨屯郡である。その翌年に玄菟郡を設置した。楽浪郡の首県は朝鮮県で、朝鮮国の王都の故地に置かれた。それを中心とする楽浪郡の境域は、朝鮮国の本体部分を占めていたと考えられる。朝鮮国に服属していた真番国・臨屯国があり、その故地に置かれたのが真番郡・臨屯郡である。真番郡は楽浪郡の南に、臨屯郡は楽浪郡の東に置かれた。この二郡は、前八二年の改編で廃されたが、そのため情報が少ない。『漢書』注に引く茂陵書に、臨屯郡・真番郡の郡治（東暆県・霅県）と長安からの距離、およびともに一五県であったことを記す。楽浪郡研究が盛んになった二〇世紀初めから、真番郡が楽浪郡の北にあるとみる北在説と南にあるとみる南在説とが対立し、いまだに北在説を採る論者がいる。しかし長安からの距離は臨屯郡よりも遠く、また朝鮮国が真番国の入朝を妨げた事実からみれば、朝鮮国の南にあったとみるのが妥当である。以上の三郡は、すでに戦国燕から朝鮮国時代に至るまでに漢人の植民も進んでおり、支配下に入った土着民もいた。その基盤のうえに成立した郡であった。しかし玄菟郡は異なり、名が知られるようになってきた高句麗族の住地と東海岸の拠点沃沮およびその間を結ぶ交通路を抑えるために置かれた（田中 一九九四）。

郡県支配の拠点は県城である。楽浪郡の治所は朝鮮県であり、平壌の大同江南岸にある楽浪土城にあたる。東西約六五〇メートル、南北約五五〇メートルの範囲に不整形に土塁をめぐらしている。設置当初は、朝鮮国の王都を利用したものとみなされ、大同江の北にあったと推定されるが、遺構が確認されていない。平壌における楽浪遺跡に対する認識は一九一〇年に鳥居龍蔵によって始まった。楽浪土城は一九一三年に調査され楽浪郡治址と推定され、一九三五年、三七年に発掘された。「楽浪富貴」「楽浪礼官」銘の瓦当や、楽浪郡内外の県名の入った封泥が大量に採集されたり出土したりしている。付近からは「永光三年（前四一）」銘の孝文廟銅鍾が発見されており、文帝の廟があったようで、礼官がそれと関わると考えられる（駒井 一九六五）。一九九〇年の発掘調査で貞柏洞三六四号墳から木簡と『論語』竹簡が出土した。木簡は初元四年（前四五）の楽浪郡の県別の戸口簿である（尹 二〇〇九）。楽浪土城内外のこうした遺物のありかたからすれば、設置時は不明としても、かなり早い段階から郡治として機能したとみてもよかろう。

郡県の支配は、太守・県令など地方官が派遣され行政をおこない、現地採用の吏員が実務にあたるのであるが、「郡初には、吏を遼東から取った」（『漢書』地理志）というように、最初は遼東郡の吏を一部、移したようである。しかしその後は、中原地域からこの地での採用をめざして入植する者もいて、いったん採用されると世襲されるので、官衙近くに住み、勢力を形成した。楽浪土城東南の貞柏洞・石巌洞などに塼室墓（日干しレンガを積みあげて墓室をつくるもの）を中心に多くの墳墓があるのは、ほぼそうした吏員のもので、特に王氏が多く、韓氏がそれにつづいた。当初は木槨墓が主であったが、二世紀あたりから塼室墓が出現し、内部に木槨を造るものや、天井が石であるものなども出現する（高久 一九九三、高久 二〇〇九）。

そうした墳墓形成は、遼東郡においてもみられることで、郡治遼陽近郊のみならず、県城付近でも多くの土壙墓や塼室墓が造営される。沓県説のある遼寧省普蘭店市の張店城に近い姜屯墓群や、新昌県説のある鞍山市旧堡城に近い羊草庄墓群など、近年大部な発掘調査報告書が刊行された。それら遼東半島南部は土壙に貝を充塡する貝墓と呼ばれる墓制であることが特徴で、王莽期あたりから塼室墓が出現する（中村 二〇二〇）。

『漢書』百官公卿表によれば、一万戸以上の県の長官は県令、それ以下は県長である。武官としての尉は二人か一人で、すなわち一万戸以上の県は、県令で二人の尉、以下の県は、県長で尉二人の県と、尉一人の県の三つに分けられる。楽浪郡の場合、封泥が多く残り、それを通して県のクラスをうかがえる。封泥は偽作説もあるが、X線分析により真偽をおよそ判別できるようになった（谷 二〇二一）。残された限りではあるが、県令の県は朝鮮・屯有・帯方の三県であり、また県長の県でも封泥に「右尉」または「左尉」がみえるのが詽邯・遂成・渾弥・不而などである。しかし県別戸口簿をみれば、県令の三県はいずれも一万戸以下である。封泥の時期と対応するのかどうかが問題であるが、必ずしも内地の原則に従っていないということであろう。設置以後、周辺の土着民が郡に来て「内附」（郡に属する姿勢をみせる）する例も多かった。戸口簿の末尾に戸口数総計とは別に「其戸」として総計の八割以上の数の戸口数を記す。土着民と移住民の区別とみる意見もあるが、よくわからない。

県城もいくつか知られている。「黏蟬県神祠碑」が発見された城峴里土城（平安南道温泉郡）や、帯方郡治にあてられる智塔里土城（黄海北道鳳山郡）、昭明県址かとみられる青山里土城（黄海南道信川郡）、戦後に発見され、列口県とみられる雲城里土城（黄海南道殷栗郡）などである。雲城里土城は一九六〇年代に発掘され、「千秋萬歳」銘瓦当などが出土した（李 一九七四）。東海岸でも、咸鏡南道金野郡にある所羅里土城が知られる。韓国では、清州の井北洞土城や忠州の見鶴里土城などの平地の方形土城が候補といえる。

楽浪四郡の改編は、まず前八二年に真番・臨屯二郡が廃止され、いくつかの県が、楽浪・玄菟に移された。『漢書』昭帝紀には、「始元五年（前八二）、儋耳・真番郡を廃止した」とあり、『後漢書』濊伝には、「始元五年に至り臨屯・

真番を廃止し楽浪・玄菟に併せた」とある。前者によって真番郡のみと考えることが多いが、遠くて郡として維持しがたいことが理由と考えられ、二郡が廃止されたものとみられる。このとき、臨屯郡一五県のうち東海岸の六県が玄菟郡に併せられ、真番郡一五県のうちのいくつかは楽浪郡に併せられた。この時点ではやくも、臨屯・真番三〇県のたいはんは放棄されたということである。

その後、『漢書』昭帝紀に「元鳳六年(前七五)春正月、郡国の徒を募り、遼東の玄菟城を築いた」とあるが、これについては『魏志』東沃沮伝に「その後、夷貊(いはく)に侵入されて、郡を句麗の西北に移した」、また『後漢書』濊伝に「玄菟がまた句驪(くり)に移居した。単単大嶺(たんたんだいれい)から東の沃沮濊貊(わいはく)は、みな楽浪に属すようになった」とある記事が対応する。「夷貊」とは高句麗族で、「句麗の西北に移した」とは、高句麗県の西北に郡治を移動したことを指す。「夷貊」が侵したのは高句麗族の住地におかれた県城である。その時まで高句麗県は現在の吉林省集安にあったが維持できなくなり、現在の遼寧省新賓県永陵に移された。それが「遼東の玄菟城」で、高句麗県の名をひきつぐ。「単単大嶺から東の沃沮濊貊」とは、ほんらいの玄菟郡治沃沮(夭租)と、もと臨屯郡に属し、先の改編で玄菟郡に移された六県、計七県を指す。これらは嶺東の七県とよばれる。要するに前七五年の改編とは、高句麗族が自分たちの住んでいるところに置かれた玄菟郡のいくつかの県城を攻撃し維持できなくしたため、先端部は切り離して楽浪郡に併せ、本体は西に後退した、ということである。この結果、楽浪郡は二五県を擁する大郡となり、玄菟郡は三県のみの小郡となった。高句麗族からすれば、玄菟郡設置当初はその支配下に入ったが、県城による支配・抑圧に対する抵抗のなかで覚醒し成長するに至ったものとみることができる(田中 一九九四)。

大郡となった楽浪郡には、年代は不明であるが東部都尉・南部都尉が置かれた。『魏志』東沃沮伝には「漢は楽浪郡の土地が広く遠いため、単単大領の東に東部都尉を分置し、不耐城(ふたいじょう)を治所として領東の七県を別に管掌(かんしょう)させた」とある。『魏志』濊伝にも「単単大嶺より西側は楽浪郡に属している。嶺より東側の七県は(東部)都尉がつかさどっている」とある。大郡が「土地が広く遠い」ため、部都尉を設置して、分掌するようにした、と読むことができる。しかし部都尉はほんらい軍官であり、民を治めない。その原則が貫徹しているとすれば（金 二〇一五）、各県長と部都尉とで管轄したとみなければならない。

王莽の時代には、全国的に郡県名の改名が行われた。浿水を楽鮮亭、増地を増土、海冥を海桓に改めている。そうした名称の県長を派遣したのであろう。楽浪封泥に「楽浪大尹章」があり、大尹章とは王莽時代にのみ用いられた郡の長官の号なので、王莽時代に派遣された郡長官であることがわかる。

後漢になって、『魏志』東沃沮伝に「後漢の光武（帝の建武）六年（後三〇）、辺境にある郡の都尉を廃したが、それに従って（楽浪郡の東部都尉も）やめた。その後、その県の中の首長を県侯とした。不耐・華麗・沃沮の諸県はともに侯国となった」とあり、『魏志』濊伝には「そのご都尉を廃し、その渠帥を侯にしている。今の不耐濊は、みなその種族である」とある。光武帝は全国の辺郡の都尉を廃したが、このとき楽浪郡の東部都尉については、都尉のみではなく、その管下の領東の七県を郡県支配から切り離し、県程度の規模の首長たちに県侯という爵位を与え直接通交するようにさせた。楽浪郡は一八県となった。

四、帯方郡の分置と高句麗・韓

その後の楽浪郡の改編として重要なものは、帯方郡の分置である。後漢末の群雄割拠の時期に、董卓の遼東太守であった公孫度が自立し、その子の公孫康・恭、孫の公孫淵の三代にわたって、遼東地方に勢力をもった。帯方郡は建安年間（一九六―二二〇）に公孫康が設置したもので、まったく新たな郡というわけではなく、また後漢王朝の郡でもない。設置について最も詳細に伝えるのは『魏志』韓伝で、後漢の桓帝・霊帝の時代（一四六―一八九）の末に、後漢王朝の統制がゆるみ、韓・濊が強く盛んになったので、楽浪郡の民が韓に流入するようになっていた。二〇四年にあとを継いだ公孫康が再編を企て、屯有県以南を分けて帯方郡としたということで、その上で「公孫模・張敞らを派遣して、流出していた民を集め、出兵して韓・濊を討伐させた」ところ、「古くからの民が少しずつ出てきた。このあと、倭・韓は遂に帯方に属するようになった」という。

屯有県は、かねて楽浪郡の一県であった。『晋書』地理志には、帯方郡について「県七を統率する。戸四九〇〇」とし「帯方・列口・南新・長岑・提奚・含資・海冥」の七県を記す。この七県のうち南新県を除いた六県は『漢書』地理志の楽浪郡の中にすでにみえており、南新県のみが新しい。屯有県はその後も楽浪郡の一県としてみえており、楽浪郡をそこまでに限った、ということである。帯方郡は、このようにそれまでの楽浪郡を二分し、南半を独立させたものであった。

設置の目的であるが、「屯有県以南の荒地」とある通りであれば、その地は荒廃していたということになる。それは「韓・濊が強く盛んになった」ことと関わりがあるのであろう。韓・濊をおさえ、郡県支配の建て直しをはかり、また積極的に統制していこうという意欲のあらわれといえる。すでに公孫度の時代に、本拠地の遼東郡を三分して遼東・遼西・中遼郡にしていた。きめ細かい統治がおこなえるという考えによるものと思われる。この帯方郡設置によって、それまで楽浪郡に属していた(朝貢の窓口となっていた)韓・倭が、帯方郡に属するようになったというのは、管轄が帯方郡へと移管した、ということであるが、帯方郡の設置は、そうした韓・倭に対する統括も目的にしたものであるといえる。

帯方郡の位置については、現在もなお、意見が大きく二つにわかれている。ソウル説と黄海道方面説とである。位置に対する直接的な手がかりは、『漢書』地理志の楽浪郡含資県につけられた原注「帯水は西に流れ、帯方に至って海に入る」という記事である。これと『魏志』韓伝・裴注所引「魏略」にみえる、辰韓の廉斯鑡が楽浪郡に降る途中に含資県に着いたということをもとにすれば、帯水を漢江とみて、その河口近くのソウルにあてる説が妥当である（西本 一八八九）。しかし考古学的な状況からすればそれは認めにくく、魏晋代の塼室墓が多く残り、智塔里土城など県城とみられる遺構もある黄海道方面が理解しやすい（田村 二〇〇一）。

ところで、そもそも帯水・含資をもとに帯方郡の位置を求めるのは必ずしも正しくない。帯水の記事は、あくまでも漢代のこと、直接には、その当時の帯方県の位置を示すものである。例えば、玄菟郡の高句麗県などは、玄菟郡の移動とともに、位置が移っていくのであり、帯方の場合も前後一貫して同じ位置にあったという保証はない。わたしは、楽浪郡の中の帯方県は、文献的解釈を通してソウル方面にあったとしてよいが、それはまもなく移り、三世紀初めの帯方郡設置の時点では黄海道方面にあったと考えている。そうであれば、帯水ほかの文献的理解と黄海道方面に対する考古学的理解の両者を矛盾なくいかすことができる。

公孫氏と、諸国・諸民族との関係についていえば、まず高句麗であるが、公孫度が勢力を持つようになると、高句麗王の伯固（はくこ）は、臣下を派遣して度を助けた。伯固が死ぬと長子抜奇（ばっき）と弟伊夷模（いいも）のあいだで王位継承の争いが起こった。国の人々は伊夷模を立てて王とした。兄抜奇は、それを怨んで五部のひとつである消奴部（しょうな）の首長とともに公孫康のもとに行って降伏し、戻ってきて沸流水（ふつりゅうすい）のほとりに住んだ。そこは高句麗最初の都卒本（そつほん）であり、現在の遼寧省桓仁（かんじん）の東にあたる（田中 一九九八）。伊夷模は、別のところに新国を造った。それが高句麗第二の都である国内城であり、現在の吉林省集安にあたる。これはつまり遷都があったことをいうのであり、高句麗の国内城（丸都城（がんとじょう））への遷都は、『三国史記』に伝える紀元後三年とみるのが韓国や中国の学界では一般的であるが、現実にはこの頃、つまり公孫康の時代であり、三世紀初めのことと考えられる。

高句麗の正統王系は、伊夷模に継承されるのであるが、抜奇側は公孫氏と通じ、伊夷模側と対立したことになる。王位は、伊夷模のあと、子の位宮（いきゅう）が継ぐが、魏が公孫淵を討った時には、位宮は、主簿（しゅぼ）・大加（たいか）を派遣して魏軍に助力している。高句麗は、公孫氏に通じる勢力と魏に通じる勢力とがあったことになる。したがって、高句麗全体としては両端を持していたとみられてもおかしくない。

韓も、公孫氏に臣属したという明確な史料はなく、通交関係があったという記録もない。ただし、辰王の存在からそのように考えることができそうである。『後漢書』韓伝には「馬韓が最大で、種族の人を共立して辰王としている。目支国を都とし、三韓の地全体の王となっている」とある。いつから辰王がいるのか明確ではないが、すでに後漢代には存在したのであろう。

この辰王については、結論的に述べると、まず辰国の王ではなく、また辰国はかつては存在していたが、この当時すでに存在していなかった。辰王は自ら王になることはできない脆弱な存在であった。流移の人とされ、もともと馬韓人ではないが、馬韓の一国である月支国(『後漢書』などでは目支国)を治所にし、馬韓に制せられていた。弁韓の安邪国、狗邪国、馬韓の臣雲新国、臣濆沽国と、月支国の五国が辰王を擁立していた。魏やそれ以前の公孫氏との交渉の窓口として期待されたようである(武田 一九九五・九六、田中 二〇〇五)。

韓族の地に対する郡県化の波は、すでに楽浪郡設置の時から始まっているといえる。真番郡は楽浪の南であり、含資県などは漢江上流と考えられ、韓族の地である。植民も進んだものと考えられる。北漢江沿いの京畿道加平郡の大成里の集落からは花盆形土器や鋳造鉄器など外来系遺物が出土し、南海岸においても、楽浪土器ばかりでなく遼東系の土器などもみられる勒島(慶尚南道泗川市)のような交易センターが形成されている(鄭 二〇〇八)。慶尚北道の永川市龍田里、慶州市朝陽洞や慶尚南道昌原市茶戸里など漢鏡が出土する木棺墓も、楽浪文化の強い影響が考えられる。

沃沮と濊は、楽浪郡支配から切り離されたあと、二世紀には高句麗の支配下に入った。高句麗は在地の首長に「使者」という官職を与え、その首長を通じて支配した。また高句麗の支配層の大加を派遣して租税を集めて送り、その地の美女を送らせて婢妾とした。そうした高句麗への隷属関係は、魏の攻略までつづいていた。公孫氏との個別の関係はうかがうことができない。

五、東夷伝の成立と倭人伝

「東夷」に関するまとまった記事は、三世紀にはじめて登場する。呉の謝承の『後漢書』や「魏略」にみられ、『魏志』の東夷伝がある。『魏志』東夷伝が、三世紀魏代の東北アジアについて、最も詳しく重要な史料であることは周知の事実である。そこには、序文につづいて夫余・高句麗・東沃沮・挹婁・濊・韓・倭人の諸条が収められている。

ではなぜこの時期に、こうした東夷に関する記録が残されるようになったのであろうか。それは極めて単純なことで、つまり、東夷伝を立てることができるほどに、情報が集まったということである。その理由は第一に、魏が公孫氏を滅ぼし、同時に楽浪・帯方二郡を接収したこと、第二に、それによって魏と直接境を接することになった高句麗がしばしば魏に侵入するようになったとして、高句麗やそれに従属する地域・種族に対する侵攻を行ったこと、この二つの事件をあげることができる。

景初二年(二三八)に、司馬懿が中心となって遼東攻撃をすすめたが、それと並行して、海を越えて楽浪・帯方を直接、確保した。魏が公孫氏を平定すると、すぐに倭王卑弥呼が帯方郡に使者を送ったことはよく知られている。

高句麗その他への侵攻は、「東方経略」などとよばれる。特に高句麗が正始三年(二四二)に遼東郡西安平県に侵攻したことが直接の契機とされるものの、公孫氏のもとへ派遣されて拘束され、高句麗へ逃亡した呉の使節団を、高句麗が呉に送り届ける(二三三年)など、高句麗が呉と連係する姿勢も見せており(二三六年には、呉からの使節を高句麗王は斬殺して、首を幽州に送っているが)、そのことに対する警戒意識もあったと思われる。

侵攻は、正始五年(二四四)と翌六年の二回、行われた。第一次の侵攻は、高句麗王都をめざしたもので、じっさい王都を陥落させている。そして、そのとき王が脱出したため、それを追っての第二次侵攻がなされたのであった。それは幽州刺史毌丘倹（姓は毌丘。本籍地の河東郡聞喜に建てられていた一族の造像碑から明らか。田中 二〇〇八）の主導のもとに行われ、正始五年以前に、玄菟太守王頎を夫余に派遣して軍糧を調達したうえで、五年に倹自ら遠征して、高句麗王都を陥落させ、六年には王頎を派遣し先に取り逃がした王を追及させた。王頎は南沃沮・北沃沮を経て粛慎氏（挹婁）の南界まで達し、帰った。またそれとは別に、楽浪太守劉茂・帯方太守弓遵を派遣して濊を伐たせた。

このように、高句麗およびそれに従属していた沃沮・濊に侵攻し、さらに挹婁にまで進軍した。それとは別に魏が楽浪・帯方両郡を接収することで、韓と直接接するようになり、倭の使者を迎えるようになった。そのために、それら地域の状況を直接見聞する兵士も出てきた。またこれら諸地域が魏と通交関係をもつようになった。このような事情によって、諸地域の実情が、魏に伝わるようになったのであった。

その東夷伝の最後に倭人伝がある。倭人の国としては、卑弥呼を共立する二九国と、対立する狗奴国とのあわせて三〇国があり、前者を倭国とよぶ。『魏志』は倭国伝ではないのである。

倭は、『山海経』海内北経の「蓋国は鉅燕の南、倭の北にある。倭は燕に属している」という記事が初見であろう。『山海経』は前漢初年までには形づくられ、前漢末に劉歆が校定したとされる。そうであれば前漢初年までには倭の名が知られていたことになる。ただその倭が日本列島の倭と直結するのかどうか。「鉅燕」は全盛期の巨大な燕という意味であろう。その南にあるという蓋国は、濊を指すとみるのがよさそうである。倭は燕の南の濊よりも南にあるということで、日本列島を指す可能性もあるといえるが確かではない。

後漢時代の記録としては、よく知られた『漢書』地理志の「楽浪の海中に倭人がいる。百余国に分かれている。歳時ごとにやって来て献上するという」と、王充『論衡』儒増篇の「周の時に天下太平で、越裳が白雉を献上し倭人が鬯を貢上した」、同じく恢国篇の「成王の時に越常が雉を献上し倭人が暢を貢上した」がある。『漢書』の場合、楽浪郡から海路で行った先、ということで、ほとんど日本列島とみて問題ない。『論衡』の場合、「鬯(暢)」とは鬱金香(香草)と黒黍とを混ぜて醸造した、色が黄色くて香りがよい酒で、祭祀の時に土地にそそぎ込むのに用いられた。特に南方産として知られる。「越裳(越常)」とならんで出ていることもあり、倭が南方にあったことを示す、とみられることがあるが、そうした観念があったことは認めてよいとしても、現実の倭がそうであったとみるには、根拠が弱い(山尾 一九八二、木村 一九九八)。

『後漢書』にみえる、中元二年(後五七)の「倭奴国」は、遣使朝貢して光武帝から印綬を賜っており、福岡県の志賀島で出土した「漢委奴国王」金印が、それにあたるとされている。「倭奴国」の「奴」は異民族の国名につけられた卑字で、「倭国」と同じであるという意見がある(冨谷 二〇一八)。わたしは、後漢王朝が、卑字「奴」を含むことから、そのように「倭奴の国」と誤解したものと考えている。ほんらいは「倭の奴国」で、つまり「奴国」ということである。奴国は、博多湾岸にあった小国(中心は現在の春日市須玖岡本遺跡付近)として問題なく、当時における最も有力な勢力であったことをうかがわせるが、倭が日本列島にあったと明確にいえる最初の例としても重要である。

倭の女王卑弥呼は、魏が帯方郡を確保したすぐ翌年(二三九)に帯方郡に使者を送り、郡が魏都まで連れて行き、「親魏倭王」という称号を与えられた。その後も何度か魏に使者を送ったあと死を迎えたが、あとを継いだ壹与も魏および魏につづく晋に使者を送っている。魏からも、正始元年(二四〇)、帯方太守弓遵が建中校尉梯儁を、八年(二四七)には塞曹掾史張政らを派遣している。そうした使者の往来によって得た情報・見聞録が、東夷伝で最も長い倭人伝となっている。卑弥呼はまた、魏以前に、後漢や遼東郡を基盤として東北アジアに勢力をもった公孫氏とも通交関係をもっていた可能性がある。

佐賀県唐津市鶴崎遺跡出土の青銅短剣が前六–前五世紀の燕のものであり(石川 二〇〇九)、福岡県春日市須玖岡本遺跡出土の草葉紋鏡が朝鮮国滅亡の際にもたらされた可能性があるように(岡村 二〇一三)、楽浪郡設置以前から単発のモノの流入は知られるが、設置以後になると朝鮮半島南部の弁辰を経由したり、さらには直接に銅鏡・鉄器その他が流入するようになる。遼東郡・楽浪郡・帯方郡の地域そのものとは植民の数も異なるが、周縁地域への漢文化あるいは漢人の浸透はまちがいなくすすんでいくのである。

参考文献

石川岳彦(二〇〇九)「日本への金属器の渡来」西本豊弘編『弥生農耕の始まりとその年代　新弥生時代のはじまり』四巻、雄山閣。

石川岳彦(二〇一七)『春秋戦国時代燕国の考古学』雄山閣。

荊木計男(一九八五)「衛満朝鮮王冊封について」『朝鮮学報』一一五輯。

尹龍九(二〇〇九)「平壌出土「楽浪郡初元四年県別戸口簿」研究」『中国出土資料研究』一三号。

岡村秀典(二〇一三)「漢王朝と倭」柳田康雄編著『弥生時代政治社会構造論』雄山閣。

木村誠(一九九二)「朝鮮における古代国家の形成」田村晃一・鈴木靖民編『新版古代の日本』二巻、角川書店。

木村誠(一九九八)「倭人の登場と東アジア」平野邦雄編『古代を考える　邪馬台国』吉川弘文館。

金秉駿(二〇一五)「楽浪郡東部都尉地域辺県と郡県支配」『韓国古代史研究』七八輯。

小林青樹(二〇一九)『弥生文化の起源と東アジア金属器文化』塙書房。

駒井和愛(一九六五)『楽浪郡治址』東京大学。

高久健二(一九九三)「楽浪墳墓の編年」『考古学雑誌』七八巻四号。

高久健二(二〇〇九)「楽浪・帯方郡塼室墓の再検討」『国立歴史民俗博物館研究報告』一五一集。

武田幸男(一九九五・九六)「三韓社会における辰王と臣智」『朝鮮文化研究』二・三号。

田中俊明(一九九四)「高句麗の興起と玄菟郡」『朝鮮文化研究』創刊号。

田中俊明(一九九八)「高句麗の前期王都卒本の構造」『高麗美術館研究紀要』二号。

田中俊明(二〇〇五)「『魏志』東夷伝の韓人と倭人」武田幸男編『古代を考える　日本と朝鮮』吉川弘文館。

田中俊明(二〇〇七)「遼東郡の設置と東北アジア」『東亜考古論壇』三輯。

田中俊明（二〇〇八）「魏の東方経略をめぐる問題点」『古代武器研究』九号。

田中俊明（二〇二一）「夫余の漢文化受容と遼東郡・玄菟郡」『古代文化』七三巻一号。

谷豊信（二〇二二）「X線画像による楽浪封泥の研究」『museum』六九〇号。

田村晃一（二〇〇一）『楽浪と高句麗の考古学』同成社。

鄭仁盛（二〇〇八）「瓦質土器楽浪影響説の検討」『嶺南考古学』四七輯。

冨谷至（二〇一八）『漢倭奴国王から日本国天皇へ』臨川書店。

中村大介（二〇二〇）「漢代における遼東部と交易」『埼玉大学紀要（教養学部）』五五巻二号。

西本昌弘（一八八九）「帯方郡治の所在地と辰韓廉斯邑」『朝鮮学報』一三〇輯。

宮本一夫（二〇〇〇）『中国古代北疆史の考古学的研究』中国書店。

宮本一夫（二〇一二）「楽浪土器の成立と拡散」『史淵』一四九輯。

山尾幸久（一九八二）「朝鮮における両漢の郡県と倭人」『立命館文学』四三九―四四一合併号。

李淳鎮（一九七四）「雲城里遺跡発掘報告」『考古学資料集』第四集。

遼寧省文物局（二〇一六）『遼寧省燕秦漢長城資源調査報告』文物出版社。

コラム | *Column*

朝鮮半島の漢字受容

田中俊明

朝鮮半島の人々はいつごろから漢字を見る機会があったのであろうか。殷の末の王紂王の「親戚」とされ周の武王が教えを乞うた賢者箕子を武王が朝鮮王に封建した、という伝説があり(『史記』宋微子世家)、朝鮮で箕子が民に礼儀や農業、八条の犯禁を教えたとある(『漢書』地理志)。そうであれば箕子が朝鮮の民に漢字で記された法令などを伝えたことになるが、史実としての信頼性はない。降って戦国時代の燕の民が、前三世紀初めごろ遼東方面に植民し清川江まで及んだと考えられるが、その時には漢字が伝えられたはずである。漢字遺物として現在最も古いのはその当時の明刀銭の文字であろう。ただし文字として認識されたかどうかはわからない。

漢の建国後にできた衛氏の朝鮮国では、植民もすすみ漢字使用圏も広がったが、漢字遺物は残されていない。そのあとの楽浪郡は、逆に多くの漢字資料を残している。楽浪郡治址とみられる平壌の楽浪土城からは多くの封泥・銘文瓦当・銅銭などが出土した。付近でも彩篋塚から木簡一点、貞柏洞三六四号墳から初元四年(前四五)県別戸口簿木簡と『論語』竹簡、別の墓から永光三年(前四一)銘孝文廟銅鍾、石巌里二〇一号墳から紀年銘漆器や式占盤、王旴墓から「五官掾王旴印」木印、王光墓から「楽浪太守掾王光印」木印などが出土している。これらには現地製もあるが、漆器や銅鏡など中国製で搬入品である。平壌西の温泉郡の城峴里土城近くで「黏蟬県神祠碑」が発見されている。県長が県民の健康長寿などを祈願するもので県民に読ませるためのものである。文字は確認されていないが慶南昌原市茶戸里では筆・削刀が出土しており、楽浪郡の時代に郡領域外での漢字使用がうかがえる。ほかでも硯・削刀が出土している。漢字は確実に浸透した。

三国時代には金石文資料が多く木簡も出現する。いずれも漢字のみで書かれているが、必ずしも中国文ではない。金石文ではまず高句麗の「広開土王(好太王)碑」がある。四一四年建立で、高句麗第二の都吉林省集安に立つ。高さ六メートルを超える四面碑で一七七五字あった。長男長寿王が父の偉大な業績を明記して後世に残そうとし、同時に守墓人のことを告示したものである。集安ではそれ以前の「晋高句驪率善佰長」銅印も出土しているが、高句麗の文字資料としては「広開土王碑」が最古である。ただし撰文に流入中国人が関わっている可能性はある。韓国には「忠州高句麗碑」が残る。咸鏡南道新浦市梧梅里の寺谷遺跡の渤海時代の建物址から、銘のある金銅板が出土した。「太和」という年号があり六世紀なかばとみられる。高句麗最後の王都長安城の城壁から銘文のある石刻が五点発見されている。慶州の新羅古墳から青銅製合子「好太王壺杅」が、別の古墳から高句麗年号とみられる「延寿」銘の銀製合子が出土した。光背銘小金銅仏がいくつかあり「建興」「永康」「景」「延嘉」などの年号を記す。

百済の資料としては石上神宮の「七支刀」が三六九年と考えられ最古である。同盟関係が成立した倭国に下賜したものである。武寧王陵が発見されたが、王陵としての根拠は安置されていた墓誌・買地券である。王都五部名の入った刻印瓦が多く出土する。最後の都泗沘(忠南扶余)の王興寺・陵寺、離宮のあった益山の弥勒寺では舎利荘厳具に文字が確認された。「沙宅智積碑」は貴族の堂塔建立の碑である。

新羅では、五世紀以前の古墳出土品に文字資料もあるが、本格的には六世紀以後の碑文からである。現在、新羅最古の碑文は五〇一年「浦項中城里碑」で、五〇三年の「浦項冷水里碑」、五二四年の「蔚珍鳳坪里碑」など地方で王が争いごとの判定をしたものである。「川前里書石」のように王都近郊に王家の人々が訪ねてそこの大きい石に刻字したものもある。真興王の巡狩碑や、王都の南山の築造力役徴発の碑ほか、六世紀に実に多くの碑文が残されている。以上の国家的な碑と違い、新羅の語順に従って漢字を並べ、助詞にあたる漢字をはさまない、個人的な誓いを記した「壬申誓記石」もある。

木簡は、一九七五年発掘の慶州の雁鴨池(月池)で出土したのが最初で、現在に至るまで百済木簡をあわせても六〇〇点ほど。決して多くなく、残り方に問題があると考えられる。慶尚南道咸安の城山山城では六世紀半ばを中心に二四五点が出土し、古代木簡全体の四割を占める。ほぼ荷札木簡である。漢字のみで記されていても、必ずしも中国文ということではなく、漢字の音訓を用いて自国語を記す方法が採られた。日本古代の木簡とは、時期的にも、形状的にも近く関係が深い。日本の造字とされてきた「畠」などもみられる。

新羅の文書は二点残るのみで、ともに正倉院にある。「華厳経論」の経帙の裏打ちに使われていた反故紙で四つの村の村籍といえるいわゆる村落文書(六九五年説が有力)と佐波理(合金。新羅語)の重ね碗に挟まれていた反故紙である。韓国には文書ではないが華厳経写経が二軸残され、末尾に独自な内容の跋文がある。正倉院聖語蔵と東大寺図書館に残る華厳経写経にも新羅写経がある。日本のカタカナの源流となる、竹のとがらせた先で紙面を凹ませて文字・符号を記す角筆がみられる。正倉院に「新羅楊家上墨」「新羅武家上墨」と記す貴族の家内工房製の墨がある。地方でも利川市の雪峰山城で「咸通六年」銘硯が出土している。統一新羅時代には全国的に漢字のある生活が普通になっていたが、中国文が常態ではなく漢字の自国語利用が多かった。高麗時代にも状況はかわらず、中国文官文書と漢字利用文が並存する。一五世紀にハングルが制定されたあとも、官文書は中国文のものも残るが、しだいに漢字交じり、またハングルのみのものに変わっていく。

焦点｜*Focus*

漢晋期の中央アジアと中華世界

荒川正晴

一、中央アジアの社会と国家

本章は、中央アジアと中華世界との関係を漢晋期に限って概観するものである。ユーラシア大陸の中央部に位置するパミール高原の東西に、現在主にトルコ系の人々が住んでいるトルキスタンと呼ばれる地域が広がっているが、ここに言う中央アジアとは、空間的にはこのトルキスタンの地理的範囲とほぼ重なるものである。

この中央アジアには、天山山脈とシル河を結んだ東西の線（ほぼ北緯四三度線）以北に広がる草原地帯に遊牧民が、またそれ以南の沙漠地帯に点在するオアシスに農牧民・商人・職人などが住んでおり、それぞれ特徴的な社会や国家を形成してきた。なお昨今の歴史関係の概説論著では、中央アジアに替えて中央ユーラシアという語を使うことが多いが、これは東は大興安嶺（だいこうあんれい）から西はヨーロッパ東部までの広大な乾燥地帯を示すための用語なので、本章で対象とする地理的範囲を考慮してここでは中央アジアという語を用いる。

オアシス国家とは

オアシスとは、大小様々な規模はあるものの、「沙漠における可耕地の広がり」とまずは理解することができる。そして、このオアシス内に村や町と呼べる集落が少なくとも一つあり、大きな規模のオアシスでは城壁をともなった都市が存在している。また「可耕地の広がり」は、その外側に草地や沼沢地を抱えながら広域におよぶこともある(Lattimore 1950: 165-166)。オアシス社会や国家とは、このような可耕地とその周辺地を生活基盤とする社会や、それが造る国家のことである。

紀元前後の頃、パミール以東のタリム盆地(東トルキスタン(中国新疆ウイグル自治区)南部)周辺には、オアシスの規模に応じて大小様々なオアシス国家が分立していた。『漢書』巻九六西域伝には、それらの国名・王城名・都長安からの距離・戸数・口数・兵数・産物などが逐一列記されており、それを見ると前漢代ですでに複数のオアシスを領内に包含する比較的大きなオアシス国家が形成されていたことが知られる。ただし、こうしたオアシス国家でも人口規模は数万のサイズが標準であり、最大でも一〇万を大きく超えることはない(榎 一九七一:三二九―三三三頁)。それでも各国ともに最高統治者たる王のもとに、それぞれ固有の組織が設けられ、それによって領内に点在するオアシスを統治していた。また、国内に居住する農牧民・商人・職人の比率は詳らかではないが、社会構成の特徴として、全人口に占める兵士の比率は高かったといわれる(榎 一九七一:三五三頁)。なお王位はおおむね世襲されていたが、当地に点在するオアシス諸国を束ねる政治組織は成立しなかった。

これに対してパミール以西のオアシス国家は、ソグディアナと呼ばれるシル河とアム河に挟まれた地域に建てられた、一都市一国家的なオアシス諸国が代表的なものとなる。その多くは両河の中間を流れるザラフシャン河流域に点在している。各国のトップリーダーたる王もしくは領主は、必ずしも世襲的な君主ではなく、大富豪の代表者という性格が強かった。そしてサマルカンドを中心に、オアシス国家どうしがゆるやかに結びつき、オアシス国家連合を形成していた。そのため、サマルカンドのトップリーダーは、「ソグド王（にして）サマルカンドの領主」と呼ばれた（東西トルキスタンにおけるオアシス国家の規模や住民、政治・社会・文化については、榎 一九七一に要領よく解説されているが、ソグディアナの政治・社会・経済や文化・宗教に関しては、吉田 一九九九、吉田 二〇一一が適切な概説を提供している）。

またこうしたオアシス諸国は、パミールの東西を問わず、常に南北・東西に勃興する周辺の強大な政治権力（遊牧国家や定住国家）の支配を意識せざるを得ず、時にこれらとの二重・三重外交を強いられた。

なおパミール以西のオアシス国家は、以東のそれと大きく異なり、南方に開かれていたのが特徴であり、アム河を越えると南に現在のアフガニスタン、パキスタンの領域を経て、インダス河流域まで比較的容易に達することができる。そのためソグド諸国の動向は、アム河以南の諸地域の動きと密接に結びついていた。さらに草原地帯の遊牧勢力にとっても、上述の地域は彼らの南方進出の恰好な通路となっていた。中央アジア地域を扱う本章において、ソグディアナに加えてアム河から西北インドにいたる地域の動向を取り上げるゆえんである。

遊牧国家とは

遊牧民は、草原地域を定期的に移動しながら牧畜をおこなう、遊牧を生業とする部族社会を成し、彼らが造る国家の多くは複数の部族連合をさらに連合したかたちを取った。とくに特徴的なのは、政治と軍事を握る騎馬遊牧民が、農牧業・商工業を基盤とするオアシス国家や、その他の農耕地帯の定住民を支配し、あわせて貿易や外交については特定のオアシス国家や定住国家出身の国際商人に担当させるという、複合的・多重的な性格をもつ軍事商業国家であったことである。もちろん中央アジア内の遊牧民とオアシス民は、単に支配・被支配の関係にあったのではなく、軍事力と経済力・行政能力を相互に提供する共生関係を構築していた。これはまた同時に、草原の世界だけで遊牧国家が成り立たなかったことを意味しており、構造的に遊牧国家は常にオアシス国家など定住世界の富や財を吸収する必要があった（森安 二〇二〇：九四―九七頁）。

本巻で扱う秦漢代において中央アジアの草原地帯に現れたのが、モンゴル高原を拠点に隆盛した遊牧国家・匈奴（きょうど）であり、また国家としての全体像はなお明確ではないが、パミール以西のオアシス地帯を支配した月氏（げっし）や康居（こうきょ）などであった。

シルクロード交易と中央アジア

中央アジアは古来、周辺地域との往来がさかんで、先に述べたオアシス都市や草原地帯をつないで交通・交易のルートが形成されたが、それは東西方向のみならず、南北にオアシス都市と草原地域をつなげていた。一般的にこうした交通・交易ルートは、シルクロードと呼ばれることが多い。シルクロードという語は、本来、遊牧民の活動域である草原地帯とオアシス民が定居する沙漠地帯に延びていた交通・交易ルートを、代表的な交易品であった中国産の絹や生糸にちなんで呼んだものであったが、現在では中央アジアを中心に据えたユーラシア大陸において人・モノ・情報・文化が行き交う、前近代の交流・交易のネットワーク全体を指す語として用いられている（森安 二〇二〇：三八―四〇頁）。

こうしたシルクロードの中心に位置する中央アジアは、多民族・多文化の世界が発達するとともに、遊牧・オアシス国家ともに、その興廃はいわゆるシルクロード交易の盛衰と密接な関係を有していた。突厥（とっくつ）が中国との絹交易を国家としての発展に不可欠のものと位置付けていたり、またオアシス国家同士が交易ルートを争奪するために、遊牧勢力を巻き込んで戦闘行為に及んでいたりしていたことを見れば、それは明瞭である。

二、前漢期の西域経営と中央アジアおよび周辺情勢

張騫の派遣と前漢の中央アジア政策

中央アジアのオアシス国家は、草原地帯の遊牧国家にとって多くの富や人畜をもたらすドル箱的な存在であり、先に述べたように両者は支配・被支配の関係に立つとともに、共生的な関係を構築していた。そうした中央アジアに対して、東から初めて楔を打ち込んだのが、前漢の武帝(在位前一四一—前八七年)であった。

武帝は、匈奴を討滅する目的で、西方に後退した月氏の本体(大月氏)へ使者として張騫を派遣(前一三九—前一二六年)したが、これが中国として初めてパミール以西にまで正式な使者を送るものであった。結果的には、この派遣の目的は達せられなかったが、彼がもたらした情報、とりわけ大夏(バクトリア、トハーリスターン。アフガニスタンのヒンドゥークシュ北側)で四川方面の物産(卭の竹杖と蜀の布)がインド経由で流通していたとの目撃情報は、大きな衝撃を武帝に与え、その後の彼の積極的な中央アジア政策につながっている。すなわち、張騫の帰国後、ほどなくして驃騎将軍の霍去病により匈奴の右翼(西辺)部が大破され、河西の地を統括していた渾邪王が部民を率いて投降すると(前一二一年)、武帝は再び張騫を烏孫に派遣し(前一一九年)、これを政治的な空白地帯と化した河西に招致しようとした。この派遣も結果としては実を結ばなかったが、張騫がこの時、主にパミール以西の中央アジアとその周辺諸国に誘致のための使者を送った結果、大宛(フェルガーナ)・康居・月氏・大夏・罽賓(ガンダーラ(現、ペシャワール)周辺域)などからの使者が来朝してきた。

罽賓の原語は、カシミールのプラークリット語形であるKaspirである(Pulleyblank 1962: 218)が、それを漢語で音写した罽賓は、カシミール以外のガンダーラなどの場所も指すようになっている。唐代までの諸史料にあらわれる罽賓が指し示す地域は、カシミー

ルーガンダーラーカーピシー／カーブルまでの間を揺れ動いており（桑山 一九九〇：四三―五九頁）、罽賓が具体的にどの地域を指すかは、時代的な一定の傾向は認められるものの個々の史料における文脈や、それぞれの時代の政治状況などを勘案して判断せざるを得ない。ただ全体としては、罽賓はヒンドゥークシュ山脈の南側、主にカーブル川流域およびそれと密接に結ばれるカシミール地域を広く指す語となっている。「大ガンダーラ」というガンダーラ語やガンダーラ美術を共有した地域の広がり（西はアフガニスタン南部、東はパキスタンのタキシラの東までを含む地域）を捉える考え方（Salomon 1999）も視野に入れ、今後さらにこの問題を検討してゆく必要がある。

注目されるのは、漢朝はこうした諸国に数多くの使節を継続的に送り込んでいたことである。『漢書』巻六一張騫伝には、漢の使節団の規模を百余人から数百人とし、多い時は派遣が年間十数回に達したことが伝えられている。使節というかたちを取った官主導の貿易であったと評されるのも頷ける（伊瀬 一九六八：一一四頁）。

こうした情勢を承け、元鼎二年（前一一五）以降には、宣帝期にかけて順次、河西に武威・酒泉・張掖・敦煌の四郡が置かれていった。これにより匈奴と羌の連携が断たれることになり、あわせて中国は初めてタリム盆地に進出するための拠点を構築することができた。漢代以降、河西において時に自立した政権が誕生することはあったものの、基本的に当地は中原王朝の手足となっていった。さらに宣帝期の神爵二年（前六〇）に、西辺の統治を任されていた匈奴の日逐王が降付してくると、タリム盆地を横断する両道（盆地北縁の道を西域北道、南縁の道を西域南道と呼ぶ）を統括するための官として「西域都護」を置き、その治所である都護府を西域北道の烏塁城（チャディール Chadir）に設置した。以後、ほぼ前漢時代を通して西域都護が任命され、前漢朝の西域支配は比較的安定したかたちで継続した。

前漢の西域経営と罽賓

遊牧国家である匈奴は、タリム盆地統治のための機関として日逐王により「僮僕都尉」が焉耆（カラシャール）付近に設置され、オアシス諸国に対して人・畜などを徴税していた(伊瀬 一九六八：九頁)。先に述べたように、この日逐王が漢に投降してきたことにより匈奴のタリム盆地支配は弱体化し、その一方で漢の西域統治は西域都護を中心にして強化された。

漢の西域経営がこのように宣帝期に本格的に始まると、パミール以西の中央アジアだけでなく、罽賓のように武帝時より入朝している重要な国家に対しては、叛服常ない西北インドのような地であっても、しばしば使節を送っていたことが『漢書』巻九六西域伝、罽賓国の条に伝えられている。同伝にはまた、漢が遣わした使者が同国の王子と共謀して現王を廃し、新たにその王子を立てたうえに「印綬」を授与していたこと、さらに漢の使者を脅したうえ殺害しても謝罪の使者を漢に送り込んで関係を修復するようなことが繰り返されてきたことが記されている。ここから、罽賓国が漢と直接に交易で結びつこうとしていたことや、漢側も何とかこの関係をつなぎとめておきたい意を有していた事情がうかがえる。同伝でも、罽賓国からの使節が結局は「賞賜と交易」を目的としたものであることを明確に指摘している。ちょうど前漢の西域支配が安定した宣帝(在位前七四—前四九年)、元帝(同前四九—前三三年)、成帝(同前三三—前七年)と続く時代は、いまだクシャン朝が勃興していない時期にあたり、罽賓などの西北インドの多くはインド・グリーク(インドにおけるギリシア人王国)の支配下にあった。貨幣資料および漢籍史料には、この時期に属す王名が伝えられている(定方 一九八五)。

先に述べたように、前二世紀後半の段階ですでに四川方面の物産がインド経由でアフガニスタン北部にまで流通していたが、こうした中国からインドへの物品の流れは、時代は少し降るが中国産の生糸や絹織物が「ガンゲース(ベンガル地方)」(蔀 二〇一六：一八八頁)経由で南インドの「リミュリケー(インド南西部のマラバール海岸)」地方へ運ばれていたことが、一世紀中頃(五〇—七〇年頃)に書かれたエジプト在住のギリシア商人の見聞録『エリュトゥラー海案内記』(第六四節)に認めることができる。どちらも、中国とインドを結ぶルートとして、海上ではなく、四川—雲南の中国西南地域を経由するルートが使われていた可能性が高い。

いずれにしても、漢の西域支配がはじまる以前より、中国↓インド↓西北インド↓トハーリスターンにいたる物資の流れが認められる状況のもと、西域支配の開始とともに、西北インドの罽賓がパミール南縁を経由して漢に使節を派遣し、中国と直接的に結びついたことになる。後一世紀において前掲の中国産の生糸や絹織物が、南回りだけでなく中央アジアを経てトハーリスターン―西北インドルートでもインドにまで運ばれていたことは後述するが、この状況は前漢の西域経営により、トハーリスターン―西北インドを中継点にして、中国―インド―西北インド―中央アジアを包含するような広域的な交易圏というものが、時々の政治情勢に大きく左右されながらも形作られていたことを踏まえたものであったことがうかがえる。

中華王朝の周辺諸国との外交関係や対外政策は、中華の理念がそれらの基底にあることは言うまでもないが、実際にそれによりどのような状況が醸成されたかは、理念とは別次元のこととして検討する必要がある。この中華王朝の西域支配と広域的な交易圏の形成・発展については、第六巻で改めて取り上げることにする。

三、後漢期の中央アジア・西北インド情勢と中国の西域経営

パミール以西の大月氏の政治情勢とクシャン朝の勃興

先に見た張騫の派遣時(前二世紀後半)、大月氏はバクトリア王国が建国していた大夏をすでに支配していたが、そこでは五翕侯(きゅうこう)(五人の諸侯)による統治体制が構築されていたことが『漢書』西域伝に伝えられている。その体制は後漢初期まで続いたと見られるが、この間の大月氏および五翕侯の事情をうかがわせる前一世紀後半の木簡が中国より出土している。それが敦煌近辺で出土した懸泉置(けんせんち)漢簡である。この中には、大月氏関係の木簡(紀年を有する最古の大

月氏木簡は、甘露二年（前五二）が一七件ほど含まれており、大月氏とその五翕侯の使者が、漢朝への朝貢および帰国の途上、駅伝用宿舎である懸泉置において宿食や交通手段の便宜を供与されていたことが記録されている。注目されるのは、「大月氏と諸国の客」（甘露二年（前五二）・初元二年（前四七）簡）という表現のほか、漢から大月氏へ派遣された使者が帰国に際して引き連れてきた「大月氏雙靡翕侯の使者萬若山、副使の蘇贛」（永光元年（前四三）簡）や、「自来の大月氏休密翕侯」（建昭二年（前三七）簡）などの記載があり、漢から大月氏へ使者を数多く送っていたことや、大月氏の五翕侯がそれぞれ独自に使節を派遣していたことがうかがえる（小谷 二〇一五）。

クシャン朝は、このうちの一つ大月氏の貴霜翕侯（クシャンの諸侯）であるクジュラ・カドフィセス（丘就卻）が他の四翕侯を滅ぼして創始したものである。その時代は、一世紀半ば頃と推定され、最新の研究ではクジュラ・カドフィセスの在位は後五〇―九〇年とされている（Jongeward et al. 2015: 4）。漢籍史料では同王の時代に、トハーリスターンからヒンドゥークシュを越える過程で「高附」を支配下に収め、さらにヒンドゥスターン平原の西端に出て「罽賓」を含む西北インド地域に進出したとされる。また次のヴィマ・タクトゥ（閻膏珍、在位九〇―一一三年）の時にもインド侵攻は続いていたと見られる。

クシャン朝勃興後のシルクロード交易の主要ルート

前掲『エリュトュラー海案内記』（第六四節）には、一世紀半ばに中国からの絹織物や生糸などが、バクトラ（アフガニスタン北部、アム河の南）経由でインド西海岸のパリュガサにまで運ばれていたことが記されている（蔀 二〇一六：三二頁）。ちょうどこの資料が書かれた頃は、クシャン朝が勃興し、ヒンドゥークシュを越えてガンダーラなど西北インドに進出していた時期にあたっており、トハーリスターンのバクトラが当時、中国から西へ延びてゆく交易ルート上の重要な中継都市であったことが分かる。東方では、匈奴の南北分裂後、後漢が班超の活躍のもとにようやく西域都護を再設置(明帝末期の七四年)した時代にあたる。おそらくは当時の交易ルートとして、中国からパミールを経て西トルキスタンに延びるルートは、バクトラあたりで南下して、インド西海岸にいたるのをメインとしていたと見られる。つまり、クシャン朝の勃興とともにシルクロード交易の主要ルートは、イランへ延びるルートではなく、バクトラ経由でインドへ南下してゆくルートとなっていったものと推測できる。クシャン朝がローマ帝国と漢帝国の間に立つ東西交易の仲介者として機能していたことはよく知られているが、同時にこの王朝の勃興はすでに前漢時代に構築されていたと見られる中国・インド・ガンダーラ・バクトラ・タリム盆地を包含する交易圏を大きく活性化させるものであった。とくにクシャン朝の時期になってくると、インドと中国とは陸上部分だけでなく、海上ルートでのつながりも認められるようになる。

こうした状況のもと、クシャン朝は先に述べたように後一世紀半ば以降、その勢力をインド方面に拡大してゆくが、同時に罽賓からタリム盆地方面へも進出の機会をうかがうようになり、後漢の西域経営としばしば衝突することになる。

後漢期の西域経営

後漢の西域経営では、班超の活躍が最も目立つ。すなわち、先に述べた西域都護は明帝の死後に西域諸国が反乱を起こすと、続く章帝により廃止されたが、班超はそのまま西域に残り統治を継続することに努めた。西域の諸国だけでなく、康居やその姻戚関係にあった月氏(クシャン朝)の外部勢力も絡んで、情勢は複雑な展開を示したが、和帝の永元二年(九〇)にクシャン朝が副王である謝(しゃ)に七万の大軍を率いさせて班超を攻撃させ、これに班超が勝利を収めたところからほぼ情勢は後漢側に有利に展開した。クシャン朝の西域侵攻は、時期的に見てインド方面への領土拡張の動きと密接に関係していたと考えられるが、西域進出についてはここで一旦頓挫したことになる。

班超がクシャン朝の勢力の進出を押しとどめ、西域支配を強化させると、後漢は班超を西域都護としてその経営を確かなものとした。永元九年(九七)に西域長史の甘英を大秦(ローマ帝国)・條支(シリア?)へ派遣したのも、こうした情勢のもとで行われた。その結果として、多くの西方諸国の使者や商賈が来朝することになったが、その経営は班超が中国本土に帰還してしまうと、急速に悪化した(伊瀬 一九六八:八四頁)。

後漢の西域撤退とクシャン朝の進出

班超の帰還後、一旦は班超の子である班勇が西域長史として赴任し、タリム盆地の掌握に尽力したが、永建二年(一二七)に班勇が退くと、タリム盆地を支配していた後漢は西域から完全に撤退した。最新の研究では、ちょうど同年にカニシュカ一世(迦膩色迦、在位一二七—一五一年)が即位し(Jongeward et al. 2015: 4)、クシャン朝の全盛時代を迎える。こうした状況下に、後漢に替わってクシャン朝がタリム盆地、とくに西域南道諸国に対して圧力を増していたと見られる。クシャン朝の公用文字・言語であるカロシュティー文字・ガンダーラ語による公私文書を作成している鄯善王国が成立し繁栄してゆくのも、またコータンにおけるシノ・カロシュティー銭の鋳造も、そうした文脈のなかで理解すべきであろう。

また、後漢が西域支配を放棄する状況にともなって、中国物産の流入が滞ったことは容易に想像されるが、そうした情勢のもとにクシャン朝下のインド商人やバクトリア商人、そしてソグド商人らが東方世界に本格的に進出し始めていたと考えられる。ソグド語でキャラバン隊を意味する sart が、サンスクリットの sārtha がバクトリア語経由でソグド語に入った借用語であった事実からうかがえるように、ソグド商人はその活動初期においてはクシャン朝下のインド商人やバクトリア商人に先導されるかたちで、一緒になって東方世界に進出していったと見られる(吉田 一九九九:二二九—二三〇頁、吉田 二〇一一:二一〇頁)。なかでもソグド人は三世紀頃には西域南道沿いのコータンに、彼らのコミュニティを形成していたことが推測されている(ニヤ東のエンデレ遺跡より、コータン王の統治年によって日付が記されているカロシュティー文字・ガンダーラ語による「ラクダ売買契約書」(三世紀後半―四世紀初め)が出土しており、そこに買い手として suligaʼa「ソグド人」の Vagiti Vadhagaʼa が、また証人の一人として同じくソグド人の Nanivadhagaʼa の名が見えている。ドゥ・ラ・ヴェシエール 二〇一九：四七頁)。

なお中国に仏教が伝来したのは後漢期とされるが、その本格的な流伝も二世紀のカニシュカ一世以降、クシャン商人の東方活動が活発化し始める時期であったと見られる。おそらくそれはインドにおける仏教教学の一大中心地であった罽賓の僧侶が中心となって東方に伝道していたと見られる。とりわけ注目されるのは、後漢時代の二世紀後半頃、クシャン朝より中国に渡来した僧侶や世俗信徒が多く存在していたことである。例えば、霊帝(在位一六八―一八九年)期と献帝(在位一八九―二二〇年)期に渡来した訳経僧として、月氏の出身とされる支婁迦讖(Lokakṣema、一四七年頃―没年不詳)が知られている。また支謙(字は恭明。またの名は越)も同様に月氏の出身とされ、三国呉で重用されて仏典の翻訳事業を推進しているが、彼ははじめ後漢期に華北に入り、支婁迦讖の弟子である支亮について学び、献帝の時代に混乱を避けて呉の孫権のもとに至ったものである。この月氏が具体的にどこを指すのかは明瞭ではないが、彼らが仏教教理の研鑽を積んだのはガンダーラとカシミールあたり(罽賓)であったと見られる。というのも、支謙は『仏説太子瑞応本起経』二巻を漢訳しているが、そこには輪廻転生先の世界として「五道」が挙げられているからである。通常、大乗・上座部系に関係なくほとんどの派が「六道」を想定しており、「五道」は上座部系の中の説一切有部派だけが主張するものであった。そして、この説一切有部派が盛んであったのが、ガンダーラとカシミールを中心にした地域であったのである。またこの他にも、安という姓をもつ僧侶である安世高も仏教伝播初期の訳経僧として有名であるが、彼もクシャン朝侵攻前の西北インドにおけるインド・パルティア王国出身の可能性が高いとされる(ドゥ・ラ・ヴェシエール 二〇一九：六五頁)。

四、タリム盆地のオアシス諸国の情勢

タリム盆地南縁のコータン国家におけるシノ・カロシュティー銭の鋳造

タリム盆地の南道に建国していた于闐国（コータン）の領域内から、自らが発行したと見られる打刻貨幣（片面もしくは両面に様々な図像や文字を打ち出した貨幣）が出土している。いわゆるシノ・カロシュティー銭と呼ばれている貨幣である。打刻年代については、なお議論はあるが紀元後二世紀とする説が有力である（Cribb 1984-85）。貨幣は、クシャン朝の公用文字・言語であるカロシュティー文字・ガンダーラ語と漢字・漢語を用いた二言語併用貨幣であったが、当時の西北インドにおいては、よく見られた貨幣様式である。クシャン朝においてもギリシア文字とカロシュティー文字銘文をもつ貨幣が発行されていた。

ただきわめて特徴的なのは、貨幣の片面には、クシャン朝の公用文字であるカロシュティー文字で王名と見られる銘文が馬の図像の周囲に配されるのに対して、別面には漢字で重量に関する銘文のみが記されていたことである。シノ・カロシュティー銭としては大型と小型の二種が知られているが、それに応じて漢字による重量銘文も、「六銖銭」と「銅銭重廿四銖」があった。

そもそも貨幣に重量を記すのは、中国では「半両銭」以来の伝統であり、中央に孔は空けられていないが、明らかに中国の銅銭銘文の形式に倣ったものである。シノ・カロシュティー銭には、六銖（四グラム）と二四銖（一両、一六グラム）の二種の重量が打刻されているが、興味深いのは、これは同時代である漢代の五銖銭ではなく、中国が最初に造った統一貨幣である秦の半両銭の重量体系（半両は一両（二四銖、一六グラム）の半分の一二銖（八グラム））に準じるものであったことである。実は、この六銖（四グラム）・一二銖（八グラム）・二四銖（一六グラム）という貨幣の重量体系は、直

接的にはクシャン朝のそれを継承したものであったが、もともとこの体系は貨幣使用の先進地域であるギリシア・ローマやペルシアの貨幣の仕様に従ったものであった。つまり二世紀のシノ・カロシュティー銭は、当時の国際的な貨幣の重量のスタンダードに則って発行されていたことになる。

タリム盆地のオアシス国家の文化状況

タリム盆地周縁のオアシス国家は、総じて中華世界の政治的な統治を受け入れても、文化的・宗教的にはインド文化の強い影響下にあった。コータンの言語は、イラン系の言語ではあったが、それでもインド文化の影響下にあったのである。

またこれらのオアシス国家では一般に仏教が篤く信奉されており、高昌(こうしょう)国・焉耆(えんぎ)国・亀茲(きじ)国・于闐国などでは、僧侶が数千人の規模で存在したと見られる。ただし高昌国の例で、町田隆吉が明らかにしているように、僧侶といっても俗人とほとんど変わりないような者であった可能性は高い(町田 二〇〇二)。さらにはタリム盆地北縁の亀茲国が基盤としたクチャ・オアシスは、前掲の説一切有部派の拠点となり、これに対してタリム盆地南縁の于闐国が立脚したコータン・オアシスは、大乗仏教の拠点となっていた。中国仏教と関係が深かったのは後者であり、仏典の東方伝播にとっても、コータンは大きな拠点となっていた(橘堂 二〇一〇：七五―七六頁)。ただしパミール以西の地域では、アム河流域あたりまでは仏教が伝播していたが、アム河を大きく越えて仏教が深く信仰されることはなかったと見られる。

また先に述べたように、于闐国では銅銭の発行に際してカロシュティー文字・ガンダーラ語とともに漢字・漢語が採用されていたことは、于闐国がいまだ自らの言語であるコータン語を外来の文字を用いて表現できる段階に至っていないことを示している。この点に関連して西域南道の諸遺跡からは、バクトリア語やソグド語の史料とともに、多くのカロシュティー文字・ガンダーラ語と漢字・漢語の史料が発見されるが、このことは当時の南道諸国では外交で使用される公用文字・言語として、この二つの文字と言語が用いられていたと見られる。やがて于闐国では、五世紀以降に自らの言語であるコータン語を、漢字ではなくインドの文字であるブラーフミー文字で書き表すようになる。この点は、北道諸国も似たような状況にあったと見られる。一―四世紀におけるタリム盆地のオアシス国家は、自らの言語をいまだ文字で表現できておらず、その点では周辺の先進文化を吸収する段階にあった。

五、魏・晋朝と中央アジア諸国・商人

ユーラシア東部におけるソグド人・バクトリア人らの植民集落の設置

先に見たようにクシャン帝国は、後漢の西域経営からの撤退により西域南道へ進出していったが、そのもとでソグド商人・バクトリア商人やインド商人らの東方進出を一層活発化させていったものと考えられる。そうしたなか注目されるのは、ソグド商人がクシャン朝のインド商人・バクトリア商人とともに、河西に彼らの拠点を構築していたらしいことである。

彼ら商人の東方進出にあたっては、同族民による植民集落が構築された。その痕跡は、三世紀の段階よりすでにうかがわれ、『三国志』巻三三 蜀書 後主伝(『冊府元亀』巻二一七)には、二二七年、諸葛孔明が兵を率いて北伐しようとしたときに、河西の諸国王が、配下の月氏や康居の胡侯(ここう)である支富(しふ)や康植(こうしょく)らを使節として送り、軍事援助を申し出ていたことが明記されている。この月氏や康居の胡侯である支富や康植というのが、河西地域に散在したバクトリアやソグドの商人集団のリーダーであり、有事には軍団の長ともなり得る人物であった可能性が高い(森安 二〇〇七:一一三―一一六頁)。とすれば、彼らの植民集落が河西地域にすでに存在していたことは充分に考えられる。しかしなが

これ以降、とりわけフン族のキダーラ・クシャンやエフタルが勃興する五世紀以降にあっては、ソグド人に関する情報が主体となり、草原地域とともに中国では中原や関中、その他の華北地域、さらには四川地域にも進出しようとする彼らの動きが活発化してゆく。ただしバクトリア人もソグド人と一緒に活動を続けており、その痕跡も認められる。たとえば五世紀の北魏の都である平城遺跡から、バクトリア語の銘文(Khingilaという名前あり。Khingilaは『旧唐書』罽賓伝に見られる始祖の馨孽(けいげつ)の漢字音写)が刻まれた銀器が発見されている(山西考古研究所等 一九九二、吉田 二〇一一:五二頁)。

他方で、ソグド人は南海交易へもインド商人と参加していたと見られ、康僧会(こうそうえ)などはその良い例である。彼自身はハノイあたりから呉の建業に入り、訳経事業に貢献した仏教僧侶であるが、彼の父は南天竺から東南アジアに渡った商人であり、彼が僧侶となったのは父の没後であった。

魏・晋の外交政策

三国魏の文帝時代、延康元年(二二〇)に、焉耆・于闐王の朝貢があったことが記録されており、後漢代に途絶えていた中国と西域との関係を再構築するにいたっている。この後、河西地方の反乱によって西域との通交が再び断絶するが、反乱鎮圧後、黄初三年(二二二)に亀茲王が来朝し、再び西域からの遣使を受けて文帝は交易開始を企図した。さらに明帝の時代になると、太和三年(二二九)一二月に大月氏王の波調(はちょう)(ヴァースデーヴァ、在位一九〇−二三〇年)が来朝している。サーサーン朝のアルダシール一世(在位二二四−二四〇年)の治世下で、すでに西北インド方面がサーサーン朝の領域に組み込まれていたことを、貨幣資料から推断する見解があり(Cribb 1990; Errington 2007: 82-85)、その来朝の背景には当時、新興のサーサーン朝によるクシャン朝への侵攻が激しくなっていたことがあった可能性がある。これに対して魏は「親魏大月氏王」を授与している。この「親魏〇王」の称号は、知られている範囲では大月氏以外では倭国にしか授与されておらず(「親魏倭王」)、魏が大月氏を特別に待遇していたことがうかがえる。「展望」の章で明確に指摘されているように、中華の理念として、僻遠の地からの王徳を慕う朝貢国は嘉すべき存在であり、まさに中華の正統王朝としての威信を示すために、こうした称号が授与されていたことはその通りであろう。ただし留意すべきは、先に述べた大月氏側の事情だけでなく、中国側にもこの称号が授与された太和三年(二二九)に、呉の孫権(そんけん)が皇帝に即位して元号を黄龍と改め、建業に遷都していた状況があったことである。江南に拠る呉は東南アジアや海域世界との結びつきを強めていたことから(丸橋 二〇二〇:四七—四八頁)、クシャン朝への関心は高かったと見られる。また江南と遼東半島、さらには朝鮮半島を結ぶ海上交流を活発化させていた呉の動向を考えれば、魏としては、呉との対抗上、大月氏と倭国にこの称号を与えていたとも考えられる。

同じく太和年間(二二七—二三三年)に魏は、中央アジアより敦煌に来る数多くの商人たちを、通行証である「過所(かしょ)」の発給を通じて洛陽に誘引する体制を構築しているが(荒川 二〇一〇:五〇七頁)、これこそ魏こそが中華世界の中心であることをアピールするための施策であったと見られる。

魏がこの称号を大月氏(クシャン朝)に与えるに至ったことについては、様々な角度から検討することができるが、その背景として、根底にある中華の理念とともに、大月氏・魏双方が直面する政治事情が交錯するなかで授与されていた、現実の世界の側面も併せて考えておく必要がある。

おわりに

中央アジアの遊牧国家やオアシス国家にとって、中国を統一した秦を継いだ漢王朝が、東方では初めて公的に政治的な関係を構築した存在であった。とりわけ漢の西域支配の開始により、それまで遊牧国家とオアシス国家で作られてきた共生関係に楔が打ち込まれ、新たな政治および経済状況が中央アジアに醸成された。なかでも中央アジアに連なる西北インドに位置する罽賓国は、中国への使節の派遣を「賞賜と交易」を目的として渇望し、それに対して中国側もそれを受け入れたうえで頻繁に使節を罽賓に送っていた。このことが結果として、中国―中央アジアと中国―インドの交易ラインを、西北インドを中継点として結びつけ、中国・中央アジア・インドにわたる広域的な交易圏というものを形作っていったと見られる。一世紀後半において西北インドに侵攻して創建されたクシャン朝の存在は、西方のローマ帝国との交易を進めながら、そうした東方の交易圏を増進させるものであった。

また中国にとって、パミール以西のトルキスタン―インドは、単なる僻遠の地ではなく、人やモノとともに最新の文化が入ってきた先進的な地域であった。本章でも述べたように、なかでも西北インドの罽賓は、中国への仏教伝播にとって中核となる地域であった。クシャン朝期は言うに及ばず、クシャン朝以降もエフタル・突厥・吐蕃(とばん)・イスラーム勢力の侵攻と大きく政治的な変動が続くなか、パミール以西のトルキスタン―インドは、西アジア・ヨーロッパに広がるユーラシア西部と中国に広がるユーラシア東部の境界地帯として、長期にわたって中華世界に大きな文化的な影響を与え続けたのである。実は、これは単に文化面や先述した経済面にとどまらず、政治・外交面においても大きなインパクトを中国に与えているが、この点については第六巻で詳述したい。

参考文献

荒川正晴(二〇一〇)『ユーラシアの交通・交易と唐帝国』名古屋大学出版会。

伊瀬仙太郎(一九六八)『中国西域経営史研究』巌南堂書店。

稲葉穣(二〇一三)「前近代のカーブル――東部アフガニスタンにおける大都市の變遷」『東方學報』八八、四〇一―三五九頁。

榎一雄(一九七一)「中央アジア・オアシス都市国家の性格」『岩波講座 世界歴史六 古代六 東アジア世界の形成第三 内陸アジ

ア世界の形成』岩波書店、三二七―三五八頁(再録『中央アジア史二』(榎一雄著作集二)(一九九二)汲古書院、三―三六頁)。

小谷仲男(二〇一五)「敦煌懸泉漢簡に記録された大月氏の使者」『史窓』七二、一二二―一〇〇頁。

橘堂晃一(二〇一〇)「東トルキスタンにおける仏教の受容とその展開」奈良康明・石井公成編『新アジア仏教史5 中央アジア 文明・文化の交差点』佼成出版社、六八―一一二頁。

桑山正進(一九九〇)『カーピシー=ガンダーラ史研究』京都大学人文科学研究所。

定方晟(一九八五)「漢書に記された罽賓の政争」『印度學佛教學研究』三四―一、四四〇―四三三頁(逆頁)。

蔀勇造訳註(二〇一六)『エリュトラー海案内記 二』(東洋文庫八七四)平凡社。

ドゥ・ラ・ヴェシエール、エチエンヌ(二〇一九)『ソグド商人の歴史』影山悦子訳、岩波書店(De la Vaissière, Étienne (2002), *Histoire des Marchands Sogdiens*. Paris, Collège de France)。

町田隆吉(二〇〇二)「麴氏高昌国時代における僧侶の経済活動」野口鐵郎先生古稀記念論集刊行委員会編『中華世界の歴史的展開』汲古書院、四七―七二頁。

丸橋充拓(二〇二〇)『江南の発展　南宋まで』(シリーズ中国の歴史2)岩波書店。

森安孝夫(二〇〇七)『シルクロードと唐帝国』(興亡の世界史5)講談社。

森安孝夫(二〇二〇)『シルクロード世界史』(講談社選書メチエ)講談社。

吉田豊(一九九七)「ソグド語資料から見たソグド人の活動」『岩波講座 世界歴史一一 中央ユーラシアの統合』岩波書店、二二七―二四八頁。

吉田豊(一九九九)「中央アジアオアシス定住民の社会と文化」間野英二責任編集『アジアの歴史と文化8 中央アジア史』同朋舎、四二―五四頁。

吉田豊(二〇一一)「ソグド人とソグドの歴史」曽布川寛・吉田豊編『ソグド人の美術と言語』臨川書店、七―七八頁。

山西考古研究所等(一九九二)「大同南郊北魏墓群発掘簡報」『文物』一九九二―八。

Cribb, J. (1984-85), "The Sino-Kharosthi Coins of Khotan: Their Attribution and Relevance to Kushan Chronolog: PART 1,2", *The Numismatic Chronicle* 144-145, pp.128-152, pp.136-149.

Cribb, J. (1990), Numismatic Evidence for Kushano-Sasanian Chronology, *Studia Iranica* 19/2, pp.151-193.

Errington, E., V.Sarkhosh Curtis eds. (2007), *From Persepolis to the Panjab: Exploring ancient Iran, Afghanistan and Pakistan,* London: British Museum Press.

Jongeward, D., J.Cribb with Donovan, P. (2015), *Kushan, Kushano-Sasanian, and Kidarite Coins: A Catalogue of Coins from the American Numismatic Society,* ANS.

Lattimore, O. (1950), *Pivot of Asia: Sinkiang and the Inner Asian Frontiers of China and Russia*, Boston: Little Brown (Rep.1975 by AMS Press Inc., New York).

Pulleyblank, E. G. (1962), "The Consonantal System of Old Chinese", *Asia Major* 9, pp.58-144, pp.206-265.

Salomon, R. (1999), *Ancient Buddhist Scrolls from Gandhāra: The British Library Kharoṣṭī Fragments,* Seatle: University of Washington Press.

コラム｜*Column*

書芸術の成立

冨谷　至

文字に芸術性を賦与し、鑑賞の対象となる、それを書芸術といっておこう。書記、記録というのは、意志の伝達、記録をその第一の目的とする実用的な作為であり、芸術的創作を目指した芸術活動とは異なる。それが書芸術となるには、次の二点を満足させねばならない。

i　文字を美しく書こうという意識。

ii　他人の書を美しいと見て、それを模倣せんとする意識。

後漢の趙壹(ちょういつ)（二世紀後半）の「非草書」には、草書はもともと草卒に書こうとして成立した書体なのに、最近では、草書を美しく書こうとして手本を求めて習書をしていると非難する文が見えるが、逆にそれは後漢の二世紀半ばには、書芸術が成立の二条件を充足していたといえる。では、前漢期以前ではどうであったのか。

前漢時代、主として書写に従事した者は、「史」と呼ばれる書記官で、彼らが使用する書体もしくは書法を「史書」といった。文献史料、『漢書』『後漢書』にも、「能史書」「善史書」という語句が確認でき、それは、行政文書の書法に技巧的に優れているという意味であった。

居延、敦煌漢簡の隷書には、「懸針(けんしん)」［図1］「波磔(はたく)」［図2］と呼ばれている特徴だった運筆がかなりの数見られる。懸針とは、上から下に筆を運ぶとき、下部に従い力をいれて、長く太くのばす運筆、波磔とは右下もしくは左下に撥ねるとき、力をいれて太くのばす運筆である。それは、書記官の個性的運筆ではなく、普遍性をもったものであり、次の特徴を持っていた。

（一）懸針・波磔は、文書のなかで重要な役割をもち、読手の視覚に訴える鍵詞となる語、「令」「可」「之」などの字に集中する。

（二）特定の字は、必ず懸針・波磔をともなって書かねばならないわけではない。

こういった懸針・波磔は、文書を書記する役人が、上部機関から伝達された命令書を書き写して下級機関に送達し、上級機関への報告書を作成するうえで、適宜用い、文書にふさわしい書法、つまり文書全体のなかでの視覚的効果、そこから期待される公文書の威信と威圧を与える効果をねらった所為であった。それが「史書」（令史（書記官）の書法）であり、「善史書」とは、その技巧が優れていることである。またその技巧を身につけようとした試み、習書の簡が見つかっている。

「善史書」は、書芸術として優れているという意ではない。あくまで、技術的な書法であり、書き手に書芸術への志向はなく、そこから行政文書が書芸術に直接に繋がるというもの

図1　懸針

図2　波磔

ではない。秦漢時代の行政文書の書は、冒頭に提示した書芸術の二つの条件を満たしてはいない。つまり書芸術はいまだ現れてはいなかったのである。ではそこからどのような経緯を経て後漢の趙壹の非難が生まれるようになったのであろうか。私は、次のような段階をたどって生成されたのではないかと考えている。

一つは、後漢時代、一世紀前後から顕著となり以後隆盛に向かう石碑の建立である。石刻は皇帝の詔書を始めとする公的な文書を刻むことからはじまり、やがて私的な頌徳碑へと移っていき、広汎に建てられるのだが、そこにおいては、もはや文書の威圧を目指した書法は必要ではなくなる。事実、石刻には懸針、波磔はあまり見られない。このことは、懸針が芸術的書体として展開せず、行政文書の書法から昇華しなかったことを示しているといってもよい。つまり、命令から賛同・同調への変化であり、与えるべき威信より目を惹きつける書体、書法がそれに代わって要求される。目を惹きつけるのは、書かれた文字に対する美的共感、つまり惹きつける芸術性である。行政文書書体から芸術的書体への転換である。

今ひとつは、草書の属性であろう。草卒に速筆を目的として隷書の崩し字として登場した草書は、芸術的価値をもつ書体として認められるようになっていく。それは、草書がその内面に芸術性を内包していたからではないか。いったい、平面に描写・書写されたものに美的価値をもたせるのは、そこに立体感をいかに賦与するかが大きな要素であろう。書芸術においては、線の太さと濃淡で文字を三次元的に表現することがひとつ、そしてさらに言えることは、躍動感、文字に運動性をもたせることで立体性を表現することである。草書はまさにそういった役割を果たすことができた。草書が独立した書体として認識されるようになり、そこに芸術的価値が賦与されることで、逆にそれまでの行政文書の書体（隷書）が草書に対峙する書体として確認され、八分体という書体の美しさが求められた。書体の相対化であり、ここに、書芸術が確立する。

【執筆者一覧】

吉本道雅(よしもと みちまさ)
1959年生．京都大学大学院文学研究科教授．東洋史学.

宮宅 潔(みやけ きよし)
1969年生．京都大学人文科学研究所教授．中国古代史.

鷹取祐司(たかとり ゆうじ)
1965年生．立命館大学文学部教授．中国古代史.

石井 仁(いしい ひとし)
1958年生．駒澤大学文学部教授．魏晋南北朝史.

髙村武幸(たかむら たけゆき)
1972年生．明治大学文学部教授．秦漢史.

釜谷武志(かまたに たけし)
1953年生．神戸大学名誉教授．中国古典文学.

古勝隆一(こがち りゅういち)
1970年生．京都大学人文科学研究所教授．中国古典学.

田中俊明(たなか としあき)
1952年生．滋賀県立大学名誉教授．朝鮮古代史・古代日朝関係史.

荒川正晴(あらかわ まさはる)
1955年生．大阪大学名誉教授．中央アジア古代史.

【責任編集】

冨谷 至(とみや いたる)
1952年生．京都大学名誉教授．中国法制史．『漢唐法制史研究』(創文社，2016年)．

岩波講座 世界歴史 5　　第2回配本(全24巻)

中華世界の盛衰 ~4世紀

2021年11月 5 日　第1刷発行
2022年 1 月14日　第2刷発行

発行者 坂本政謙

発行所 株式会社 岩波書店　〒101-8002 東京都千代田区一ツ橋2-5-5
電話案内 03-5210-4000　https://www.iwanami.co.jp/

印刷・法令印刷　カバー・半七印刷　製本・牧製本

ISBN 978-4-00-011415-8

岩波講座

世界歴史

A5 判上製・平均 320 頁（黒丸数字は既刊，＊は次回配本）

全㉔巻の構成

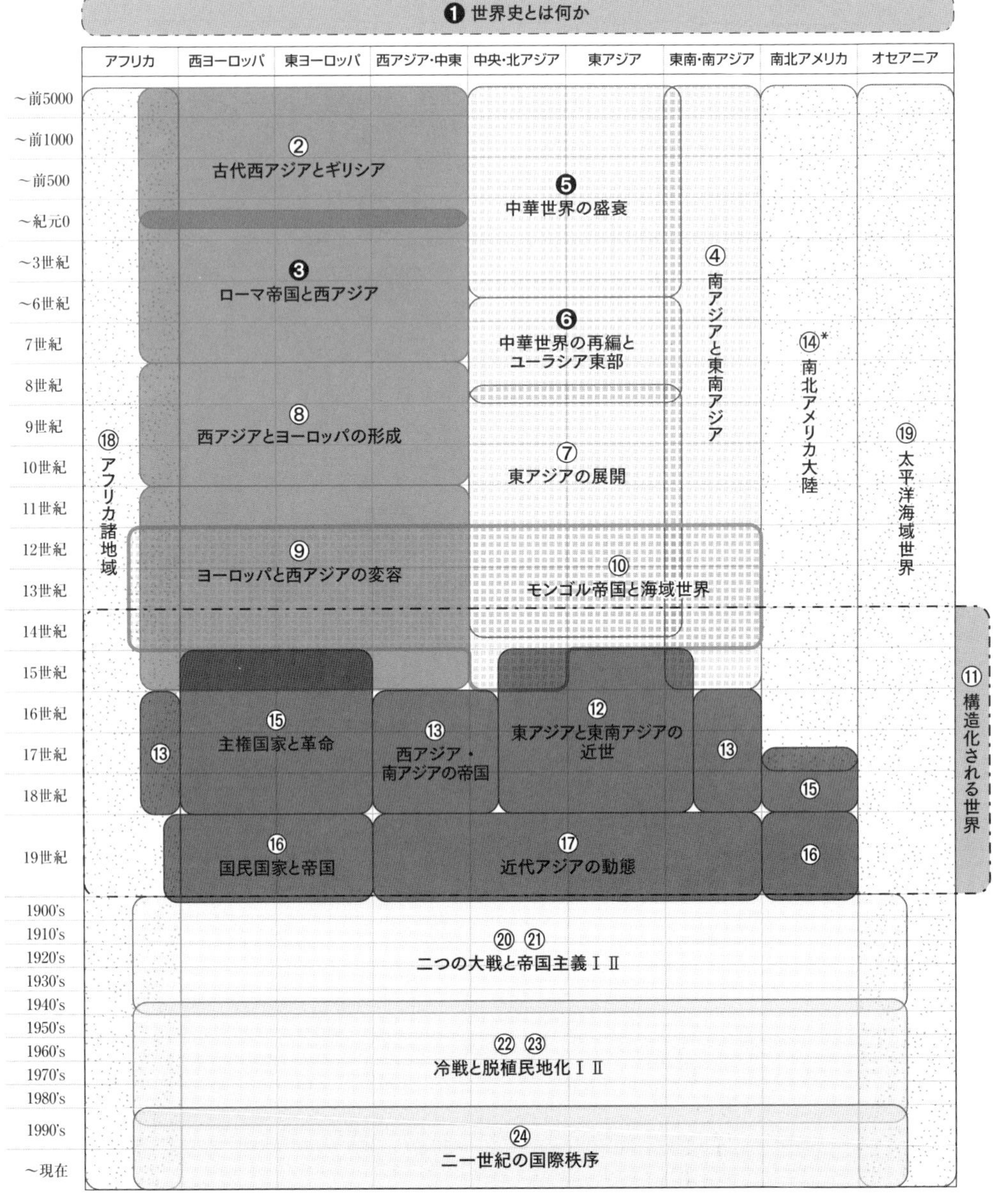

※本図は各巻の内容を厳密に反映したものではなく，便宜的に図示したものです．